그대 아직도 꿈꾸고 있는가
한 말씀만 하소서

박완서 소설전집 14

그대 아직도 꿈꾸고 있는가
한 말씀만 하소서

세 계 사

전집을 내면서

가끔 지금까지 낸 책이 몇 권쯤 되냐는 질문을 받을 적이 있다. 정확하게 대답해야 할 필요가 없는 경우에도 나는 괜히 속으로 셈을 하는 표정을 지으면서 어물쩡댄다. 워드 프로세서로 글을 쓴 지가 몇 년 되는데도 그럴 때 나는 책 권수를 다시 원고지 매수로 환산하는 버릇이 있다. 몇만으로 헤아려야 하는 원고지 매수가 끔찍해서 나는 그만 주눅이 들고 만다. 더 끔찍한 것은 그 몇만 장을 손바닥보다도 얇고 가벼운 디스켓 속에 다 집어넣을 수 있다는 사실이다. 양이 결코 자랑이 될 수 없다.

나이 탓인지 간간이 엄습하는 불면증 때문인지 오밤중에도 무슨 급한 볼일처럼 육십 평생 살아오면서 벌린 온갖 잡동사니들을 정리할 시간을 가질 때가 종종 있다. 어쩌면 그렇게 값나가는 물건이 없는지, 비싸지는 않더라도 높은 안목을 뽐낼 만한 물건이라도 있었으면 좋으련만 그것은 더욱 아니다. 나 죽은 후 자식들로부터 엄마는 참 구질구질한 것도 많이 끼고 살았다는 소리를 듣지 않으려면 꼭 필요한 것만 남겨야 싶지만 그 한계가 모호하다. 그래서 애써 정리를 하고 나면 더욱 개운치가 않아진다. 전집을 낸다는 것도 그런 짓이나 아닌지 모르겠다.

그동안 애써주신 〈세계사〉 여러분한테 괜한 수고했다는 소리나 듣게 될까 봐 그게 가장 두렵다.

박완서

그대 아직도 꿈꾸고 있는가

1

차문경(車聞慶)은 남자를 배웅하지 않았다. 노여움과 수치심이 목구멍까지 차올라 그걸 참기 위해 애꿎은 잠옷깃만 잔뜩 움켜쥐고 있었다. 그 남자, 김혁주 또한 옷을 꿰고 넥타이까지 반듯하게 매는 동안 그 여자에게 한번도 눈길을 주지 않았다. 그러나 으쓱하게 추스른 어깨와 머리카락 한 올도 흐트러지지 않은 잘생긴 뒤통수는 얼굴보다 훨씬 풍부한 표정을 지니고 있어 그가 지금 얼마나 성이 나 있다는 걸 짐작하고도 남음이 있었다.

혁주는 끝내 문경에게 등을 돌린 채 방을 나갔다. 그의 침착한 발자국소리가 철커덕하는 현관문의 금속성을 끝으로 아주 안 들리게 되자 그 여자는 비로소 한 움큼 움켜쥐고 있던 잠옷깃을 놓았다. 빈약한 가슴이 드러났다. 그 여자는 서른다섯이었다. 현재 독신이었지만 한 번 결혼한 적이 있는 이혼녀였다. 자신에 관한 그 두 가지 기정사실이 별안간 손거스러미처럼 예민하게 그 여자의 의식을 불편하게 했다.

「별꼴이야.」

그 여자는 전혀 예기치 못한 자신의 마음의 이런 변화를 남의 일처럼 비웃으려고 했다. 그러나 까닭이 분명치 않은 쓸쓸한 낭패감은 쉽게 떨쳐지지 않았다. 그 여자는 혁주와의 첫날밤을 은근히 기대하며 장만해두었던 야하고 하늘하늘한 잠옷을 벗고 몸을 대강 씻은 다음 평상시의 검소한 잠옷으로 갈아입는 동안 아까 혁주가 그 여자를 외면했던 것만치나 철저하게 거울을 외면했다. 더는 불쾌해지고 싶지 않았다. 그 여자가 정말 피하고 싶은 건 남자하고 자고 난 자신의 모습이 아니라 능욕당한 것처럼 참담한 치욕감인지도 몰랐다.

혁주 역시 그 여자와 동갑인 서른다섯이었고 아내하고 사별한 홀아비였다. 대학동창인 그들이 오다가다 우연히 다시 만난 건 3년 전, 각각 비슷한 시기에 외로운 신세가 되고 난 지 얼마 안돼서였다. 그 우연의 일치 때문에 그들은 그 만남에 우연 이상의 운명적인 걸 느꼈고 필요 이상 허둥댔던 것 같다. 심지어는 대학시절에 품었던 막연한 호감까지도 첫사랑이었다고 착각하고 싶어했다. 그들이 각각 다른 짝을 만났을 때 어렴풋이나마 이루지 못한 사랑을 아쉬워한 적이 없었음에도 불구하고 말이다.

사랑한다고 먼저 말한 건 혁주였던가. 다시 만난 지 석 달도 안돼서였다. 그러나 첫사랑이었다는 착각 때문에 말한 쪽에서도 받아들이는 쪽에서도 조금도 조급하다고 여기지 않았다. 결혼에 대해 먼저 말한 건 문경이었다. 예식 따위가 아니었다. 피차 한 번씩 예식장에서 치르는 결혼식의 경험이 있는 몸이어서 그런지 두번째 예식에 대해선 묘한 부끄러움을 가지고 있었다. 가능하면 피하고 싶었다. 그 여자가 분명히 해두고자 한 건 그런 형식이 아니라 두 사

12

람이 합치는 데 따른 적지 않은 구체적인 문제였다. 혁주는 홀어머니를 모신 장남이었고 죽은 아내와의 사이에 어린 딸을 두고 있었다. 혁주의 아내가 된다는 건 동시에 낳지 않은 딸의 어머니가 된다는 걸 의미했기 때문에 그 문제에 있어선 문경이 심각해지지 않을 수 없었다. 그러나 혁주는 그 여자가 딸에 대해 시시콜콜 알고 싶어하는 걸 별로 달가워하지 않았다. 어떻게 생긴 아이인가, 죽은 엄마를 어느 만큼 기억하고 있나, 성질은 온순한가 활발한가, 명랑한가 우울한가, 체질은 건강한가 약질인가, 그 정도는 장차 엄마 노릇을 조금이라도 덜 서툴게 하기 위해 알아두고 싶었지만 혁주의 생각은 그게 아닌 듯했다. 그 여자가 그 애에 대해 알고 싶어할 적마다 눈살을 찌푸렸다.

「전실 자식 하나 있는 게 그렇게 마음에 걸려.」

이런 퉁명스러운 말로 핀잔을 줄 적도 있었다. 마치 문경이가 그 애를 눈엣가시로 여기고 있다는 말투였다. 문경이도 남자의 그런 오해에 관대하려고 애썼다. 콩쥐팥쥐, 장화홍련의 문화를 몸소 극복해야 하는 건 자신의 몫이고, 거기 대한 혁주의 두려움은 당연한 부정(父情)으로 차라리 따숩게 여기고 싶었다. 딸 문제말고는 서로 거리낄 게 없었다. 시어머니도 모실 각오가 되어 있고 특히 각자 가지고 있는 집의 처리 문제에 이르러서는 둘 다 눈이 빛나고 신바람이 났다. 아아 서른다섯에 다시 결혼을 한다는 건 얼마나 좋은 일인가. 혁주도 자수성가한 몸이었고 문경이도 지금 가지고 있는 작은 아파트를 위해 아이낳기까지 미루어야 했던 고달픈 경험이 있기 때문에 결혼과 동시에 집이 두 채가 된다고 생각만 해도 갑자기 갑부가 된 듯한 기분을 맛보았다. 양쪽 집을 한꺼번에 처분해서 더 큰 집을 장만한다고 생각해도 즐겁고, 문경이네 아파트를 세를 주어 그 돈을 알토란같이 불린다고 생각해도 더욱 고소했다. 시어머니가 정정하시고 또 살림을 주장하는 걸 큰 보람으로 아시니 문경이는 직장생활을 그대로 계속하는 게 좋을 거라는 건 이미 합의를 본 지 오래였다. 만사형통이었다. 이심전심으로 두 사람이 다 결혼식이란 절차를 그다지 중요하게 여기고 있지 않다는 것까지 안 이상 망설일 게 없었다.

거듭 말해두거니와 두 사람 다 건강했고 독신이었고 서른다섯이었다. 만난 지 석 달 만에 사랑한다고 말하고 곧이어 결혼 얘기를 서두른 조급한 갈망은 자연스러울지언정 나무랄 게 못됐다. 실제적인 생활을 합치기 위한 계기를 마련하기 위해서도 서른다섯의 건강한 허기증을 위해서도 진작 두 사람은 합쳐져야 했다. 그럴 수 있는 기회를 3년씩이나 미룬 건 순전히 그 여자의 일방적인 속셈에 의해서였다. 사별이란 이혼을 당한 것과는 달라서 부부간의 정이 손상당하지 않고 남아 있을 것 같았다. 남아 있는 정을 지우거나 밀어내는 역할보다는 희미해질 동안을 기다리고 싶었다. 상처한 지 1년도 안돼 새장가드는 남자도 없지 않다는 걸 알고 있었지만 그런 남자는 생각만 해도 정이 떨어졌다. 그 여자는 혁주를 그렇게 정 떨어지는 남자로 만들고 싶지 않았다. 적어도 3년은 기다리는 게 망처에 대한 의리가 아닐까. 그 여자는 속으로 3년의 시한을 정해놓고 마치 결혼식 올리기 전엔 절대로 안돼요라고 죽자꾸나 순결을 고집하는 처녀처럼 철석같이 완고하게, 때로는 요령껏 부드럽게 남자의 안타까운 욕망을 거절하기도 하고 다독거리기도 했다. 그 여자 나름으로는 그렇게 하는 게 결혼식 못지않은 의식이었고 최소한의 도덕이었다. 그러나 그런 속내를 혁주에게 말한 적은 없기 때문에 영문도 모르고 거부만 당하는 혁주는 몹시 언짢아했다. 때로는

「분수를 알고 비싸게 굴라구」

하는 말로 빈정대기도 했다. 뒤집으면 곧바로 〈네까짓 게 무슨 숫처녀라고……〉하는 뜻이 되는지라 토라지고도 싶었지만 서른다섯의 이혼녀의 비위가 서른다섯의 건강한 홀아비의 참을성의 한계를 헤아려주지 못하면 누가 알아주나 싶어 어물쩍 흘려듣곤 했다.

그동안 그렇게 힘들게 서로의 갈망을 절제해왔기 때문에 그들은 서로 더할 수 없이 만족스럽게 합칠 수가 있었다. 처음에 그 여자는 남자가 침대에 익숙지 못해 하는 것 같아 약간 신경이 쓰였지만 곧 이거야말로 내가 바라고 꿈꾼 행복이라는 거로구나 싶어 놓치고 싶지 않은 탐욕스러운 기분이 되고 말았다. 너무 게걸스럽게 군 것 같아 일이 끝나자 그 여자는 심한 부끄러움을 탔다. 그리고 의당 남자에 의해 그 부끄러움이 위로받기를 바랐다. 그러나 몸을 섞고 나서 남자의 입에서 떨어진 첫마디는 그게 아니었다.

「이런 무신경하고 뻔뻔스러운 여자가 있나.」

무엇에 놀랐는지 남자는 질겁을 하면서 이렇게 외치는 것이었다. 남자가 가리키는 쪽을 보니 침대머리 쪽 천장 밑에 늘어져 있는 작은 목제 십자고상이었다. 그 여자의 어머니의 유물이었다. 금 가락지, 십팔금 목걸이, 자수정 브로치, 밍크 목도리 등 쏠쏠한 것들은 다 언니 올케들이 나누어 갖고 막내인 그 여자에게 돌아온 게 그거였다. 돌아왔다기보다는 아무도 안 갖길래 그 여자가 거두어 가졌고 어머니가 임종의 순간까지 경건한 기구를 바치던 거라 함부로 못하고 가장 높은 곳에 걸어놓고 있었다. 어머니는 생전에 꽤 신심이 돈독한 카톨릭 신자였지만 자녀들에게 말로 영세를 권한 적은 없었다. 저절로 따른 자녀도 있고, 문경이처럼 끝내 모른 척한 자녀도 있었다. 어머니 같은 신심은 없었지만, 신심이 돈독한 동기간도 미처 거두지 않은 성물을 홀로 소중하게 지니고 있다는 걸로 어머니한테 은근히 뽐내고 싶은 유치한 자부심 같은 걸 가지고 있는 터였다. 그런 연유 있는 십자고상을 혁주가 험악하게 노려보는 까닭을 그 여자가 알 리 없었다.

「왜 그래요?」

「뭐? 왜 그래요라구? 여자가 남자를 침대에 끌어들이려면 저런 건 좀 미리 감춰놓아야 하는 거 아냐.」

「뭐라구요. 누가 누굴 침대에 끌어들였다구요?」

「지금 중요한 건 그게 아니잖아. 난 신앙은 없지만 저런 걸 보면 경건해지는 정도의 양심은 있는 사람이라구. 저런 것이 내려다보는 데서 태연히 정사를 벌일 수 있는 당신만큼 뻔뻔스럽지가 못해.」

두번째로 듣는 뻔뻔스럽다는 소리가 그 여자의 남은 기운을 입술도 달싹할 수 없게 빼버렸다. 그 여자가 고작 할 수 있는 저항은 무참히 흐트러진 잠옷깃을 황급히 수습해 잔뜩 움켜쥐고 있는 정도였다. 그것도 남자가 떠나기 전에 마음을 돌려 그 고약한 말버릇에 대해 사과를 하고 마지막으로 한번 부드럽게 다독거려줄 것을 전제로 한 몸짓에 불과했다. 그러나 남자는 일방적으로 노기등등함만을 과시한 채 떠나갔다.

전화소리가 났다. 혁주로부터였다.

「이제 막 집에 왔어. 아깐 미안했어. 너그럽게 봐주라. 그렇지만 그 정도는 센스의 문제 아냐. 지금 생각하니 사소한 문제 같지만 그땐 정말 기분 나빴어. 좋았기 때문에 그런 식으로 기분이 망쳐진 게 더 화가 났던 거야. 안녕. 잘 자.」

그 정도로 충분히 화해가 된 걸로 여긴 듯 혁주의 말꼬리는 한결 부드럽게 느슨해졌다. 그러나 그 여자에게 그 문제는 결코 사소한 문제가 아니었다. 혁주의 고약한 말버릇쯤은 사소한 문제로 돌릴 수도 있었다. 본질적인 건 그게 아니지 않은가. 그 여자는 남자와 몸을 섞기 전에 십자고상이 내려다보고 있다는 걸 의식하지도 못했지만 설사 의식했다고 해도 떼어서 안 보는 데다 감추고 그 짓을 해야 한다고 생각하진 않았을 것이다. 신의 눈길이 두렵기는커녕 신이 증인을 서주기를 바랄 만큼 그 여자는 그 짓에 떳떳했다. 그러나 혁주의 반응은 정반대였다. 그걸 치우지 않았다는 트집은 간단히 넘길 문제가 아니었다. 그건 그의 무의식적인 죄책감을 드러내고 있었다.

그 여자는 두 사람 사이의 이런 중대한 착오에 몸서리를 쳤다. 그리고 밤이 깊도록 잠을 이루지 못했고 마침내 능욕당한 여자처럼 가냘프고 참담하게 흐느껴 울기 시작했다.

그 여자는 그렇게 참고 바라고 꿈꾸던 행복이 능욕으로 변질해버린 게 억울했고 예기치 않게 말려든 착오의 중대성이 무서웠던 것이다.

그러나 그 여자는 곧 달콤하고 깊은 잠에 빠져들었다. 꿈도 없는 숙면이었다. 아무리 걱정스러운 일이 있어도 잠 하나는 잘 자는 건 그 여자의 버릇이자 무엇과도 바꿀 수 없는 큰 복이었다. 깊고 편안한 잠에서 깨어났을 때의 행복감을 만끽하기 위해 그 여자는 한껏 기지개를 켰다. 그 여자 스스로 한물갔다고 생각한 몸 마디마디에 간밤에 혁주와 나눈 즐거움의 여운이 생생하게 되살아났다. 다시는 외로움과 갈증에 허덕이지 않아도 된다. 이제 남은 것은 따뜻하고 오붓한 생활의 기쁨뿐이다. 근심 없었던 어린 날에나 그랬을 것 같은, 무턱대고 행복한 예감을 주체 못해 그 여자는 두어 번 체중으로 침대의 탄력을 즐기고 나서 벌떡 일어났다.

그 바람에 아직도 침대머리 높은 곳에 걸려 있는 십자고상이 얼핏 눈을 스치고 지나갔다. 어젯밤 잠들기 전까지 그 여자를 괴롭힌 중대한 착오, 견디기 어려웠던 굴욕감이 아릿하게 되살아났다. 그러나 어젯밤만큼 심각하거나 절박하지는 않았다. 마취에서 깨어났을 때의 동통처럼 가물가물 견딜 만했다. 그 여자는 이미 혁주와 자신과의 사이의 중대한 착오를 규명하고 풀어나가려는 노력보다는 혁주를 이해하고 관대하게 넘길 준비를 하고 있었다.

혁주도 그 여자처럼 종교가 없으니 십자고상에 특별한 의미를 둘 필요는 없을 것 같았다. 사람이란 특정한 종교가 없이도 얼마든지 하나님이나 천지신명 등 초월적인 힘, 엄정한 시선을 의식할 계기는 있고, 혁주가 거기 걸린 성물을 처음 보고 나타낸 반응도 그럴 때 반사적으로 느끼는 두려움이나 겸손과 같은 것이었으리라. 그러나 어젯밤에도 거기까지는 양보를 할 수 있었던 것 같다. 실상 착오의 시작은 그후부터였다.

어째서 나는 그 남자와의 사랑의 행위를 하나님이건 천지신명이건 그밖의 어떤 절대적인 도덕성 앞에서도 떳떳한 걸로 여겼거늘 그 남자는 그다지도 죄의식을 느꼈을까. 자기만 죄의식을 느끼는 데 그치지 않고 내가 죄의식을 안 느끼는 걸 마치 도덕적으로 결함이 있는 문란한 여자 경멸하듯 몰아붙이기까지 하지 않았던가.

아아, 그만 그만…… 그 여자는 다시 어제의 착오점으로 돌아가려는 자신을 황급히 제어했다. 오랜만에 맛보는 행복감, 충족감을 그런 식으로 망치고 싶지 않았다.

생각하기 나름으로는 아무것도 아닐 수도 있는 일이었다. 성행위에 수치심이 따르는 건 도덕 이전에 인간의 본능에 연유하고 있을 뿐이거늘, 윤리적으로 하자가 없다는 데만 너무 집착한 나머지 여자 쪽에서 필요 이상 당당하게 군 게 남자 눈에 뻔뻔스럽게 비칠수도 있는 일이었다. 그 여자는 슬그머니 풀이 죽으면서 혁주가 정상이고 자기가 약간 비정상인 쪽으로 두 사람 사이의 착오의 심각성을 무마하려 들었다.

아침이 아닌가. 더구나 화창한 일요일 아침이었다. 중학교 가정 선생인 그 여자에게 일요일의 나태의 자유는 그야말로 꿀맛이었다.

여북해야 혁주하고 사랑하는 사이가 된 후에도 일요일날의 데이 트는 피해왔다. 물론 혁주도 동의해서였지만 그가 일요일날 집에 붙어 있어야 하는 까닭은 그 여자보다 실질적이고 눈물겨운 것이 었다.

에미 없는 어린 딸과 일주일에 한번이라도 온종일 같이 있어줘 야 한다는 것이었다. 홀아비의 그런 부성애가 그 여자의 가슴에 전 에 없이 애달프게 사무쳐와서 혼자 먹는 아침 밥맛을 뜨악하게 했 다.

창 밖의 녹지대에선 벚꽃이 분분하게 지고, 그 여자의 아파트를 그런대로 살맛나게 하던 멀리 남한산까지 트인 전망은 심한 황사현 상이 부옇게 가로막고 있었다.

혁주의 딸 이름은 시내라고 했던가. 혁주는 그 아이를 쫄쫄이라 고도 불렀다.

「시냇물 흐르는 소린가요.」

그 여자는 한번도 보지 못한 그 아이의 별명을 재미있어 하면서 그렇게 물은 적이 있다.

「그러면 좋게요. 늘 쫄쫄 짜서요.」

편안한 아이는 아닌 것 같다. 혁주는 그 쫄쫄 짜는 아이를 온종 일 무슨 수로 달래고 있는 것일까. 저녁때까지 전화가 다섯 번쯤 온 것 같았다. 한 통화만 친구한테서고 나머지는 다 올케하고 언니 들로부터였다. 친정 동기간들은 늘 통화중 아니면 수업중인 학교 전화를 피해 이렇게 일요일날 안부전화를 넣는 것으로 혼자 사는 동생에 대한 우애와 의무를 소홀히 하지 않으려 들었다. 고마운 일 이었다.

「일요일날 언니집에라도 좀 오면 어디가 덧나냐?」

대뜸 이렇게 핀잔부터 주는 건 사위까지 본 큰언니였다. 문득 혁주와의 일을 큰언니한테만은 말하고 싶어 목구멍이 근지러운 걸 억지로 참았다. 큰언니한테뿐 아니라 전화가 올 때마다 그 여자는 너무 허둥대고 있었다. 그 여자는 이번 일요일은 딴 일요일과 다르길 바라고 있었다. 전화벨이 울릴 때마다 혁주일 것 같아서 가슴이 울렁거리곤 했다.

「나 좀 도와줘요. 우리 쫄쫄이하고 같이 놀아주지 않을래요?」

이런 식으로 그 여자가 완벽하게 비워놓은 일요일의 공백을 그들 부녀가 은근슬쩍 넘본다면 그 여자는 쌍수를 들어 환영할 준비가 돼 있었다. 그럴 만한 시기가 무르익었는데도 그러지 않는다는 건 갑갑한 노릇이었다.

일요일이 헛되게 저물고, 잘 울 것처럼 연약해보이되 귀염성스러운 아이와 그 아이의 손목을 단단히 잡은 약간 낯설고 계면쩍어 뵈는 혁주와 공원이나 빵집 같은 데서 만날 수 있기를 체념해버리자 역시 혁주가 옳았다는 생각이 들었다. 하룻밤 자고 나서 조급하게 변화를 바라는 자신에 비해 일상의 페이스를 그대로 유지하려는 혁주가 보다 점잖고 믿음직스럽게 여겨졌다.

실상은 혁주나 그의 어린 딸이 보고 싶어 그 여자가 온종일 그렇게 조바심한 것은 아니었다. 어젯밤 십자고상에서 비롯된 그 개운치 못한 착오 때문에 품게 된 혁주의 인격에 대한 의혹과 불신을 두 사람이 합심해서 만회할 수 있는 기회를 갖고 싶었던 것이다. 그러나 그게 여의치 않았기 때문에 그 여자 일방적으로라도 혁주를 두둔하려 들었다. 하여튼 누가 뭐래도 그 여자가 내심 조바심하고 있다는 건 숨길 수 없는 사실이었다.

일주일 내내 어찌나 그 여자 혼자서 혁주를 두둔했던지 다시 토요일이 돌아왔을 때는 잘못은 그 여자에게만 있고 혁주에겐 아무 잘못도 없는 것으로 돼 있었다.

토요일날 그 여자는 퇴근길에 꽃시장에 들러 서른다섯 송이의 장미꽃을 샀다. 진홍빛 장미였다.

「에라 모르겠다. 까짓거, 덤입니다.」

꽃 파는 아저씨는 몇 송이 장미를 더 얹어주면서 이렇게 호기 있게 외쳤다. 아마 한푼의 에누리도 안 당하고 여러 송이의 장미를 팔고 나서 기분이 좋은 김에 선심을 쓰고 싶었던가 보다.

「아, 아니에요. 싫어요. 그만두세요.」

그 여자는 어쩔 줄을 모르면서 아저씨의 선심을 거절했다. 〈나는 서른다섯 살밖에 안된걸요〉 하마터면 그런 소리까지 나올 뻔하지 않았나 싶다. 덤을 받게 될까 봐 겁나서 종종걸음치는 그 여자의 뒷모습을 꽃장수 아저씨는 어처구니없다는 듯 바라보며 「뭐 저런 여자가 다 있어」 혀를 찼다.

집안 정리, 음식 준비는 금요일에 벌써 끝났는데도 그 여자의 마음은 괜히 부산했다. 그리고 자신의 이런 침착지 못한 마음상태가 싫지 않았다. 이런 사람 사는 맛은 실로 얼마 만인가.

그 여자는 둥근 백자 항아리에다 듬뿍 서른다섯 송이의 장미를 꽂아 침대머리 탁자에 장식했다. 서른다섯 송이의 장미는 서른다섯 살의 황홀과 참으로 잘 어울렸다. 그 여자는 눈을 사르르 감고 화려하고 달콤한 장미 향기를 깊이깊이 들이마셨다.

그리고 마침내 침대에 올라서서 발돋움하고 십자고상을 떼어냈다. 십자고상이라서가 아니라 어머니의 유물이어서 가슴이 찐했다. 그대로 서랍 속 깊숙이 간직하려다 말고 그 여자는 거기 매달린 사내의 발끝에 입술을 대었다. 그 여자보다 어린 서른세 살 나이에 죽은 사내의 발끝은 먼지 묻고 차가웠다. 그 여자는 나직하게 속삭였다.

「저는 지금 행복합니다. 제발 제발 제가 이 행복을 놓치지 않도록 도와주소서. 다시는 외로워지게 마옵소서.」

너희 어머니도 너를 위해 비슷한 기도를 수없이 바쳤느니라. 원망도 많이 했더랬지. 그렇지만 난 아무것도 해줄 수가 없단다. 불쌍히 여기는 것밖에는. 못박힌 사내의 슬픈 얼굴이 그렇게 말하고 있는 것 같았다.

「세상에, 우리 막내가 소박을 맞다니 내가 어떻게 기른 딸인데 소박데기 신세가 되다니.」

크게 잘되거나 이름을 떨친 자식은 없어도 여러 자식들을 고스란히 길렀고 제각기 밥 걱정은 안하고 살 만하니 복 좋다는 소리도 듣던 어머니였다. 그러다가 막내가 덜컥 이혼을 당하니까 가슴을 치며 하던 소리가 지금도 귀에 쟁쟁했다. 이혼당한 걸 하필이면 소박맞았다고 하는 어머니의 푸념이 그때는 그렇게 듣기 싫더니만 지금은 뭉클하니 그리웠다.

혁주의 방문은 마치 아침에 출근했던 남편 돌아오듯이 예사롭고 자연스러웠다.

「아이 배고파. 찌개 냄새가 구수한데.」

그러면서 식탁에 먼저 앉으려는 걸 그 여자 역시 몇 년 산 호랑이 마누라처럼 약간 눈을 부라리며 씻고 오라고 욕실로 쫓았다. 혁주는 그 여자의 음식솜씨를 적당히 칭찬해주었고, 그 여자는 연방 생선가시를 발라서 혁주의 접시에 맛있는 살만 옮겨주었다. 배부르고 화기애애하게 저녁을 먹고 난 다음 텔레비전 연속극을 보았고 차를 마셨고 잠자리에 들었다. 저번 토요일날 밤에도 같은 순서로 일을 치렀지만 그때보다 모든 게 쉽고 편안했다. 같이 자기 전까지 서로 꼬박꼬박 존대말을 했었는데 같이 자고 난 직후부터 남자의 말이 일방적으로 반말로 바뀐 게 좀 껄끄럽게 들리던 것까지 오늘은 참아줄 만했다.

혁주의 널찍한 등은 달착지근한 피곤을 기대기에는 참으로 맞춤했는데 그는 오래 누워 있지 않았다. 벌떡 일어나더니 양말짝부터 찾아 꿰었다.

「내일도 집에서 애나 볼 거예요?」

그 여자도 일어나 앉으면서 물었다.

「당신 무슨 말을 그렇게 해?」

남자가 벌컥 화를 냈다.

「왜 그래요? 내가 뭘 잘못했어요?」

「몰라서 물어? 그 불쌍한 어린것한테 샘을 내다니 당신이 그런 여잔 줄 몰랐어.」

「내가 샘을 냈다고요?」

「그럼 그냥 비양거린 건가?」

「난 그냥, 나도 그 아이하고 일요일을 같이 보낼 수 있으면 해서 물어본 것뿐인데.」

그 여자의 말꼬리가 떨렸다. 물처럼 순종하던 몸도 뻣뻣하게 경직됐다.

또다시 참담한 심정으로 헤어지게 될 것 같은 예감 때문에 문경이의 표정은 차라리 비굴했다. 정말 다시는 그러고 싶지 않았다. 일주일 내내 남자에 대해서보다는 아이에 대해서 더 많이 생각했건만 이 무슨 해괴한 트집이란 말인가. 야속한 생각으로 눈물이 그렁해진 그 여자를 보고 혁주도 주춤했다. 달래듯이 말했다.

「너무 서둘 거 없어.」

「내 딴엔 마음속으로 그 아이를 오랫동안 길들여왔기 때문에 서둔다는 생각이 별로 안 드네요. 그것도 제 잘못인가요?」

「너무 따지지 마, 가뜩이나 복잡해 죽겠는데.」

「혹시 뭐 언짢은 일이라도 생겼나요?」

혁주가 침대 곁을 떠나 창가에 놓인 소파에 털썩 주저앉으면서 담뱃갑을 꺼냈다.

「아니 혁주씨 담배 끊었다더니?」

「지금 처음 피는 거야. 오죽 답답해서 그러겠어.」

「지금 처음 피는 사람이 담뱃갑을 넣고 다녀요?」

「따지지 마. 여자가 좀 대강 넘어가는 게 있어야지.」

그 여자는 깊은 숨을 들이쉬었다. 참아내기 위해, 대강 넘어가기 위해. 혁주는 맛있게 담배를 피우고 그 여자는 부엌으로 가서 작은 접시를 가져다 남자 곁에 대령했다. 다음 토요일쯤엔 어쩌면 이 남자의 발을 씻기게 될지도 몰라. 그래도 할 수 없지 뭐. 속으로 그런 생각을 하며.

「따지지 않을 테니 고민이 있으면 얘기해줘요. 부부가 좋다는 게 뭐예요.」

「참 이렇게 뭘 모르는 사람 봤나. 바로 당신의 그 속 편한 게 내 고민거리란 말요.」

혁주가 두 손을 크게 벌리며 낭패스럽다는 뜻을 과장했다.

「모르면 가르쳐줘야죠. 부부간에, 뭘.」

「또 부부간. 당신은 부부가 된다는 걸 남자하고 자는 것만치나 쉽게 생각하는군.」

혁주가 씹어뱉듯이 말했다. 그 여자는 치욕감에 숨이 막히는 것 같았다. 그러나 또 참아야 한다고 생각했다. 첫번째 결혼의 실패를 어머니나 동기간 친척들은 이구동성으로 그 여자의 참을성이 부족한 탓으로 돌리지 않았던가. 참아야지, 여자가, 여자가 여자가……귀에 못이 박이게 들어온 그 소리가 낡은 유성기 판처럼 어지러운 잡음과 함께 그 여자의 귓전에서 반복해서 울렸다.

「그러니까 우린 아직 부부가 아니라는 얘기가 되겠군요.」

「현실이 증명하잖아. 나는 곧 돌아가서 쓸쓸한 홀아비 노릇을 하면서 다음 토요일이나 목 빠지게 기다릴 테지. 세상에 이렇게 사는 부부가 어디 있겠어?」

「그러니까 같이 살 준비를 하자는 거 아녜요. 시내하고 만나는 것을 서두르는 것도 그런 준비 중의 하난데 혁주씨는 어쩌면 그런 심한 말로……」

「미안 미안…… 나도 이러고 싶어서 이러는 게 아니라 이것저것 골치 아픈 일을 생각하면 나도 모르게 그만 고약을 떨게 된다니까.」

「단도직입적으로 얘기해줘요. 우리 사이의 골칫거리가 뭔지, 빙빙 돌리지만 말고요.」

「당신이 우리 시내한테 신경을 써주는 건 좋은데 노인네에 대해선 너무 쉽게 생각하는 것 같아.」

그렇게 말하고 그 여자의 눈길을 슬쩍 피하는 혁주의 눈빛에 얼핏 교활한 게 스쳤다. 그러나 그 여자는 못 볼 것을 본 것처럼 그걸 부정하려 들었다. 될 수 있는 대로 온화한 표정으로 혁주의 근심을 달래야 한다고 생각했다.

「나 시내 할머님에 대해서 그렇게 쉽게 생각하고 있지 않아요.」

「당신이 생각하고 있는 것보다 훨씬 더 어려운 분이야.」

「홀시어머님의 외며느리 노릇이 그리 쉽겠어요. 어려울 건 각오하고 있어요.」

「그런 뜻이 아니라 우리가 정식으로 부부가 됐다는 걸 어머니에게 납득시키기가 어렵다는 뜻이오.」

「결혼식 때문인가요. 그런 의식은 생략하자고 한 건 당신이 먼저였고 나는 다시 면사포 쓰는 건 쑥스러워 동의했지만, 그 어른이 원하신다면 해도 나는 상관없어요.」

「그게 아니라 어머니가 한번 결혼했던 여자를 당신 며느리나, 시내 새엄마로 받아들이시도록 설득할 자신이 나에겐 도무지 없단 말이오. 알아듣겠소?」

혁주가 천천히 다가와 그 여자 옆에 앉더니 어깨를 부드럽게 감싸안으며 말했다. 어려운 말을 해버린 안도감으로 혁주의 표정이 무책임하고 편안해졌다.

「못 알아듣겠어요.」

그 여자는 도리질을 하면서 바보처럼 말했고 혁주는 「쯧쯧 바보같이……」 하면서 더욱 다정하게 여자를 보듬어 안았다.

「왜 그런 말을 이제야 하는 거죠? 그런 중대한 사실을……」

그 여자의 얼굴이 생전 처음 보는 난감한 시험문제를 받아든 국민학교 아이처럼 천진한 울상이 되었다.

「내가 말 안해도 그 정도는 당신도 짐작할 수 있었던 거 아뇨.」

「나는 한번도 그분을 뵌 적이 없고 혁주씨도 그렇게 어려운 분이란 걸 말해준 적이 없는데 어떻게 그런 짐작을 해요? 말도 안돼요.」

「당신은 마치 우리 어머니를 특별히 무서운 분처럼 말하는데 보통 분이야. 왜 있잖아. 가장 한국적인 어머니. 아들이 상처하고 3년씩이나 혼자 사는 것도 열부(烈夫) 났다고 비꼬셨는데 한번 결혼했던 여자한테 장가를 든다면 얼마나 노발대발하시겠어. 아마 그렇게 귀여워하시던 손녀딸도 알뜰하게 주장하던 살림도 다 내팽개치고 당장 집을 나가시겠다고 소동을 부리실 분이야. 내 나이 겨우 서른다섯이야. 처녀장가들고 싶어하는 건 보통 어머니의 인지상정이야. 당신은 아무것도 모르고 다된 결혼인 줄 알고 태평으로 있으니 그동안 새중간에서 내 속이 얼마나 탔겠어.」

「어머니 핑계 대지 말아요.」

그 여자는 혁주로부터 떨어져 앉으면서 메마른 소리로 말했다.

「그건 오해야.」

「오해가 아녜요. 이제 보니 당신은 어머니하고 상의를 하고 나서 반대에 부딪힌 게 아니라, 어머니가 반대하리라는 걸 미리부터 알고 있었어요. 그분의 반대는 움직일 수 없는 기정사실이고 혁주씨는 처음부터 자신의 결혼문제에 대한 독자적인 결정권을 갖고 있지 않았어요. 그런데도 혁주씨는 정식 결혼생활로 들어가기 위해 우리에게 남은 문제는 실질적인 결혼밖에 없는 것처럼 말해왔어요. 당신이야말로 여자하고 자는 걸 너무 쉽게 생각한 것 같네요.」

「그런 문제에 보다 신중해야 하는 건 남자보다 여자 쪽 아닌가? 뭐니뭐니 해도……」

혁주 쪽에서 점점 더 능청스럽게 굴었다. 어려운 말을 꺼내기 전까지가 힘들었지 꺼내고 나서부터는 자신감마저 넘쳐보였다.

「혁주씨가 안 그래도 내가 얼마나 돌이킬 수 없는 잘못을 저질렀는지 알 것 같아요. 더 분명한 잘못은 남자의 서른다섯을 자신의 배우자에 대해 독자적인 결정권쯤 가질 수 있는 나이라고 생각한 거죠.」

「제발 세상이 다 끝장난 것 같은 얼굴 하지 말아요. 갈수록 태산인 내 입장도 좀 이해해달라 이거지. 아직도 희망은 있으니까.」

혁주는 이런 아리송한 말을 남기고 떠났다. 그 여자는 현관문 밖까지 배웅하면서 좀더 희망적인 말을 기대했고 그냥 가버린 후에는 전화 걸어주기를 기다리느라 자정이 넘도록 잠을 이루지 못했다.

여자는 결혼식 올리기 전엔 어떠한 일이 있어도 신랑감에게 몸을 주는 게 아니라는 진부한 금과옥조가 처녀도 아닌 서른다섯의 이혼녀에게도 영락없이 들어맞은 것에 그 여자는 굴욕감을 느꼈다. 그러나 결코 혁주가 악의적으로 계획해서 일이 그렇게 된 건 아니었다. 혁주도 그렇게 나쁜 남자는 아니었다. 다만 일이 공교롭게 되느라 혁주가 그 여자하고 결혼하는 걸 크게 손해보는 것처럼 느낄 만한 사건이 지난 일주일 동안에 연달아 일어났을 뿐이었다.

혁주의 어머니 황여사 또한 남보다 더 괴팍하지도 특별히 욕심이 많지도 않은 보통의 갓 환갑을 지낸 노인이었다. 아직은 노인 소리가 가당치 않게 모양도 낼 줄 알았고, 지병(持病)도 없었지만 외아들이 상처하는 꼴 보랴, 그뒤 여직껏 에미 없는 손녀딸 뒷바라지하랴, 홀아비 아들 수발하랴, 하루도 마음 편한 날이 없었다. 그래도 온 집안이 번들번들하게 살림을 해내는 걸 보고 친구나 친척들은 한결같이 그의 건강을 치하했고, 그때마다 「속으로는 골병 다 들은걸」 하고 대답하곤 했었다. 물론 어서 아들 장가들이지 않고 왜 그 고생을 하느냐는 소리를 더 많이 들었고, 그런 소리를 들을 적마다 마치 자기가 살림이 놓기 싫어 일부러 홀아비 아들을 붙들고 있는 것 같아 민망하기도 한 황여사였다. 그러나 3년이나 지나거든 재혼 생각을 하겠다고 혁주가 하도 딱 부러지게 말하는 바람에 꾹 참고 있었다. 아들이 상처한 지 석 달도 안돼서부터 들어오기 시작한 혼처를 3년씩이나 거절하기도 하고 미루기도 하고 놓치기도 하고 기다렸다면 황여사도 어지간히 참을성 있고 무던한 편이었다.

황여사가 그렇게 쌓인 혼처 중에서 아직도 유효한 혼처 몇 군데를 한꺼번에 아들 앞에 펼쳐놓은 게 지난주였던 것이다. 죽은 며느리의 세번째 제사를 절에 가서 지내고 온 지 며칠 안돼서였다. 하필이면 혁주가 문경이하고 처음으로 하룻밤을 지내고 나서 어머니에게 그 사실을 통고하고 문경이를 집으로 데려오는 절차를 의논하고 싶어 어머니 눈치를 볼 무렵이었다. 운수 나쁘게도 특히 문경이에게 재혼말을 먼저 꺼낸 게 황여사였다. 어머니 쪽에서 먼저 재혼말이 나왔더라도 신부감이 뉘집 자식이고 몇 살에다 어느 대학을 나오고 하는 식의 구체적인 인적사항에 곁들인 사진까지 나오기 전에 문경이 얘기를 꺼낼 짬은 얼마든지 있었다. 어머니가 먼저 재혼 얘기를 꺼낸 김에 되레 쉽게 벌써 정해놓은 여자가 있다고 말할 수도 있었으련만 혁주는 그만 그 절호의 기회를 놓치고 말았다.

「이 여자들이 다 처녀들일까요? 정말 처녀들이 후처자리로 오겠 단대요?」

그때까지만 해도 다만 호기심으로 그렇게 물었다.

「그럼 가짜 처널까. 네 나이 겨우 서른다섯이야. 처녀장가드는 게 당연해. 시내만 안 딸렸으면 더 어린 혼처도 들어올 텐데 전실 애가 있다고 맨 올드미스만 들어와서 에민 좀 섭섭하다.」

이렇게 되니 동갑내기 이혼녀 얘기를 꺼내기가 난처해졌고, 마음속으로도 점점 이혼녀가 뜨악해지기 시작했다.

그렇게 됐던 것뿐이지 혁주가 처음부터 문경이를 재미나 보고 차버릴 수 있는 여자라고 생각했던 건 아니었다. 십자고상을 보고 놀란 첫날밤까지도 문경이하고 재혼하려는 혁주의 마음에 손톱만 한 거짓도 없었다.

서른다섯 송이 붉은 장미의 수명은 일주일도 못 갔다. 도매상에 서 산 싱싱한 거라 오래갈 줄 알았는데 사흘 만에 활짝 피더니 곧 고개를 꺾고 남루해지기 시작했다.

갖다 버리기 위해 항아리에서 꺼낸 장미 다발이 문경이의 걷어붙인 팔뚝을 사정없이 찔렀다. 남들이 탐할 만한 요염한 자태를 잃은 후까지도 가시는 예리하고 도전적이었다. 불구덩이에 던져진다 해도 가장 늦게 탈 것 같은 오만한 가시…… 아아 그 부질없는 적의(敵意)여……

문경이는 팔목보다는 가슴이 찔리는 듯한 아픔에 탄식하며 장미 다발을 쓰레기통에 던졌다.

분분하고 산란하게 천지를 어지럽히던 벚꽃도 이제는 자취도 없이 사라지고 창 밖의 봄은 어느새 총총히 등을 돌리고 있었다.

그럴 리는 없어, 그 남자가 그렇게 신의 없는 남자일 리는 없어. 혁주에게 속았다는 생각이 들 때마다 그 여자는 그 생각을 지우기 위해 안간힘을 썼다. 안 만나는 동안도 하루나 이틀에 한 번씩은 전화가 왔다. 그 여자는 그럴 때마다 울렁거리는 마음으로 중요한 얘기를 기대했지만 간단한 안부 아니면 봉급생활자의 반복되는 따분한 일상에 대해 안하던 불평을 늘어놓기도 했다. 울렁거리던 기대와는 얼토당토않은 한탄을 듣고 나도 그 여자는 그닥 실망하진 않았다. 되레 안도의 가벼운 한숨을 쉬기도 했다. 그 여자가 기대하는 중대성 속에는 파탄의 예고도 어느 만큼은 포함돼 있었다. 내가 왜 이러지. 방정맞게 끝장을 예감하고 있다가 아직 끝장은 아닌 것만 감지덕지해하는 자신에 대해 그 여자도 속수무책이었다.

「내일은 우리 어디로 여행이나 갈까? 따분한데……」

금요일날 밤늦게 걸려온 혁주의 전화는 밑도끝도없이 이렇게 말했다. 따분하다는 말이 몸서리쳐지게 실감되는 자포자기한 목소리였다. 빈말로라도 여행을 가자고 하려면 좀더 밝고 들뜬 소리를 냈으면 좋으련만. 아쉬워할 새도 없이 그 여자는 허둥거리며 대답했다.

「아녜요. 그럴 거 없어요.」

혁주도 더는 여행에 대해서 말하지 않고 재미도 없는 잡담만 늘어놓다가 하품소리를 크게 내고 전화를 끊었다. 여행이 전화를 건 목적은 아닌 게 분명했다. 그래도 그 여자는 그 여행 제안을 거절하기를 참 잘했다고 생각했다. 어쩐지 파탄을 통고하기 위한, 어쩌면 파탄을 전제로 한 시혜(施惠) 같은 여행계획일 거라는 의구심 때문이었다. 그 여자는 느낌으로 확실하게 파탄을 예감하면서도 그 시기를 최대한으로 연장시키고 싶었다.

세상없이 철석 같은 맹서를 한 남녀라도 한번 같이 자고 나면 영락없이 남자 쪽에서 변심하게 돼 있다는 식의 통속적인 공식을 수정 없이 자신에게 적용시키기엔 그 여자는 나이도 지긋했고 자존심도 있었다. 끝장을 낼 때 내더라도 자기도 남자에게 충분히 실망할 시간쯤은 벌고 싶었다. 그러나 무엇보다도 절절한 그 여자의 희망은 파탄만은 피하는 거였다. 자존심하고 바꿀 수만 있다면 바꾸어도 좋았다.

아리송하게 여행 얘기를 비친 다음날이 주말이었으나 혁주는 예고도 없이 나타나지 않았다. 9시가 지나자 그 여자는 혁주를 위해 장만한 새우튀김, 생선구이, 청포묵무침 등을 혼자서 꾸역꾸역 먹었다. 이상한 허기증으로 포식을 한 여자가 나른하고 맹한 기분으로 주말 연속극을 보고 있는데 혁주로부터 전화가 왔다.

「예기치 않은 회식이 있어서. 미안해.」

그는 이렇게 제 용건만 말하고 전화를 끊었다. 그리고는 그 다음 주 내내 전화 한번이 없었다. 이번 주말에는 올 것인지 말 것인지 여자 쪽에서 전화를 못 걸 것도 없었다. 서로 거의 같은 횟수로 전화질을 했었건만 그게 갑자기 치사스럽게 느껴진 게 그 여자가 남자하고 같이 잔 후의 변화라면 변화였다. 혁주와의 먼 미래는커녕 당장 오늘밤 만날 수 있을 것인지조차 불확실한 채 잔뜩 음식 장만을 하면서 그 여자는 「내 입은 입이 아닌가 뭐」하는 불필요한 소리를 간간이 뇌까렸다.

다행히 그 여자 혼자서 저녁을 먹어치우기 전에 혁주가 나타났다. 그럴싸해서 그런지 지치고 꺼슬해보였다. 평화롭고 아늑한 분위기를 만들어보려고 그 여자가 노력하는 것만큼 혁주는 따라와주지 않았다. 처음부터 딴생각을 하고 있는 것처럼 겉돌았고 묻는 말에도 딴청을 부리기 일쑤였다.

「저번엔 중대한 회식이었나요?」

지난 토요일에 안 온 것에 대해 따질 요량으로 물어본 것이 아니라 화제가 궁해서 한마디한 것뿐인데도 짜증부터 냈다.

「피곤하게 따지지 좀 마.」

전혀 핀트가 안 맞는 신경질이었다. 그래도 그 여자는 잠자리에 들자 그 어느 때보다도 정성과 기교를 다했다. 거의 절망적인 기분으로 혹시나 성적인 매력으로라도 남자가 안 떠나게 할 수 있기를 바랐다. 그렇다고 그 여자가 그 방면에 소질이나 관심이 있었던 건아니다. 담담하게 독신생활을 유지해온 여자답게 그 여자는 보통사람보다 더 그 방면에 맹문이였다. 특별한 여자의 특별한 성적인매력이라는 것에 대해서도 남자들 세계의 터무니없는 미신이거나풍문이겠거니 별로 깊이 귀담아듣지 않던 그 여자였다. 느닷없이매력인지 요기(妖氣)인지가 생겨날 리 만무했다. 그러나 그 여자가 필사적으로 매달리고 있다는 것만은 충분히 전달된 듯했다.

부자연스러우리만치 굼뜨게 옷을 입고 말없이 떠나가는 혁주를그 여자는 다급한 목소리로 불러세우고 물었다.

「아직도 우리 사이에 희망이 있을까요?」

전번에 혁주가 던지고 간 아직도 희망은 있다는 말을 상기시키고 싶었다. 혁주의 얼굴에 짙은 연민이 어렸다. 수상쩍은 연민이기도 했다. 그런 표정이 어떤 말보다도 명확하고 가혹하게 그 여자의희망을 뭉개버렸다. 가망 없는 걸 가망 없다고 받아들이자 분노보다 먼저 그에게 다한 정성과 기교에 대한 수치심이 끓어올랐다.

그 여자가 느낀 건 정확했다. 주말마다 만나기로 한 걸 한번 거르고 나서 지난 주일 동안에 두 사람이 합칠 수 있는 가망은 더욱 희박해졌다. 물론 그건 혁주네 집안 사정이 그렇게 돌아가고 있다 뿐 그 여자가 손쓸 수 있는 성질의 것은 아니었다. 혁주는 혁주 나름으로 최선을 다했다고 여기고 있었다. 그러나 마음속으로만 끙끙 앓으면서 결정적인 말을 할 기회를 놓치는 사이에 어머니 황여사가 그보다 한 발짝 앞서가고 있었을 뿐 그가 실제로 노력한 건 실상 아무것도 없었다.

중매가 들어온 색시감들에 비해 문경이가 나이로나 조건으로나 좀 기울더라도 혁주 마음만 문경이 아니면 안된다였다면, 또 문경이와의 언약을 중히 여겼다면 어머니에게 말했을 것이다. 말도 해보기 전에 어머니가 노발대발할 것부터 두려워한 건 사랑 없이 문경이의 조건만을 볼 수 있게 되었기 때문이었다. 조건만으로만 비교할 때 확실히 문경이가 제일 불리했다. 어느 틈에 혁주는 그런 냉정한 관찰자가 되어 있었던 것이다.

그가 마지막으로 시도해본 건 문경이가 맞벌이할 수 있는 교사라는 걸 어머니에게 말한다면 혹시 솔깃하게 듣지 않을까 해서 이제나저제나 기회를 엿본 것뿐이었다. 황여사는 살림을 좋아해서 시내 엄마가 살았을 때도 살림의 주도권 때문에 고부간의 적지 않은 갈등이 있었다. 또 잘살고 싶다는 의욕도 젊은이 못지않게 왕성해서 요즘 세상에 남부럽지 않게 살려면 그저 안팎이 같이 버는 게 수라는 소리를 말버릇처럼 해왔었다. 여교사라면 제아무리 완고한 노인네의 눈에도 흠잡을 데 없는 건실한 직업이니 혁주가 하기 따라서는 사태를 역전시킬 수 있는 마지막 카드로 남을 수도 있었다. 그러나 그동안 혁주가 한 일이란 고민과 낙관 사이에서 갈등하느라 그 시기를 놓친 게 전부였다.

2

황여사가 어느 날 희색이 만면해서 혁주에게 내보인 새로 들어온 색시감은 나이는 그중 많은 서른하나였지만 재색을 겸비하고 이재(理財)에도 뛰어나, 자기 자본의 유명 브랜드 기성복 매장을 호텔 지하상가에 하나, 번화가에 하나 두 군데씩이나 가지고 있다는 것이었다. 이렇게 돼서 혁주는 어머니에게 문경이를 소개할 기회를 아깝게 놓치고 말았으니 누구 잘못이라기보다는 그 여자 복이 지지리도 없다고 할밖에 없었다. 새로운 혼처와 비교해서 문경이가 재고할 여지도 없이 초라하고 불리하게 보인 혁주의 마음상태를 접어둘 수만 있다면 말이다.

그 여자는 일주일 내내 혁주의 섬뜩한 연민의 시선을 자주자주 떠올렸고 찔리는 듯한 아픔을 느꼈다. 그러나 그의 전화를 기다리지는 않았고 주말에도 그를 위해 특별히 음식 장만을 하지 않았다. 그러려니 했던 대로 그는 오지 않았다. 서로 소식을 끊고 지내는 날짜가 길어질수록 배신감도 확실해졌지만 그까짓 거 이혼녀가 재미본 셈만 치지, 하는 식의 가장 저속하고 값싼 처방을 상처에 너덕너덕 붙이는 짓에도 익숙해졌다.

그러나 처음부터 쾌락을 목적으로 한 짓이 아니라 사랑과 신뢰감으로 새로운 출발과 행복을 꿈꾸며 합의하고 계획한 일인 이상 그냥 흐지부지 넘길 수는 없었다. 한때 사랑의 눈이 어두워 잘못 본 것의 정체를 똑똑히 봐주고 미련 없이 정을 떼기 위해서라도 혁주를 마지막으로 한번 만나는 일은 불가피했다. 다만 분노도 사랑 못지않게 뜨거웠으므로 다시 눈멀까 봐 냉정해지길 기다리고 있는 중이었다. 그를 믿음직스럽게 여기고 사랑에 빠진 건 피할 수 없었지만 그를 사갈처럼 여기고 일생 동안 진저리치며 살게 될지도 모를 기회는 피하고 싶었다. 혁주에게도 그 정도의 돌파구는 주고 싶었고 무엇보다도 자기자신에 대한 최소한의 사랑이 조금이라도 추악한 결말을 원치 않았다. 그러나 그럴 수 있을 만큼 마음이 가라앉기도 전에 그 여자는 몸에 이상을 느꼈다. 임신한 것 같았다.

첫번째 결혼에서도 그 여자는 임신한 적이 없었다. 저절로 임신이 안된 게 아니라 피임의 결과였다. 집 장만할 때까지 아이를 갖지 말자는 남편의 말에 그 여자는 고분고분 순종했고 피임의 실제적인 문제에 있어도 남편이 더 유식하고 능동적이었기 때문에 그 여자가 따로 애쓰지 않아도 됐다. 맞벌이로 열심히 작은 아파트를 장만하자 남편은 공부를 더 하겠다고 미국으로 떠났고, 공부를 포기하고 취직을 했다고 할 때까지 계속되던 편지가 뚝 그치고 얼마 안돼서 좋은 여자가 생겼으니 이혼을 해달라는 청천벽력 같은 통고를 받게 되었다. 미국시민권이 있는 그쪽 여자는 임신까지 했다는 것이었다.

그게 문경이가 이혼을 당하게 된 경위였으니 미처 임신할 새도

없었다. 그렇건만도 국내에서 이혼에 따른 호적정리, 위자료문제 등에 발 벗고 나선 시집식구들은 이구동성으로

「애만 하나 있어도 이런 일을 왜 당하겠노. 여자는 그저 뭐니뭐니 해도 아들을 낳아놔야 시집 귀신 될 자격이 생기는 건데……」 하는 동정도 같고 변명도 같은 말을 했다. 그 여자가 생각해도 그건 맞는 말이었다. 남편도 시집식구도 그 정도로 모진 사람들은 아니었고 남편과의 금슬도 비록 집 장만을 위해 아등바등 살기는 했어도 나쁜 편은 아니었다. 그러나 자기가 책임질 성질의 것이 아닌 잘못까지 뒤집어쓰고 물러나야 하는 그 여자의 가슴은 참으로 아렸다.

그 여자가 임신에 대한 기대도 공포도 없이 편한 마음으로 혁주하고 잘 수 있었던 것도 그 억울한 경험이 그 여자의 무의식에 영영 임신할 수 없을 것 같은 암시가 남아 있었기 때문인지도 모르겠다.

병원에서 임신임을 확인하고 나서 그 여자는 숨겨둔 욕망을 들킨 것 같은 계면쩍은 가벼운 흥분에 사로잡혔다. 바깥날은 현기증이 나도록 밝게 빛나는 초여름이었다. 30대 중반에 첫임신이라서인지 늙수그레한 여의사는 이것저것 주의하고 지킬 점들을 자세하게 일러주었던 것 같다. 그러나 그 여자는 하나도 기억나지 않았고 그런 것이 그닥 걱정되지도 않았다. 건강에 대한 자신감이 흐뭇한 미소가 되어 여자의 입가에 비죽비죽 넘쳤다.

6월은 좋은 계절이었다. 푸른색 트레이닝 바지에 주황색 티셔츠를 입은 남자가 아이를 무동태우고 저만치서 걸어오고 있었다. 아이는 남자 어깨 위에서 깔깔대며 자꾸 엉덩방아를 찧었다. 남자는 힘겹기도 하고 위태롭기도 해서 얼굴을 심하게 구기고 있었지만 가까워질수록 즐거워하고 있다는 걸 알 수 있었다. 아이의 몸무게 때

문에 티셔츠 자락이 뒤로 밀리면서 앞은 들리고 바지는 흘러내려 남자의 배가 럭비공 모양으로 드러났다. 정확하게 그 한가운데 뚫린 움푹한 배꼽을 보자 그 여자는 웃음을 참을 수가 없었다. 남자도 눈길이 마주치자 따라서 웃었다. 어깨 위의 아이는 남자의 머리카락을 한 움큼 움켜쥐고 「우리 아빠 최고」라고 씩씩하게 외치고 있었다. 무동을 잘 태워줘서 최고라는 걸까? 다음 일요일엔 어린이 대공원이나 자연농원에 데리고 가마는 약속을 함으로써 얻어낸 찬사일까? 아무러면 어떠랴, 젊은 아빠는 아이의 찬사에 더욱 의기양양해서 어깨를 으쓱으쓱, 올라탄 아이의 엉덩방아에 장단을 맞춰주면서 멀어져갔다. 그 여자는 아쉬운 듯 그들 부자 모습이 길을 따라 꺾여 보이지 않을 때까지 바라보았다. 그리고 그 평범한 남자의 평범한 아빠 노릇에 몸이 깊이 떨리는 듯한 감동을 맛보았다.

뱃속에서 엄청난 일이 일어나고 있건만 그 여자는 아무것도 느낄 수가 없었다. 입덧 같은 것도 없이 소화도 잘되고 편안했다. 그 여자는 그게 고마우면서도 조금은 아쉬웠다. 그래서 자주자주 멍하니 방심한 채 뱃속에서 생명이 움트는 소리를 엿들으려고 귀를 기울였다. 정말 임신한 건지 긴가민가할 수밖에 없이 찰싹 달라붙었던 아랫배에서 마침내 주먹만한 실체를 감지하고부터 여름은 걷잡을 수 없이 달아오르기 시작했다.

학기말 시험, 성적처리, 납입금 재촉, 단체 캠핑 신청접수 등 교사가 바쁠 때이기도 했지만 그 여자는 전에 없이 허덕이고 헉헉댔다. 늘 일에 쫓기는 기분이었고 더위 때문에도 짜증스러웠다. 그렇다고 그 고비만 넘기면 즐길 수 있는 여름방학이 달갑게 여겨지는 것도 아니었다. 산 넘어 또 산이라고 여름방학도 결국은 헉헉대며 넘어야 하는 태산처럼 그 여자를 위협할 뿐이었다. 문경이답지 않았다. 그 여자는 수업능력이 우수할 뿐 아니라 사무능력도 신속하고 정확해서 담임을 맡은 교사직에 따르는 잡무를 별로 부담스러워한 적이 없었다. 그렇다고 교육적이라기보다는 관료적인 잡무나 아이들을 잘 가르치는 것과는 무관한 다만 교사들을 들볶기 위해 용의주도하게 창출한 듯한 잡무에 아무런 불평이나 회의 없이 순종만했다는 뜻은 아니다. 그 여자의 능력은 오히려 그런 교육 외적인 일들을 최소한으로 줄이고 대강대강 넘기는 데서 더욱 돋보였다. 이번 학기라고 그 여자의 그런 능력이 별안간 저하된 건 아니었다. 남보다 먼저 남보다 수월하게 해나가고 있건만 허둥지둥 쫓기고 있는 기분에서 도무지 헤어나질 못했다. 내가 왜 이러지? 때로는 이렇게 자신을 돌이켜보아도 쫓기고 있다는 것만 확실할 뿐 무엇에 쫓기고 있다고 꼭 집어 말할 수는 없었다.

처음에 갔던 병원에서 두번째로 진찰을 받던 날 여의사는 산모도 태아도 정상이라고 말했다. 처음 들은 태아라는 말은 임신이라는 말보다 훨씬 듣기가 좋았다.

「태아요?」

그 여자는 높고 들뜬 소리로 반문했다. 그리고 대답을 기다리지 않고 혼자서 깔깔댔다.

「무척 즐거워보이는군요. 하긴 서른다섯에 초임이니 그동안 얼마나 기다렸겠어요.」

중년 여의사의 지친 듯한 직업적인 눈길에 잠깐 친정어머니처럼 너그러운 자애가 스쳤다.

그 길로 그 여자는 택시를 잡아타고 혁주네 회사 앞까지 왔다. 퇴근시간까지는 아직 두 시간이나 남아 있었다. 근무시간에 불러낼 뜻은 없었는데 괜히 서둘렀나 보다. 역시 쫓기는 기분 때문이었다. 혁주네 회사가 있는 빌딩의 지하다방은 처음이 아니었다. 둘이 연애할 때도 지금처럼 두 시간쯤 먼저 와서 기다린 적이 자주는 아니었지만 간혹 있었건만 괜히 쭈볏쭈볏했다. 그 여자는 두리번거리다가 출입문 쪽에서 보면 기둥에 가려서 잘 안 보이는 자리에 가서 앉았다. 기다리다가 아는 얼굴을 만나기가 싫었다. 혁주는 한번도 그의 회사동료를 그 여자에게 정식으로 인사시켜준 적이 없었다. 따라서 아는 사람을 만날 염려는 안해도 되련만 그 여자는 혁주 또래의 남자들이 다 안면이 있는 것 같아 얼굴을 들지 못했다. 한 시간쯤 그러고 있다가 회사로 전화를 걸었다.

「전산실의 김계장님 좀 바꿔주세요.」

계장님 전화예요. 여자분인데요. 그렇게 말하는 소리가 멀지만 똑똑하게 들렸다. 그 여자는 그제서야 무슨 말부터 어떻게 시작해야 할지 전혀 생각하지 않고 전화부터 걸었다는 데 생각이 미쳤다. 각본 없이 그냥 부딪치기엔 그 여자의 용건은 너무 중요했다. 이제부터라도 각본을 짜기 위해 전화를 끊으려고 하는데

「전화 바꿨습니다.」

혁주의 목소리였다.

「저예요. 문경이⋯⋯」

얼떨결에 그렇게 말해놓고 혁주가 어떤 말투로 나올까 기다리는 동안 그 여자는 간이 오그라드는 것 같았다. 혁주는 아무 말도 안했다. 그동안이 그렇게 오래 걸린 것도 아닌데 그 여자는 참지 못하고 조급한 소리로 용건을 말했다.

「지금 지하다방에 와 있어요. 혁주씨 회사 지하⋯⋯ 만나고 싶어요. 기다리겠어요. 퇴근시간까지. 한 시간 있으면 퇴근하죠?」

「글쎄⋯⋯, 회사라는 데가 그렇게 딱딱 제시간에 끝나는 게 아니라서⋯⋯」

혁주의 목소리는 전화 바꿨습니다 할 때에 그 사근사근하고 기대감에 부푼 소리가 아니었다. 그 정도의 예의도 사무실 안의 이목

을 의식하고 가까스로 지키고 있다는 것쯤 쉽사리 눈치챌 수 있을 만큼 뜨악하고 화난 소리였다.

「기다리겠어요. 천천히 일보고 내려오셔도 상관없어요.」

그 여자는 더는 울먹한 소리로 말하지 않았다. 넉넉잡고 두 시간은 더 기다릴 요량으로 아예 기둥하고 어항이 ㄱ자로 만난 모퉁이 속으로 숨어앉아 마음을 느긋이 가다듬었다. 그의 표정 여하에 따라 첫인사의 말투 여하에 따라 각기 다른 적어도 서너 가지의 각본은 준비하고 있어야 한다고 생각했다. 그러나 한 가지의 각본도 미처 완성하기 전에 그가 말없이 앞자리에 와 앉았다. 30분도 채 안 돼서였다.

「그렇게 일찍 퇴근해도 되는 거예요?」

그 여자는 미안하기도 하고 한편 고맙기도 해서 반쯤 몸을 일으켜 보이며 말했다.

「퇴근 후엔 약속이 있어서 조금 일찍 나왔어요.」

혁주가 깍듯하게 말했다. 퇴근 후의 딴 약속을 지키기 위해서 그 여자에겐 30분 이상은 짬을 낼 수 없다는 단호한 뜻이 담긴 말투였다.

「중요한 약속인가 봐요.」

그 여자는 눈을 내리깔고 엽차잔을 돌리면서 말했다. 혁주는 너 따위한테 그런 것까지 일일이 고할 필요가 있겠느냐는 듯 묵살하고 유유히 담배를 한 개비 피워 물었다. 조용필의 「창밖의 여자」가 기를 쓰듯이 시끄러운 실내 한가운데 있으면서 독립된 정적의 세계처럼 보이는 어항을 물끄러미 바라보고 있던 그 여자가 불쑥 말했다.

「딴 데로 자리를 옮길까요? 어디 조용한 데로.」

「그럴 시간이 없다고 하지 않았어요.」

혁주는 그렇게 잘라 말하고는 아가씨한테 손짓으로 음악소리를
좀 낮춰달라고 부탁했다.

「왜 그렇게 정중해요? 나한테.」

「정중한 것도 트집이오.」

「트집이 아니라 우리가 부부처럼 지낸 적이 없었던 것처럼 구시
니 말예요.」

「여긴 바로 회사 밑이오. 용건만 말해줬으면 좋겠소.」

혁주가 불에 덴 것처럼 조급하게 담배를 눌러 끄며 말했다. 두어
모금이나 빨았을까말까 한 긴 담배였다. 그가 뜨끔한 건 부부라는
말이었을 거라고 짐작한 그 여자는 생생하게 치미는 분노를 억제하
지 못하고 또박또박 말했다.

「용건만 말하죠. 나는 아이를 가졌어요. 당신 아이를. 이래도 우
리 일을 없었던 것처럼 시침을 뗄 작정인가요?」

그 여자가 듣기에도 자신의 목소리 같지 않게 목소리가 악에 받
쳐 있었다. 혁주는 처음엔 못 알아들은 것처럼 바보 같은 얼굴을
하다가 차츰 심각해지더니 깍지낀 손으로 두어 번 자기 이마를 짓
찧고 나서 그 여자를 똑바로 노려보았다.

「고등교육을 받고 교육자인 여자가 생각해낸 게 고작 그거요.
기껏 그 따위 저속하고 흔해빠진 방법으로 나를 골탕을 먹이려
고…… 어림도 없는 수작이오.」

혁주의 반응은 그 여자가 예상했던 것보다 더 격렬했다.

「당신은 믿고 싶지 않군요?」

「그럼 내가 호락호락 믿을 줄 알았소?」

「암만 믿고 싶지 않아도 그 사실이 달라지진 않아요.」

그 여자는 울먹였다. 극도의 분노가 그 여자를 슬프게 했다.

「그동안 통 연락이 없길래 역시 배운 여자답게 뒤끝이 깨끗하다

싶었더니 이런 졸렬한 계략을 꾸미고 있었을 줄이야.」

어쩌면 사람이 사람을 그런 냉혹하고 미움만이 가득 찬 시선으로 노려볼 수가 있는지, 문경이는 처음 보는 혁주의 너무도 비인간적인 태도에 질려서 작은 소리로 빠르게 대꾸했다.

「계략이 아니라 사실이래두요. 나도 이제야 당신 같은 사람 아이를 가진 게 싫고 후회가 되지만 엄연한 사실을 어쩌겠어요.」

「흥, 난 안 믿어요. 교육자가 창피하지도 않아, 겨우 그 따위 케케묵은 방법으로 남자를 붙잡아둘 수 있다고 생각하다니.」

「제발 고등교육이니 교육자 소리 좀 그만할 수 없어요? 고등교육받은 교육자는 아이 만드는 방법도 무식쟁이들 아이 만드는 방법하고 달라야 한다면 모를까 그렇지 않은 바에야 그 사실을 순순히 인정하세요. 책임을 지라고 한 것도 아닌데 왜 그렇게 겁부터 내고 그래요.」

그 여자는 남의 눈만 없다면 침이라도 뱉어주고 싶은 걸 힘겹게 자제하고 나직하게 말했다.

「어렵쇼. 온갖 방법을 다 동원하시는군. 처음엔 공갈협박 다음엔 설교라. 누가 선생질 안 해먹었댈까 봐.」

그 여자는 벌떡 일어서면서 소리쳤다.

「나가요. 어서 빨리 내 앞에서 꺼지지 못해요. 한바탕 소동을 부리고 망신을 당하기 전에……」

그 여자의 핏발 선 눈을 보자 혁주도 비로소 그 자리가 자기에게 매우 불리하다는 걸 깨달았다. 아침저녁 대하는 마담의 호기심 가득한 얼굴이 얼른 딴전을 피우는 걸 보면서 그는 어쩔 수 없이 문경이의 명령대로 움직였다.

그 여자를 결정적으로 견딜 수 없게 한 것은 인간적인 모욕보다는 직업에 대한 모욕이었다. 그 여자는 자신의 직업을 존중하고 사

랑했다. 직업은 여직껏 그 여자의 떳떳한 자립을 보장해줬을 뿐 아
니라 자존심의 근거가 돼주었다. 그건 남이 알아주고 안 알아주고
를 떠난 그 여자 스스로의 가치관의 문제였다. 알아주기는커녕 인
심이나 세태가 날로 교사직을 얕잡고 능멸하는 쪽으로 기우는 가운
데 홀로 긍지를 지키기란 힘들고 외로운 일이었지만 그거야말로 자
기만의 놀라운 능력이라고 자부하고 있었다.

그 여자는 집의 현관문을 따기가 무섭게 울음을 터뜨렸다. 고약
한 아빠를 만난 태아가 불쌍해서 슬프디슬프게 흐느껴 울었다. 아
아, 그 아이는 배꼽을 내놓은 아빠의 어깨 위에서 엉덩방아를 찧는
유아기의 행복을 모르고 자라리라. 불쌍한 우리 아이.

같은 무렵 혁주도 그의 집을 들어서고 있었다. 황여사가 문을 열
어주고 나서 뒤따라 들어오면서 조심스럽게 물었다.

「애비야, 회사에서 언짢은 일이라도 있었냐? 안색이 안 좋다.」

「아닙니다 어머니.」

「그럼 왜 벌써 들어왔어. 오늘 미스 정하고 데이트하기로 한 날
인데.」

혁주가 문경이하고 발을 끊고 나서 맞선을 보고 약혼 날짜까지
잡은 여자가 정애숙이었다. 미모에다 사업수완까지 있는 노처녀라
기에 활발하고 사교적이고 콧대도 세려니 했는데 뜻밖에도 부끄럼
을 잘 타고 순종적이었다. 같이 식사를 할 때도 자기 식성에 맞게
따로 주문하는 법이 없었다. 혁주씨 먼저 시키세요, 그러고 나서
저도 같은 걸로요, 라고 조그맣게 말할 때는 영락없이 시골서 갓
상경한 숫보기였다. 사업가라는 선입관 때문에 긴장했던 혁주는 약
간은 실망스럽기도 했지만 쉽게 편안해질 수가 있었다. 혁주보다
어머니 쪽에서 더 관심이 많은 사업에 대해서도 정애숙은 매우 겸
손했다.

「어차피 생전 해먹을 건 아닌데 결혼하면 그만두죠 뭐.」

마치 심심풀이로 다니던 10, 20만 원짜리 월급자리 말하듯 시들하게 말했다.

「가게가 둘 다 그렇게 잘된다면서요. 부럽습니다. 사업가적 소질을 타고난 분 같은데 월급만 가지고 빠듯하게 살림이나 하면서 살 수 있겠어요.」

이렇게 혁주 쪽에서 정애숙의 사업에 미련을 보일 적에도 대답은 간단했다.

「살림도 재미있을 것 같아요.」

「경제력이 행복의 첫째 조건이라고들 하잖아요. 난 애숙씨가 한 푼을 쪼개 쓰다 지쳐서 바가지 긁는 꼴을 보느니 살림은 어머니께 맡기고 하고 싶은 일 하게 내버려두고도 싶은데요.」

이렇게 노골적으로 정애숙의 경제력을 부추겨보기도 했다.

「보시다시피 전 사업할 체질이 아녜요. 그렇지만 돈은 따르는 것 같아요. 우리집에서도 그러세요. 쟨 돈이 따르니까 뭘 해도 실패가 없다구. 이것저것 정리하면 부모님이 대주신 거 갚고도 제 몫으로 얼마간 떨어질 텐데 살림만 한다고 설마 그 돈 놀리겠어요. 저한테 돈이 따른다는 것만 믿고 슬슬 굴려보죠 뭐.」

저절로 돈이 따른다는 정애숙의 자신감은 혁주에겐 놀랍고도 눈부셨다. 미모와 순종적인 성격 등 여러 가지 장점 중에서도 단연 돋보였다. 한 달 내내 큰 액수도 미지(未知)의 액수도 아닌 빤한 일정한 액수를 죽자꾸나 좇아야 하는 월급쟁이 신세가 보기에 돈이 저절로 따라오는 팔자란 생각만 해도 황홀한 꿈의 팔자가 아닐 수 없었다.

혁주가 정애숙을 놓치지 않겠다고 마음을 굳힐 때 문경이 생각을 아주 안한 건 아니었다. 왜 그런 실수를 했을까. 문경이와 결혼을 약속하고 세 번이나 같이 잔 게 생각할수록 꺼림칙했다. 후환이 없도록 깨끗이 해둘 필요가 있을 것 같았지만 어찌할 바를 몰랐다. 정애숙한테 고백을 하는 게 가장 쉬운 방법일 듯도 싶었지만 정애숙의 성격으로 봐서 아주 쉽게 용서를 할 수도 아주 쉽게 그만두자고 할 수도 있었다. 반의 확률이 큰 모험처럼 두려워질 만큼 혁주는 정애숙에게 깊이 빠져 있었다. 고민 끝에 어머니한테 먼저 의논을 하기로 했다. 문경이를 아내로 맞아들이겠다는 말을 어머니에게 꺼내기는 그리도 어려워 결국은 못하고 말았건만, 그 여자를 버리기 위한 의논은 술술 잘도 나왔다. 어머니는 생각보다 안 놀랐다.

「거봐라. 에미 말 안 듣고 3년씩이나 홀아비 생활을 고집하더니 하필 소박맞은 여자에게 걸려들었구나. 그 여자도 제 주제를 알 테니 뒤탈은 없을 게다. 그러고 나서 달포가 넘게 발길을 끊었는데도 그쪽에서도 전화 한번이 없다면서? 그러면 된 거야. 그러면 제 주제를 안 거라니까. 만나서 해결하다니 뭘 해결해? 계약서라도 썼어? 내 말대로 가만히 있으라니까. 그럼, 미스 정한테도 말 안해야지 무슨 소리야.」

일은 어머니 말대로 되어가는 듯했다. 안 만난 지가 넉 달째로 접어드는데도 문경이로부터 아무 연락이 없으니 깨끗이 끝장난 걸로 봐도 무방하리라 싶었다. 그동안 마음놓고 정애숙과 가까워졌고 약혼날을 보름쯤 남겨놓고 있었다.

쪼르르 따라 들어와 아빠의 애무를 기다리는 시내를 혁주는 건성으로 한번 안아주고 나서 할머니한테 가보라고 내보내고 거칠게 방문을 닫았다. 혁주는 혼자 있고 싶었다. 일이 이렇게 될 줄은 정말 뜻밖이었다. 장차 이 일을 어떻게 수습해야 하나보다도 재수 더럽게 없다는 자탄과 원망 쪽으로만 생각이 기울고 있었다. 똑똑,

어머니가 밖에서 안하던 노크까지 하면서 들어가도 좋으냐고 물었다. 어머니도 뭔가 심상치 않은 걸 눈치챈 모양이다.

「안 좋은 일이 있냐? 미스 정하고……」

어머니는 그저 정애숙 걱정이었다.

「만나지도 않았다니까요.」

「그럼 바람을 맞힌 게여. 그럼 쓰냐.」

「전화 걸었어요. 오늘 급한 일이 생겨서 못 나간다고.」

「도대체 그 급한 일이 뭔데 이렇게 허둥지둥 집으로 들어왔냐니까. 에미도 좀 알자.」

「결국은 골치 아픈 일이 생기고 말았어요.」

「결국은이라니? 그럼 그 소박맞은 여자가?」

「어머니도, 소박맞은 여자가 뭐예요?」

「애 좀 봐. 에미 앞에서 그 계집 역성을 드는 걸 보니 너 아직도 정을 못 뗀 거로구나, 세상에……」

「어머니.」

혁주가 언성을 높였다. 일이 이렇게 꼬인 게 다 어머니 탓인 것만 같아 화가 지글지글 끓어올랐다.

「그래 그래 알았다. 그 여자가 이제 와서 뭐라던?」

「아이를 가졌답니다. 제 아이를요.」

혁주가 짓찧듯이 말했다.

「세상에 맙소사.」

어머니가 손으로 이마를 짚으며 어지러운 시늉을 했다. 독한 세제 때문에 많이 거칠어진 손끝의 분홍색 매니큐어가 서글퍼 혁주는 외면하고 말했다.

「일이 이렇게 될 줄은 정말 몰랐습니다.」

「미스 정하고 잘돼가는 게 기쁘면서도 한편으로는 꼭 살얼음 밟고 가는 사람들을 보는 것처럼 가슴이 조이더니만……」

「그럼 어머니도 마음이 편하셨던 건 아니로군요?」

「안 들었으면 모를까 듣고 나서 편할 리가 있냐. 늘 께적지근하더라니……」

「그러니까 제가 뭐랬습니까. 해결을 해야 한다고 하잖았어요. 어머니 때문이에요. 가만 놔두면 저절로 없었던 게 될 것처럼 말씀하신 건 어머니였단 말예요.」

황여사는 아들이 마음놓고 탓을 하도록 아무런 대꾸도 하지 않았다.

「이 노릇을 어쩐답니까?」

혁주 쪽에서 먼저 애걸하는 소리로 물었다.

「아무래도 네가 고약한 여자한테 걸린 것 같다.」

「그렇진 않아요 어머니. 착실하고 참한 여자예요.」

「또 역성이냐?」

「역성이 아니라요 고약한 여자만 아이를 배는 건 아니잖아요.」

「아이 밴 걸 뭐래는 게 아냐. 그걸 빌미로 너한테 덤터기를 씌우고 네 앞길을 망쳐놓기로 작심을 했으니까 하는 말이지.」

「그것도 어머니 오해십니다. 그런 여자는 아니래두요. 그저 애를 가졌다고만 했지 그걸로 저한테 책임을 지라거나 협박하는 소리는 한마디도 안했어요.」

혁주는 한번 만나본 적도 제대로 알아본 적도 없는 여자에 대해 지나치게 악의적인 단정을 내리는 어머니에게 울컥 혐오감을 느꼈다.

황여사의 얼굴에 미소가 떠올랐다. 혁주가 어려서부터 익숙한, 아들의 작은 실수에 너그럽기로 작정한 그러나 이만저만해서 그리 되었다고 일단 짚고 넘어가야 할 것은 결코 놓치지 않겠다는 그런 미소였다.

황여사는 그런 미소를 띤 채 조용히 혁주의 어깨에 손을 얹었다. 혁주는 그런 어머니가 싫으면서도 의지가 되었다.

「나도 물론 그 여자가 고약한 여자가 아니길 바란다. 그러나 이 에미의 짐작도 아주 근거 없는 거가 아니니까 무시하지 말도록 해라. 생각해보렴. 네가 그 여자하고 상관한 게 4월달이었다며? 그렇다면 아이가 들어선 걸 안 건 5월이나 넉넉잡고도 6월경엔 확실히 알았을 텐데 왜 이제야 너한테 알려 알리길. 무슨 뜻인지 좀 알겠냐? 아이를 낳겠다는 심보야. 석 달만 넘기면 중절이 힘든 걸 계산에 넣고 쭉 참고 있다가 이제야 나타난 거라구. 그래도 그 여자가 우리에게 덤터기를 씌울 여자가 아니라고 할 수가 있겠느냐. 어쩌면, 우리집 속사정까지 어데서 다 망을 보고 있다가 나타난 것모양 요렇게 아차고비에 나타날 게 뭐람.」

황여사의 짐작은 확신에 차 있을 뿐 아니라 일일이 다 이치에 들어맞기도 했다. 그것도 모르고 그동안에 그 여자로부터 아무런 기별이 없는 것만 고마워하며 마음 편히 새로운 미래를 설계한 생각을 하니 뒤통수를 한 대 얻어맞은 것처럼 얼얼하고 화가 났다.

「어머니 말씀대로라면 정말 끔찍한 여자로군요. 그러니 이 노릇을 어떡하면 좋지요, 어머니.」

「저녁 아직 안 먹었냐.」

황여사는 딴청을 부리면서 아들의 방을 나갔다. 서로 생각할 시간을 갖기 위한 배려인 듯했다. 그만큼 해결책이 간단하지 않다는 얘기도 됐다. 도마 소리, 밥 뜸드는 냄새, 찌개 냄새, 아이 칭얼대는 소리, 오냐 오냐 달래는 소리, 그런 것들이 어우러져 자아내는 평범하고 구수한 가족적인 분위기는 주부가 빠져 있어서 암만해도 쓸쓸하고 허전했었다. 그러나 곧 주부가 들어와 생기를 불어넣을 생각을 하며 위안을 받던 그런 것들이 생급스러운 소음처럼 혁주의 신경을 갉죽거렸다. 그는 부엌 쪽으로 나가 할머니 치마꼬리에 매달려 칭얼대는 시내를 안아 올리며 말했다.

「어머니 아무거나 해서 한술 뜰 테니 제발 아무것도 차리지 마세요.」

「입맛 없을 것 없다. 그까짓 걸 가지고.」

황여사는 조림냄비에 깔린 생선토막 위에다 양념장을 찔금찔금 끼얹으면서 말했다. 이미 안전한 대책이 서 있는 듯한 어머니가 혁주는 싫으면서도 기대가 됐다. 혁주는 식탁 의자에 앉아서 시내를 무릎 위에 올려놓았다. 깨끗이 거둔 아이의 머리칼에선 어렴풋이 과일 냄새가 났다. 외제 어린이 샴푸 냄새일까. 손녀가 에미 없는 애처럼 보일까 봐 황여사는 시내에 관한 거라면 유별나게 외제나 최고를 밝혔다.

어머니가 능숙하고 신속하게 차려놓은 밥상을 보고도 혁주는 식욕보다도 언제나 나도 이런 것들을 마음놓고 즐기게 되나 하는 심란한 생각부터 들었다. 이 정도의 저녁상에 처자식과 둘러앉는 행복은 밑바닥 필부(匹夫)에게도 구태여 행복이랄 것도 없는 반복되는 일상이련만 나는 그런 복도 없을 게 뭐람. 이런 한탄이야말로 보이지 않는 훼방꾼에 대한 새로운 적의, 새로운 미움일 수도 있었다.

「의학이 좀 발달했어야 말이지.」

시내의 밥숟갈에다 소시지를 얹어주면서 황여사가 무심히 말했다. 혁주는 영문을 몰라 쳐다보기만 했다.

「넉 달은 약과지, 예닐곱 달 된 애도 지우는 걸 봤다.」

「설마요.」

「마음 약하게 먹으면 죽도 밥도 안된다.」

「아무리 독하게 먹어도 그렇죠. 남의 뱃속에 든 아이가 제 맘대로 됩니까.」

「네 아이라며?」

「그렇다니까요, 그것까지 의심하시는 건 싫습니다.」

혁주가 퉁명스럽게 말했다.

「네 아이라면 네가 원치 않을 권리도 있으니까 원치 않는다는 의사표시를 분명히 하거라, 우물쭈물할수록 손해니까 하루빨리. 요새 세상에 애비가 원치 않는 자식을 낳으려는 여자는 없는 법이니까, 두고 보렴.」

「그럴 것 같지 않은데요. 그 여자의 경우엔.」

「말을 안 들을 것 같단 소리냐.」

「예, 좀 그런 여자예요. 말발도 세구요.」

혁주는 어머니가 저녁을 지으며 궁리한 대책에 실망한 빛을 감추지 않았다.

「제가 정말 똑똑하다면 애비 없는 자식을 낳지는 않을 게다. 그렇다고 너무 야박하게 굴진 말자. 저질러놓은 일의 책임이라는 게 있으니까 안전하게 수술을 받고 몸조리 잘할 수 있도록 비용은 넉넉히 내놓는 게 좋을 게다.」

「글쎄 그런 여자가 아니라니까요. 아마 따귀라도 때릴걸요.」

「그 여자가 그렇게 나오면 그건 네 애가 아닌 게야.」

황여사가 차갑고 단정적으로 말했다.

「네?」

「네가 반대하는데도 낳겠다면 그건 네 애가 아니라는 증거 아니겠느냐. 제 입으로 실토를 안하면 우리 쪽에서 뉘 앤지 알 게 뭐냐고 시침 뗄 수도 있는 문제구.」

그제서야 혁주는 어머니의 속셈을 알아차렸다. 같은 여자끼리 어쩌면 그럴 수가 있을까 싶었지만 지금 그에겐 어머니처럼 모진 마음의 도움이 필요하다는 것 또한 숨길 수가 없었다. 그래도 그는 또 한번 같은 말을 되풀이했다.

「그 여자는 그런 여자가 아니라니까요, 정말.」

「그래 그래, 그 여자 역성은 나중에 들어도 늦지 않을 테니 에미가 말한 순서대로 서둘러 해결하도록 해라. 약혼 날짜가 보름밖에 안 남았어. 우린 한번 해본 장단이지만 미스 정은 처음이니 행여 섭섭지 않도록 신경을 써줘라.」

바쁘게 됐네요, 이 정도는 비꼬고 싶은 걸 참고 혁주는 입맛 없는 식사를 했다. 전화소리가 시끄럽게 울렸다. 모자가 동시에 흠칫할 만큼 시끄러운 소리였다. 어머니의 눈빛이 사뭇 명령조로 혁주가 받기를 촉구하는 걸 보면 어머니 또한 문경이 전화일 거라고 꺼리는 눈치였다.

「혁주씨? 시내 좀 어때요. 걱정이 돼서 죽겠어요.」

문경이가 아니고 정애숙인 것은 반가웠지만 무슨 소리인지 몰라 잠시 어리둥절했다. 곧 오늘 만나는 걸 취소하면서 둘러댄 핑계가 시내가 별안간 아프다는 전화를 받았다는 거였다는 데 생각이 미쳤다.

「아, 네. 미안해요, 괜한 걱정을 끼쳐서요. 애가 종종 그래요. 할머니가 응석을 너무 받아주셔서 그런지, 떼도 잘 쓰고 신경질도 잘 부리고. 오늘은 그게 좀 심했던가 봐요. 노인이 혼자 감당을 못하시고 회사로 전화를 거신 걸 난 또 혼비백산을 해가지고……」

처음에 꾸며댈 땐 좀 더듬던 말이 아귀를 맞춰가며 청산유수로 잘도 나왔다.

「정말 지금은 괜찮은 거죠?」

「그럼요. 제 무릎에서 밥 한 그릇 다 먹고 지금 텔레비전 보고 있어요. 자식이 뭔지 지레 놀래가지고…… 미안해요.」

「아녜요. 미안한 건 저예요. 제가 먼저 시내에게 신경을 써야 하는 건데…… 앞으로는 우리 만날 때 시내하고 같이 만나요. 왜 그생각을 진작 못했나 몰라. 시내가 신경질도 낼 만해요. 아빠 사랑을 빼앗긴 게 좀 억울했겠어요. 아이들은 보기보다 예민하대요.」

이 얼마나 사랑스러운 여잔가. 곁에 있다면 왈칵 안아주고 싶었다. 정애숙은 좋은 일은 서두르는 게 좋다고 당장 내일 시내도 함께 데이트를 하자고 했고 혁주는 모든 시름을 잊고 그러자고 했다.

어린이 정식을 따로 해 파는 양식집에서 만난 애숙은 서툴고 조심스럽게 그러나 성의를 다해 새엄마 흉내를 내려 들었다. 혁주는 그게 고맙고도 애처로웠다. 뭐든지 혁주가 시키는 대로 따라 시키던 애숙이가 처음으로 혁주와 다른 걸 시켰는데 그건 어린이 정식이었다.

「우리 시내는 어린이 정식, 나도 같은 걸로……」

애숙이 이렇게 말하는 걸 보고 혁주는 마음에도 없는 핀잔을 주었다.

「무슨 여자가 먹는 데 그렇게 개성이 없어요.」

「입는 데 하도 개성을 찾다 보니 질렸나 봐요. 특별히 맛있는 음식도 맛없는 음식도 잘 모르겠어요.」

「쳇, 맛난 거 얻어먹긴 다 틀렸군.」

「노력할게요.」

이렇게 고분고분하니 더할 말이 없었다. 차 속에서 시내가 잠든 사이에 혁주는 애숙이 귓전에다 대고 은밀히 속삭였다.

「미안해요. 애숙씨한테도 또 애숙씨 부모님한테도 면목이 없어요. 이런 혹을 달고 데이트를 하게 돼서…… 요다음엔 우리끼리만 만나도록 해요.」

「그런 소리 말아요. 오늘 얼마나 재미있었다구요. 결혼할 때까지 쭉 같이 만나도록 해요. 우리 부모님도 대찬성이세요. 글쎄 일거양득이라나요. 시내를 끼워넣고 데이트하는 게 말예요.」

「일거양득이라뇨?」

「결혼하기 전에 시내하고 충분히 친해놓을 수가 있을 테니 좋고 또 하나는요, 제가 과년하고 혁주씨는 경험 있는 홀아비이고 그러니까 혼전에 행여나 무슨 사고를 칠까 봐 부모님은 은근히 걱정을 하시다가 시내가 끼게 되니 안전보장이 된다 이건가 봐요.」

애숙의 그런 솔직함뿐 아니라 딸 가진 부모의 평범한 걱정까지 문경에게는 없는 미덕으로 돋보였다. 혁주가 애숙과 이런 고상한 재미를 보게 됐다고 해서 문경이 문제를 잊고 있거나 될 대로 되라는 심정인 건 아니었다.

처음엔 혐오감 없이는 들을 수 없었던 어머니가 가르쳐준 방법이 결국은 최상의 방법이라는 걸 알게 되었고 시간을 지체할수록 이쪽이 불리해진다는 것도 깨닫게 되었다. 하루빨리 애숙을 내 사람 만들고 싶은 욕심으로는 일각이 여삼추 같다가도 여자의 태중에서 아이가 자라는 정확한 속도를 생각하면 아찔하도록 시간이 빠르게 흘렀다.

혁주는 일부러 문경이네 학교 아이들이 잘 가는 학교 앞 빵집에서 그 여자를 불러냈다. 교사의 퇴근시간은 학생들의 하학시간보다 늦은 편이어서 혁주가 기대했던 것처럼 학생들이 많지는 않았다. 또 저희들끼리 알아서 선생님 근처는 피했으므로 두 사람은 다방 같은 데보다 훨씬 호젓하게 마주앉게 되었다.

문경이는 성적에 치사한 극성스러운 학부모를 대할 때 곧잘 쓰는, 무슨 말이든지 다 들어줄 용의가 있되 교육의 권한과 자존심에 관한 영역만은 한치도 양보할 수 없다는 외유내강한 표정으로 나타났다.

무슨 말을 먼저 꺼내야 할지 몰라 입가를 헛되게 실룩거리고 있
는 혁주를 보다 못해 문경이가 먼저 말을 걸었다.

「우리 너무 자주 만나는 거 아녜요?」

「빨리 해결하는 게 피차 좋을 것 같아서……」

「뭘 말인가요?」

「우리 이러지 맙시다. 이걸로 깨끗이 해결해요.」

혁주가 준비해 가지고 온 돈봉투를 일부러 탁 소리를 내면서 그
여자 앞에 놓았다.

「흥, 끝내 나를 공갈범 취급하는군요?」

「그게 아니라……」

「아니면 뭐예요. 그저께는 나더러 공갈협박 말라고 호통을 치더
니 이렇게 돈을 싸가지고 나타난 걸 보니 죄가 있긴 있군요.」

「여긴 당신 제자들 이목이 번다한 자리요. 조용히 점잖게 해결
합시다.」

「이미 때가 늦었어요.」

「때가 좀 늦었다는 건 나도 알고 있소. 그 대신 비용도 충분히
챙기느라 챙겼소.」

「그런 뜻으로 늦었다고 말한 건 아니었는데…… 우린 참 말이
안 통하는군요. 왜 이렇게 됐죠?」

「그런 걸 따질 계제가 아니오, 지금 나는. 그럼 그렇게 알고 가
겠소.」

「뭘 어떻게 아셨나요?」

「해결이 된 걸로 믿겠소.」

「해결 소리 구역질 나요. 어서 이 봉투 집어넣지 못해요?」

「좋소, 정 안 받겠다면 당신 제자들이 보는 앞에서 큰소리로 망

신을 주어서라도 받게 하고 말 테니, 그래도 좋소?」

「안 좋아요, 무서워요. 당신은 능히 큰소리로 이 돈으로 빨리 아이를 떼란 말야, 이 화냥년아, 이럴 수 있는 사람이에요. 여긴 학교 앞이고 나는 그런 망신을 당하기 전에 빨리 이 봉투를 챙겨야겠군요. 그렇지만 내일은 아마 내가 당신을 회사 사무실까지 찾아가서 이 돈을 얼굴에다 뿌리며 고래고래 고함을 치게 될걸요. 그래도 좋다면 놓고 가요.」

당신이 이렇게까지 악질인 줄은 몰랐다고 뇌까리며 혁주가 봉투를 거두어 가지고 가버린 후에도 한동안 그 여자는 거기 멍하니 앉아 있었다. 누가 누구한테 할 소린지 모르겠다고 생각하면서도 그닥 노엽지는 않았다. 멍했다. 일이 왜 이렇게까지 엉망으로 돼버린 걸까. 혁주를 찾아갈 때 바란 게 뭐였던가. 아직 태어나진 않았지만 분명히 존재하기는 존재하는 아이가 극적으로 두 사람의 재결합을 도와주길 바라기라도 했단 말인가. 알 수 없는 거 천지였다. 하지만 알리지 말 것을 하고 후회하는 마음은 없었다. 자기가 저지른 일의 결과에 대해 무책임할 수 있는 건 똥 오줌 가릴 때까지면 족하지 않겠는가.

다음날은 혁주의 어머니가 문경이 아파트로 같은 돈봉투를 가지고 와서 〈해결〉을 보려고 했다. 황여사는 경험과 실적이 풍부한 해결사처럼 등 치고 배 만지는 식으로 위협과 협박을 적절하게 반복했다. 그 다음엔 혁주가 오고 또 그 다음날은 황여사가 오는 식으로 모자가 겨룸내기로 드나들면서 문경이를 지치게 했다. 만나는 횟수가 거듭됨에 따라 세 사람은 점점 극단적인 언어를 쓰기 시작했고 보통사람 같으면 일생에 한번 들어낼까말까 한 정신의 가장 더러운 똥창까지 들어내 깃발처럼 흔들게 되었다. 그 여자의 남은 소망은 이제 한 가지밖에 없었다. 그들로부터 자기로부터 놓여나는 거였다. 나를 좀 내버려둬 줘, 제발. 그 여자는 자다가도 잠꼬대를 하면서 벌떡 일어나곤 했다. 그리고 놓여날 수 있는 방법이, 자신도 태아도 살아남을 수 있는 방법이 보이기 시작했다.

마치 세상없이 결백한 사람도 반복해서 고문을 당하면 죄목이 생각나듯이.

실상 그건 저지른 죄도 생각해낸 죄도 아니고, 고문자가 쉴새없이 암시한 죄였다. 그 여자도 결국은 그 암시에 걸려들고 말았다.

「제발 날 좀 내버려두세요. 이 아이는 댁들하고는 아무 상관 없는 아이니까요. 김혁주 아이가 아니란 말예요. 아니고말고요.」

만약 혁주 쪽에서 먼저 내 아이가 아니라고 발뺌을 했더라면 그 여자는 아마 없는 은장도라도 빼들고 비장하게 결백을 주장했을지도 모른다.

그 여자의 이 거짓말 한마디는 그야말로 거짓말처럼 쌍방간에 휴식과 평화를 가져왔다. 악몽에서 깨어난 기분도 쌍방이 비슷했다.

혁주 모자는 그 자리에서 당장 그 수많은 고문의 언어들을 잊고 고상한 얼굴로 그러면 그렇지, 감히 누구한테 그 더러운 덤터기를 씌우려고……, 하면서 떠나갔고 그 여자도 내가 어쩌다가 저런 사람들과 내 자식을 나누려고 했었을까. 아아 이제야 비로소 나만의 자식을 가지게 되었구나, 나만의 아이를, 하면서 독점의 기쁨과 평화로운 외로움에 잠겼다.

그러나 허위자백 끝에 사흘 밤 사흘 낮의 꿈 없는 긴 잠을 얻어냈다고 해도 그게 진정한 휴식일 수가 있을까.

방학식 날이었다. 아침부터 쨍쨍 내리쬐는 뙤약볕 아래서 교장 선생님의 길고 긴 훈시를 듣는 건 정말 고역이었다. 전통 깊은 사립중학이라지만 중학입시가 없어진 지 오래니 아직도 남아 있는 영광은 늙은 교사들이 많다는 정도였다. 교장도 정년에 구애받지 않고 이사회의 승인으로 임명되기 때문에 일흔이 다된 분이었다. 효도의 으뜸은 집을 들고날 때 부모님한테 고하는 것이다부터 시작해서, 길에서 차조심, 외출할 때 너무 몸이 많이 드러나는 옷 안 입기, 특히 여학생은 친구들하고만 캠핑 안 가기, 부득이 친구들하고만 갔을 경우에도 절대로 텐트에선 안 자기 등등 손자들을 앞에 놓고 타이르는 할아버지의 잔소리처럼 귀담아들으면 버릴 말은 하나도 없지만 들떠 있는 학생들에겐 지루하기 짝이 없는 것이었다. 아이들이 와아 하고 웃었다.

「왜들 저래?」

멍하니 딴생각을 하며 그늘진 쪽에 피해 섰던 문경이가 어느 틈에 옆에 와 서 있는 국어의 임현자 선생한테 물었다.

「할아버지가 여학생을 날고기에 비유했잖아?」

「또?」

「그래. 그러니까 남자애들이 저 입맛 다시는 소리 내는 것 좀 봐.」

「노인네도 주책이야.」

「단상에서 연설은 하고 싶고 맨날 할 소리가 뭐 있겠어.」

「그래도 맨날 날고기는 좀 너무하잖아 요샛세상에……」

「요샛세상이면 옛날의 날고기가 익은 고기밖에 더 됐겠어. 저런 소리 들을 수 있는 것도 우리애들 복이야. 요즈음 애들이 저런 소리를 어디 가서 들을 수 있겠어. 저런 어른이 저런 구닥다리 잔소리를 저렇게 당당하게 하실 수 있다는 게 난 왠지 보기 좋더라.」

「하긴 그래. 노인네들 모시는 집도 많지 않고, 계시는 집에서도 손자 손녀들에게 저런 말씀을 함부로 해도 아들 며느리가 가만히 있을 만큼 대우받는 노인들은 더군다나 드물고, 부모들이라야 내남

그대 아직도 꿈꾸고 있는가 57

없이 오직 공부 잘하는 게 사람 노릇의 전부인 양 자식을 다락같이 위해 바치는 데만 급급하니……」

「성교육까지 학교에서 시켜주길 바라지만 그게 어디 제대로 되디? 배운 쪽보다 가르치는 쪽에서 먼저 얼굴이 빨개져 가지고서야.」

「아유 말도 마, 그 얘기라면.」

남녀공학이지만 가정이나 가사시간은 여학생만 듣고 남학생은 실업이나 공업을 선택하도록 돼 있었다. 그러나 이 학교에선 교장 재량으로 한 달에 한번씩은 가정시간도 분반을 하지 않고 같이 배우도록 하고 있는데 주로 성교육, 남녀간에 지켜야 할 에티켓 등을 가르치도록 돼 있었다. 자연히 가정선생인 문경이가 서투른 대로 그 방면의 전문가 노릇을 해야 했고, 임현자 선생이 완곡하게 지적한 대로 그 여자는 그 시간을 제대로 활용한 것 같지 않았다. 수업에는 완벽주의자인 그 여자지만 그 시간만은 어물쩡 시간이나 메우고도 별로 가책을 받거나 좀더 잘해볼걸 하는 생각이 없었다. 교장 선생님의 의욕 과잉 때문에 재수 나쁘게 걸려든 가외의 일이란 생각이 고작이었다. 그렇게 전연 책임을 안 느끼던 그 시간에 대해 그 여자는 느닷없이 켕기기 시작했다. 아이들한테 못할 말을 하지는 않았더라도 자신이 그 시간을 맡았다는 것 자체가 비교육적이었다는 자격지심은 참으로 고약했다.

방학식 날은 으레 그렇듯이 반마다 어머니들이 꽤 와 있었다. 문경이 담임인 3학년 5반 복도에도 어머니들이 모여서 수군대고 있다가 문경이를 보자 뚝 그치면서 창 쪽으로 물러섰다. 같이 모여 있으면서도 각각 자기에게만 특별히 대해주길 바라는 어머니들의 소망을 빤히 알면서 문경이는 모개로 형식적이고 깍듯한 인사를 하고는 교실로 들어갔다. 성적표를 나누어주고 주의사항을 간간이 말하는 동안도 곧 봉투에 시달려야 할 걸 생각하면 짜증부터 났다. 혁주의 돈봉투에 학을 뗀 뒤끝이기 때문일까 무슨 팔자로 가는 곳마다 사회의 오물통에만 코를 박아야 하나 하는 신세한탄이 절로 났다.

교사 노릇 10년이면 소위 봉투라는 학부형들의 촌지에 적당히 길들여져 있거나 단호하게 맞서 있을 법한데 아직 그 여자는 그 문제에만은 일관성이 없었다. 거기 맛을 들이거나 그걸 생활비로 계산한 적이 없었음에도 불구하고 그건 아직도 그 여자에게 극복해야 할 그 무엇이었다.

교사생활 초기엔 맞대놓고 단호하게 봉투를 거절했다. 아마 순진해서 그럴 수가 있었을 것이다. 그러나 곧 안 받는 것만이 능사가 아니라는 걸 깨닫게 되었다. 생활을 꾸려나가는 데 봉투의 부조가 절대적으로 필요한 중년의 가장인 동료교사가 새파란 처녀교사의 이런 결벽성을 매우 같지 않게 아니꼽게 여긴다는 걸 알아차리는 데는 그리 오래 걸리지 않았다. 흥 네까짓 게 뭔데, 그들의 입장에선 문경이가 되레 물을 흐려놓고 있었다. 동료 사이에서만 발붙일 곳이 없어진 게 아니라 학부모 사이의 소문도 좋은 편이 아니었다. 봉투를 주려다 뜻을 못 이룬 어머니는 십중팔구는 자기 자식이 특별한 미움을 받고 있다고 생각하려 들었고 그건 돈에 따라 편애를 한다는 소문이나 다름없이 억울하고 곤혹스러웠다.

봉투에 맛을 들이게 되면 그 수입을 최대한으로 올리기 위한 문리도 트인다는 것 정도는 알 수 있을 만큼 연륜이 쌓이면서 문경이는 자연스럽게 그런 도를 거꾸로 써먹을 줄 알게 되었다. 학부형에게 학교에 드나들어야 할 구실이 생기지 않도록 신경을 썼고, 특별한 문제가 생겨 또는 문제를 만들어서 담임을 면담하러 온 어머니하고도 북적대는 교실이나 교무실 등 시선이 번다한 곳 외의 호젓한 장소나 기회를 만들지 않았다. 그런 중에도 잽싸게 봉투를 남기고 가는 집요한 어머니도 없지 않아 있었지만 돌려주려고 신경을 쓰는 대신 누구한테 얼마를 받았나를 잊으려고 노력을 했다. 기억하고 있는 한 그 아이를 대하는 데 있어서 사념이 생길 듯해서였다. 비록 그게 편애가 아니라 단순한 주목이나 경원이라 하더라도 교사로서 지켜야 할 바 공평에 득될 리 없는 사념은 피하는 게 수였다.

불가피하게 봉투를 받게 되더라도 그 효과가 전혀 안 나타나게 하는 방법은 원칙적인 것 외의 것에 대범한 문경이의 성격에도 맞았고 또 더디지만 효과도 있었다. 그 선생한테는 돈 쓰나마나라고 소문이 나자 애써 봉투를 내밀려는 어머니도 극소수로 줄어들게 되었다. 공립학교가 아니어서 한 학교에서 오래 근무할 수 있다는 것도 돈 쓰나마나인 선생이라는 낙인을 구태여 갱신할 필요 없이 지속시키는 데 도움이 되었다.

그러나 비록 최소한이나마 봉투 수입이 있긴 있는 이상 그 쏨쏨이에만은 신경을 안 쓸 수 없었다. 어려운 아이를 도와주는 방법도 생각해보았으나 자칫하면 선행으로 소문이 날 수도 있었고, 그렇게 될 경우 봉투를 표가 나게 거절했을 때보다 더 혹독하게 동료교사의 빈축을 살 우려가 있었다. 결국은 표 안 나게 흐지부지 쓰기로 했다. 단 담임 맡은 반을 위해서. 개인에게 있어서도 그렇지만 집단에 있어서도 약간의 흐지부지 쓸 수 있는 돈이 있다는 건 참 좋은 일이었다. 윤활유처럼 생색 안 내고 운영을 부드럽게 도와주었다. 이를테면 의연금이나 무슨 무슨 성금 등 관에서 권장하는 잡부금은 반끼리 경쟁을 부추기게 돼 있는데 늘 꼴찌를 못 면하던 문경이네 반이 중간 정도라도 하게 된 건 그 여자가 별안간 극성스러워져서가 아니라 서랍 속에 흐지부지 쓸 수 있는 자금이 있었기 때문이었다. 그밖에도 흐지부지 쓸 수 있는 용처는 쏠쏠했다. 조위금, 환경미화, 아이들에게 읽히고 싶은 책을 사서 교실에 비치해놓기 등 유용하게 쓸 욕심을 부리자면 한이 없었지만 씀씀이가 커지면 저절로 수입에도 욕심이 생길 것 같아 흐리멍덩하게 생긴 돈이니 철저하게 흐지부지 쓰기로 한계를 정해놓고 있었다.

이렇게 봉투문제는 졸업을 한 줄 알았는데 교실 앞에 진을 치고 있는 어머니들을 보자 느닷없이 심사가 뒤틀렸다.

얼마나 넣으면 될까. 3만 원? 애개개 요샌 최하가 5만 원이야. 그것도 후진 동네니까 그렇지 ××동에선 최하가 10만 원이라던데. 아유 ××동 애긴 말도 말아요. 암튼 선생 버릇은 그 동네 엄마들이 다 망쳐놓는다니까. 동네가 문제유, 선생 나름이지. 그래 우리 선생은 아직 순진해서 뭘 모른 것 같더라, 정말 돈맛을 모르는지 알게 뭐유. 누가 시험삼아 한 백만 원만 넣어줘봤으면 좋겠더라. 당신이 그래보지 그래. 호호호……

이렇게 자기들끼리 찧고 까불었을 게 보지 않아도 본 듯했다. 문경이는 어머니들에 대해선지 대상이 분명치 않은 싫증이 신트림처럼 고약하게 치미는 걸 느꼈다. 다행히 어머니들이 딴 반에 비해선 몇 안되었고 보아하니, 거의 공부 잘하는 애 어머니들이었다. 문득 문경이에게 좋은 생각이 떠올랐다. 그 여자는 종례를 끝마치기 전에 어머니들을 교실로 불러들였다. 그리고 개별면담을 통해 해야 할 말, 부탁하고 싶은 소리를 공개적으로 했다.

「영범이 어머니 잘 오셨어요. 영범이는 공부도 잘하지만 인기도 좋고 영도력도 있나 봐요. 1학년 때부터 내리 반장이라 제 생각으로는 좀 갈아보고 싶었는데 그게 어디 담임 마음대로 돼야 말이죠. 압도적인 표로 당선이 된걸요. 어머니 모신 김에 억지로라도 영범이 단점을 들추라면 글쎄요. 1등 자리를 너무 오래 독점하는 거라고나 할까요. 정상에서 밀려나보는 것도 해볼 만한 체험인데……」

「아이고 선생님 우리 영범일 그렇게 치사한 공부벌레 취급하지 마세요. 잠 실컷 자고 놀 만치 놀고 슬슬 해도 1등만 하는 걸 어쩝니까. 머리 좋은 것도 죄가 됩니까?」

영범이 어머니가 노기등등한 목소리로 항의했다.

「공부벌레란 뜻은 결코 아니구요. 줄창 1등만 하면서 받는 심리적인 압박감을 눙쳐주고 싶어서 한 소립니다. 애들아, 느희들도 영범이에 대해 하고 싶은 칭찬이 있으면 이런 기회에 해보렴.」

문경이는 까딱하단 옥신각신하게 될 것 같아 이렇게 슬쩍 말머리를 아이들한테로 돌렸다.

「칭찬말고 흉을 좀 보면 안될까요.」

공부는 중간쯤 하고 두루뭉실하게 생긴 철환이가 손을 번쩍 들고 말했다. 장난스럽긴 하지만 악의는 없는 얼굴이었다.

「글쎄다. 친구의 흉을 그 친구 어머니 앞에서 본다는 건 선생님은 찬성할 수 없는데.」

「흉이 아니라 요구조건인데도 안돼요?」

저 녀석이 무슨 소리를 하려고 저러나 엄마들한테 신경이 쓰이면서도 궁금해서 잠깐 망설이고 있는데 그새를 못 참고 영범이 어머니가 나섰다.

「말해봐. 흉이든 요구조건이든 불만이든 다 들어줄 테니……」

싸움을 걸듯이 도전적인 목소리였다.

「저요오, 영범이는요, 우리 반 예쁜 계집애들은 다 제 것처럼 군대요.」

아이들이 까르르 웃었다. 부반장 혜실이 발딱 일어서더니 철환이한테 삿대질을 하면서 대들었다.

「야, 철환이 너 말 다했어. 계집앤 뭐고 제 것은 또 뭐니? 여자가 무슨 물건이니?」

혜실의 항의를 시작으로 남학생과 여학생이 패를 갈라 말다툼을 시작했다. 교실이 떠나갈 듯 시끄러웠다.

「아니 쟤들을 저렇게 그냥 놔두시면 어떡해요?」

참다 못한 엄마들이 담임의 도움을 청했다.

「재미있잖아요. 실컷 싸우게 두세요.」

아이들이 저절로 조용해지길 기다려 다음 엄마들하고도 차례차례 그런 식의 공개적인 상담을 해서 돌려보냈다. 정말 단둘이 머리를 맞대고 상담해야 할 문제아의 부모는 한 사람도 안 와 있었기 때문에 그게 성의 없는 짓이라곤 생각하지 않았다. 학기말이나 방학식 날 봉투를 완전히 면해보긴 처음이어서 날아갈 듯한 기분이었다. 그 여자는 자기도 모르게 그런 방법으로 혁주의 봉투에 대한 복수를 꾀하고 있는지도 몰랐다.

그러나 봉투를 완전히 면한 줄 안 건 잠시 동안의 착각이었다. 영범이 어머니가 교무실에서 기다리고 있었다. 아까와는 달리 만면에 웃음을 띠고.

「깜박 잊을 뻔했어요.」

「뭘 말씀인가요?」

「이번 달 『샘가』가 읽을 만해서 선생님 드리려고 한 권 더 샀는데 그냥 갈 뻔했지 뭐예요.」

그러면서 작은 잡지를 내놓았다. 뻔한 수법이었다. 하얀 사각봉투의 도톰한 부피로 겉장이 약간 들려 있는 잡지를 문경이는 단호하게 내밀었다.

「이걸 어쩌나, 전 『샘가』 정기구독자예요. 벌써 다 읽은걸요. 오늘날의 사도(師道) 무엇이 문젠가?라는 특집 참 웃기던데요. 물론 읽어보셨겠지만.」

「아, 네에.」

그 방면엔 꽤 도가 튼 영범이 어머니였지만 어쩔 줄을 몰라 하다가 그 작은 잡지를 자기 백 속에 도로 넣었다. 부당하게 망신을 당했다고 여겼음인지 눈꼬리가 상큼하게 삐쳤다. 그래도 즐거운 방학 보내시라는 수인사만은 잊지 않고 횡하니 사라졌다. 문경이는 그런 수작을 여봐란듯이 큰소리로 했기 때문에 곧 교무실 안의 껄끄러운 시선에 몸이 오그라드는 듯한 기분을 맛봐야 했다.

옆자리의 임현자 선생이 속삭이듯 나무랐다.

「아니, 차선생 무슨 일이야? 왜 그렇게 티껍게 굴어. 그렇게 고고하고 싶어?」

문경이는 나도 모르겠다는 표시로 어깨를 한번 으쓱해 보이고는 곧 눈물이 그렁해지고 말았다. 봉투라면 닭살이 돋을 것 같은 이상한 혐오감은 아무도 이해할 수 없으리라는 외로움이 그 여자를 슬프게 했다.

「차 좀 얻어타도 돼?」

운동장에서 그 여자는 종종걸음으로 임선생을 따라잡으며 말했다. 변명도 할 겸 임선생에게만은 그간에 생긴 신상의 변화를 얘기하고 싶었다. 두 사람은 그만큼 흉허물 없는 사이였다.

「그렇잖아도 모실려고 했어.」

「왜?」

「요새 좀 비정상인 것 같아서.」

「오늘만이 아니고?」

「쭈욱 이상했어. 오늘은 더 심했고.」

「그래? 안 이상하게 보이려고 노력했는데.」

「뭐가 있긴 있었군.」

「응 좀.」

「좋은 일? 나쁜 일?」

「그것도 좀 알아맞추지 그래.」

「좋은 일 같지는 않지만 나쁜 일이 생길 턱도 없잖아. 이혼당해 혼자 사는 여자한테 더 무슨 나쁜 일이 생길 건덕지가 있겠어?」

「내 처지가 그 정도로 비참했던가.」

차 가진 교사들이 주차장으로 쓸 수 있는 공터는 교무실이 있는 구관과 ㄱ자로 연결된 신관 끄트머리의 골목을 돌아가야 있었다. 특별활동실을 신축할 예정지라 제법 넓었고 제 차로 출근하는 교사도 많지 않아 아직 주차난은 없었지만 골목길은 겨우 차 한 대가 빠질 만해서 웬만한 운전솜씨로는 차체가 받히거나 우그러지기에 알맞았다. 임선생의 은빛 중형차도 뒷문의 손잡이 바로 밑이 쭈그러져 있었다.

「어머 임선생 운전솜씨도 별게 아니네 뭐. 결국은 박았구나.」

문경이는 으레 그 골목길을 돌다 그렇게 된 거려니 하고 조금 빈정댔다. 선생들이 가진 차 중에선 임선생 차만이 중형차건만 얼마나 유연하게 털끝 하나 안 다치고 그 좁은 커브길을 돌 수 있나를 자랑하는 소리를 여러 번 들었기 때문이다.

「아냐, 보면 몰라? 여기서 박았으면 거기가 어떻게 우그러지냐? 자, 봐, 이쪽을 덜 꺾어서 저쪽 담을 들이받았대도 거기는 얼토당토않잖아. 또 이쪽 건물 모서리에 걸린다 해도 거기가 아랑곳이야.」

경력이 몇 년 되는 오너가 으레 그렇듯이 운전솜씨 나무라는 소리만은 그냥 넘기지 못하고 문경이를 옆에 앉힌 채 요리조리 부딪는 시늉까지 해가며 변명을 했다.

「아유, 알았어. 임선생 실력 알았으니 제발 곱게 빠져나갑시다. 요 밴댕이 창자 같은 길도 미꾸라지처럼 잘 빠지는 솜씨가 실수를 했을 리는 없고……, 어데서 어떤 초보한테 받혔구먼.」

「글쎄 그 자리는 초보 아니라 장님도 받을 수 없는 자리라니까.」

차가 학교 운동장을 빠져나오자 임선생은 선글라스를 꺼내 쓰며 심란하게 말했다.

「그럼 어떻게 된 거야.」

「우리 반 애가 일부러 그랬대. 돌로 쳐서.」

「저런 못된. 그래 그 녀석을 그냥 놔뒀어.」

「아직 생각중이야.」

임선생의 소리가 전에 없이 침통하게 들렸다. 선글라스 때문에 자세한 표정은 읽을 수 없었지만 부드럽던 뺨이 경직돼 낯설어보였다.

문경이는 임선생이 차 좀 긁힌 것 가지고 너무 상심하는 것 같아 아니꼬운 생각이 들었다.

「뭘 그만 일을 가지고 심사숙고까지 하고 그래. 불러서 한번 따끔하게 야단치고 말 일이지. 차 가진 사람들 너무 차 가지고 애지중지하는 거 얼마나 꼴보기 싫은지 알아? 사람 나고 차 났지, 차 나고 사람 난 거 아니잖아.」

「동감이야. 나도 사람에 대해서 심사숙고하는 중이지, 차에 대해서 그러고 있는 거 아냐.」

「뭘 아냐. 고 괘씸한 녀석을 어떡하면 정신이 번쩍 나게 혼내주나 궁리하는 건 결국 차가 고물 된 게 억울해서이면서.」

「조금도 정곡을 찌르지 못했어. 교외 쪽으로 드라이브나 하면서 얘기할래? 다방으로 갈래?」

차는 이미 문경이가 사는 아파트 단지를 지난 지 오래였다.

「기사 마음대로 해.」

야산과 꽃마을을 지나자 다시 아파트 단지가 나타났다.

「아직도 서울특별시야?」

「벗어날려면 아직아직 멀었어.」

「고수부지로 갈 걸 그랬나.」

「이 뙤약볕에 미쳤어.」

임선생이 낯선 아파트 단지의 상가 옆에 차를 세웠다. 아래층엔 부동산 중개소가 즐비했고 위층엔 다방 간판도 몇 군데 눈에 띄었다. 우중충하고 냉방이 잘된 다방 안은 한산했다.

「그 녀석이 글쎄 친구들 앞에서 내 차에다 돌을 던지면서 이러더래. 선생 주제에 무슨 돈으로 자가용을 굴리겠느냐고, 엄마들이 팍팍 와이로 멕인 돈으로 더럽게 호강한다고. 하필 호랑이 곽선생한테 그 현장을 들켜가지고 곽선생이 그 녀석 덜미를 잡아가지고 교무실까지 데려왔더라구.」

「집이 너무 못살면 그럴 수도 있어. 우리 학교는 아파트 단지하고 재개발지역하고 한 학군인 게 정말 큰 문제야. 임선생 같은 일 안 당해도 담임 맡을 때마다 빈부의 문제처럼 신경 쓰이는 일도 없더라. 그 녀석 야단 안 치기 잘했네, 뭐.」

「가난한 집 애가 아냐. 즈네는 차가 두 대야. 식구는 세 식구인데. 그러니까 엄마 아빠가 따로 따로 차를 굴리는 셈이지. 아빠는 우리 중등교사보다 월급이 곱절쯤 되는 고급공무원이고 엄마는 가정부를 고용하고 있으니까 순수 무직이고 그 집에 차 두 대보다 우리집 한 대가 훨씬 더 온당한데 그 녀석의 태도는 마치 불의를 응징하고 난 정의의 사나이처럼 당당하더라니까.」

「맙소사.」

딴 선생은 몰라도 임선생이 차를 굴리게 된 경위는 문경이가 알기로는 좀 우스꽝스럽긴 해도 분수에 넘치는 건 아니었다. 임선생 남편은 대기업 기술개발부에 있다가 독립해서 차린 부품 생산업체가 탄탄하게 자리를 잡아가고 있었다. 그러나 어떻게 된 게 운전면허 따는 데는 칠전팔기의 곡절을 겪더니 따고 나서 차를 사고도 혼자서 몰고 나가질 못했다. 연수도 받을 만큼 받았건만 도무지 실력이 늘지 않자 차는 저절로 면허를 늦게 딴 임선생 차지가 되어 남편의 운전기사 노릇까지 겸하게 된 것이었다.

「나는 그 녀석의 정의감에 불타는 당돌한 눈동자를 보자 그만 섬찟해지면서 말문이 막혀버렸고 그때부터 지금까지 이상한 무력감에서 도무지 헤어나질 못하겠어. 그 애의 정의감을 통해 우리 사회의 중상류층의 일그러진 정의감의 정체를 파악한 것처럼 느꼈다고나 할까. 엄마들 참 잘났어. 존경스러워. 제 자식을 가르치는 선생은 잘살아도 멸시, 못살아도 멸시하면서 선생을 멸시할 수 있는 근거가 돼주는 자기들의 부(富)나 지위는 과연 정당한가에 대한 회의는 부모 자식이 어쩌면 그렇게 똑같이 백치일 수가 있느냐 말야. 가정교육이 그렇게 잘돼 있으니 선생이 학교에서 해줄 게 남아 있을 게 뭐람.」

「그래도 못된 건 조상 탓이라고 아이들이 빗나간 책임은 다 학교한테 돌리려고만 하니 정말 해먹을 짓이 아냐.」

「그래도 난 교사 스스로 그렇게 자조(自嘲)하는 건 더 못 참아주겠더라.」

「자조가 아니라 사실이 그렇잖아. 임선생도 말했듯이 잘살아도 멸시, 못살아도 멸시받는 직업이 어디 그리 흔해.」

「이번 일을 통해 내가 제일 쇼크 먹은 건 뭐니뭐니 해도 우리 남편의 반응이야.」

「남편한테 그런 일까지 고해바쳐야 되나. 난 결혼생활 별로 오래 안해봐서 잘은 모르지만 그 정도는 혼자서 삭이지 그랬어.」

「차가 찌그러진 걸 어떻게 말을 안해. 다 듣고 나더니 노발대발 당장 학교를 그만두라는 거야.」

「누군 든든한 남편 돼서 좋겠다. 쇼크 먹었다더니 듣고 보니 남편 자랑이네 뭐.」

「차선생 정말 그렇게 생각해?」

「그래 당장 그만둬도 벌어먹여줄 남편 있는 사람 정말 부럽다.」

「그이도 그랬어. 밥 안 굶길 테니 당장 그만두라고. 박봉은 참아줘도 수모는 못 참아주겠대. 더구나 제자로부터 그런 수모를 당하고도 안 그만두는 건 자기를 무시하는 거라나.」

「그만해둬. 지 남편이 얼마나 애처간지 자랑이 지나친 것 같아. 소박데기 앞에서.」

「놀리지 마. 난 그때처럼 내 남편한테 실망한 적이 없었어. 나는 선생 노릇을 좋아해. 그 일에 보람을 느끼기 때문에 남들이 박봉이라고 하는 보수도 크고 대견하게 받아들였고. 근데 우리 남편은 내가 내 직업을 얼마나 좋아한다는 건 조금도 모르고 있었던 거야. 자기가 버는 돈하고 내가 버는 돈하고 액수로 비교해서 내 직업을 우습게 보는 건 제자한테 당한 무시와 뭐 다르냐 말야?」

「이치가 그렇게 되나?」

문경이는 얼떨떨해서 좀 어벙한 대답을 했다.

「그래, 나는 내 일에 충분한 보람을 느꼈기 때문에 넉넉한 돈을 버는 남편의 직업에 비해 열등감을 느껴본 적도 심심풀이로 다닌다고 생각해본 적도 없는데 그 사람은 마치 내가 여직껏 직장생활을 할 수 있었던 게 자기의 크나큰 시혜(施惠)였던 것처럼 굴더라고. 아니꼬워서 숨이 턱턱 막히는 것 같았어.」

「혹시 대판 싸운 거 아냐.」

「속 시원히 싸워나 봤으면 뭣 하러 차선생한테 이런 하소연을 하겠어. 의사소통이 될 것 같은 문제가 생겼을 때는 싸움도 불사하지만 상대방의 고정관념이 절벽일 때는 안 싸워. 일방적으로 다치게 돼 있는 싸움을 뭣 하러 해. 자기가 운전기사를 고용할 테니 차는 그만 끌고 다니기로 하고 화해했어. 다시는 학교에 차 안 가지고 올 거야.」

「결국 해고당한 거네 뭐.」

「글쎄 말야. 자기가 변변치 못해서 내가 기사 노릇까지 겸한 생각은 안하고 마치 내 허영심으로 학교까지 차 끌고 다닌 것처럼 몰아붙이더라구.」

「부부간의 일을 뭘 그렇게 까다롭게 따져. 차에서 비롯된 분쟁 차로 일단락 봤으면 된 거 아냐?」

「인간의 문제는 어떡하구?」

「임선생 나도 얘기 좀 하자.」

문경이가 별안간 짜증을 냈다. 속사정을 털어놓고 의논하고 싶었던 건 자기가 먼전데 임선생이 먼저 하소연을 했고, 그 하소연이 자기 사정에 비해 너무 안 급하고 사치스럽다는 게 문득 화가 났던 것이다.

「그래 참, 차선생이 무슨 고민이 있다는 걸 느낀 게 어제오늘이 아닌데 내 소리만 들입다 했네. 미안 미안.」

「미안한 정도가 아냐. 꼭 당장 오줌 쌀 사람 밀치고 화장실에 먼저 들어가 담배 한 대 피고 나오는 년처럼 밉살스러워.」

「어머 그 정도야. 진작 가르쳐주지.」

「나 아기를 가졌어.」

「그래서?」

「왜 그렇게 안 놀라?」

「놀라야 되는 거야?」

「그럼 독신녀가 애를 가졌다는데도 안 놀라면 어떡해.」

「그렇지만 남자 없이 혼자 애를 만들었을 리는 없잖아.」

「그야 물론이지.」

「그런데 왜 놀라?」

「그래 안 놀라도 좋아. 놀래줄려고 이런 얘기 꺼낸 건 아니니까. 아직은 아기를 낳을까말까도 불확실해. 실은 그걸 결정하는 데 임선생의 도움이 필요해서 만나자고 한 거야.」

문경이는 비교적 자세하게 혁주와의 어렴풋하고도 오랜 인연과 짧은 행복과 더러운 끝장을 임선생한테 털어놓았다.

「이제야 이해가 돼. 아까 교무실에서 봉투를 가지고 왜 그렇게 이상하게 굴었는지.」

임선생이 나직이 한숨을 쉬며 말했다.

「임선생이라면 어떻게 하겠어. 애를 낳아야 할지 안 낳아야 할지 입장을 바꾸어서 한번 생각해봐. 그 극성맞은 모자한테 시달리다 못해 그 사람의 애가 아니라고까지 말했지만 그게 어디 내 정신으로 한 소리겠어. 그후 여직껏 내 정신이 아니라니까.」

「나라면 그런 사람 애 배지도 않았을 거야. 미안해. 이런 말투.」

「괜찮아, 어차피 입장이란 서로 바꿀 수 있는 게 아니니까.」

「그래 중요한 건 차선생 생각이야. 차선생만이 결정할 수 있는 문제야.」

「내가 낳고 싶어도 애비가 원치를 않으니까 문제지. 그럴 땐 낳을까말까가 팽팽하게 맞설 수밖에 없잖아. 오죽해야 제3자한테 이렇게 도움을 청하겠어. 임선생이 어느 한쪽에다 머리카락만한 무게라도 더하면 그쪽으로 확 기울어버리고 말겠어.」

「사양하겠어. 난 어느 한쪽에도 내 의사를 보태지 않을 거야.」

「우정도 없어. 깍쟁이 같으니라구.」

「왜 아이의 의지는 생각 안해? 나는 생명이 잉태될 때 이미 태어나려는 강렬한 의지를 가지고 있다고 생각하는데. 거기다가 엄마의 낳고 싶은 마음을 보태봐. 어디로 기우나.」

「정말 그럴까?」

문경이가 처음으로 환하게 웃었다.

「그렇지만 차선생.」

그러나 임선생은 웃지 않고 오히려 더 근심스러운 얼굴로 말했다.

「너무 좋아하지만 말고, 차선생 자신의 마음을 냉정하게 재차 점검해볼 필요가 있지 않을까?」

「그게 무슨 뜻이지?」

「차선생 정말 아이가 갖고 싶어?」

「거기 대해선 더 생각할 것도 없다니까.」

「혼자서 애 기르는 게 쉬운 일 아냐. 남의 이목, 쑥덕공론에 어떻게 대처할 것인가도 문제고……」

문경이보다 임선생의 얼굴이 진정한 조심으로 흐려졌다.

문경이는 피식 웃었다. 임선생에 비해 자기가 너무 철딱서니없는 것 같아서였다. 철딱서니없이 굴면서 묘한 휴식감을 즐기고 있었다.

「남이야 뭐라든 나는 내 아이를 행복하게 기를 자신이 있어.」

문경이는 무턱대고 씩씩하게 말했다.

「결혼하고 싶은 남자가 다시 생길 수도 있어. 또 그렇게 돼야 하고. 나도 그렇게 되길 더 바래. 아이는 그때 가서 낳아도 늦잖아.」

「시집은 안 가. 두 번이나 데였어.」

「정말?」

「정말이라니까.」

문경이는 야무지게 말하고 나서 아이스커피 잔 밑에 남은 얼음

조각을 입에 털어넣고 오드득 오드득 소리내어 씹었다. 그런 모습을 물끄러미 바라보던 임선생이 한숨을 쉬면서 말했다.

「해산달이 언제야?」

「해산달? 으응, 의사는 예정일이라고 그러던데. 내년 1월 초래.」

「이왕이면 아들 낳았으면 좋겠다.」

임선생이 의례적으로 한 말에 문경이는 느닷없이 화를 냈다.

「딸 낳고 싶어. 나는 장차의 내 아이가 남자일 거라고는 상상도 하기 싫어.」

「아이 아빠에 대한 미움 때문에 지금은 그럴 수도 있겠지만 막상 낳으면 안 그래. 나는 첫딸 낳고도 울었다면 말 다했지.」

「어머, 임선생 정말이야? 뜻밖인데.」

「나 자신의 일인데도 나도 뜻밖이었는걸. 그렇게 분하고 억울할 수가 없더라구. 지금 생각하면 그것도 일종의 모성애였겠지만 이왕이면 그런 부정적인 정서로 모성애가 비롯될 건 없다고 생각해.」

「다음에 아들 못 낳았으면 또 낳고 또 낳았겠네.」

임선생은 남매를 두고 있었다.

「그건 꼭 아들이 있어야겠다는 것과는 다른 기분이었어. 이 세상에 인간으로 입문하는 조건을 100점 만점이라고 칠 때 남자로 태어나면 기본점 50점은 따고 들어가는 거라구. 그러니까 여자로 태어난다는 건 상대적으로 50점 감점인 셈이지. 대학입시에서 만일 제 자식이 까닭없이 1, 2점만 감점을 당해도 사생결단하고 덤비지 않을 엄마 없을걸. 50점의 불이익이 분하고 억울해서 우는 건 당연해.」

「그런 기분 난 잘 모르겠어. 앞으로도 이해하게 될 성싶지 않고. 내가 내 아이를 기다리는 심정은 엄마로서가 아닌가 봐. 나는 그애를 친구나 동지로 삼고 싶어. 임선생보다 더 확실한 친구를 갖고 싶은 거야. 이런 내 소망에다 대면 그 남자에 대한 증오는 물거품 같아.」

문경이는 왠지 숨을 죽여가며 중얼거렸다.

임선생이 시계를 보았다. 문경이는 방학 동안의 소집일 날 결근을 할 테니 반아이들을 돌봐달라는 부탁을 하고 일어섰다. 개학할 때까지 어디 조용하고 시원한 산촌에 묻혀 있을 작정이었다. 그동안 자신도 뱃속의 아이도 너무 시달렸단 생각이 들었다.

태어나서 지금까지 그렇게 완벽한 휴식을 취해보긴 처음이다 싶은 여름방학이었다. 한 달 남짓을 순전히 먹고 자고, 먹고 빈둥거리며 보냈더니 개학하고 만난 사람마다 몰라보게 살이 쪘다고들 했다.

「체중이 글쎄 한 달 동안에 3킬로나 불었다니까요.」

문경이는 이렇게 태연하게 대꾸했다.

「중년살은 조심해야 돼요. 쪘다 하면 허리부터 굵어지던걸요.」

20대 미술선생이 충고인지 비양거림인지 모를 소리를 하면서 문경이의 허리를 유심히 보았다.

「나 아직 중년소리 들을 나이 안됐어. 두고 보라구. 어느 날 여봐란듯이 날씬해질 테니까.」

문경이가 이렇게 유들유들하게 굴 때마다 임선생은 괜히 옆에서 안절부절을 못했다. 허리가 걷잡을 수 없이 굵어져 마침내 가슴에 주름이 많이 잡힌 벙벙한 내리닫이를 새로 사입고 출근한 날이었다. 문경이보다 임선생이 불안해서 어쩔 줄을 모르더니 이따 점심시간에 양호실에서 만나자는 말을 마치 결투라도 신청하듯이 날카롭고 강압적으로 했다. 옆자리라 긴말을 속삭일 시간도 얼마든지 있고 은밀한 얘기라면 퇴근길에 같이 나가 다방 같은 데 들를 수도 있는데 그러는 걸 보면 유쾌한 용건 같지는 않았다. 문경이는 임선생이 먼저 자리를 뜬 후에도 가기가 싫어서 미적거리고 있었다. 그러나 언제 당해도 당할 일이란 생각 때문에 조마조마했다. 실은 임선생이 뭐라고 그래주길 고대하고 있었는지도 모른다. 문경이가 겉으로 아무리 유들유들하게 굴었다지만 속속들이 무신경한 건 아니었다. 임신한 사실을 고백한 유일한 동료가 임선생이었다는 건 문경이가 그만큼 임선생을 좋아하고 믿고 있다는 표시였다. 고백 안한 사람들한테도 임신한 사실을 숨길 수 없을 만큼 배가 불러지자 일반적인 남들의 눈에 자신의 임신이 어떻게 비칠까 알고 싶었다. 남들이 이해하고 감싸주거나 무관심해주길 바라는 건 아니었다. 자신의 입장이 얼마나 흥미진진한 스캔들거리인지 각오하고 있었다. 남들이 뭐라는 소리를 상상만 해도 부르르 몸이 떨렸다. 그렇기 때문에 임선생의 온건한 도덕관과 이성을 통해 어느 만큼 걸러진 남들의 소리를 듣고 싶었다. 아울러 남들의 비난이 너무 원색적이거나 과도할 때는 임선생이 중간에서 변호자 노릇도 좀 해주길 바랐다. 임선생이라면 능히 그렇게 해줄 수 있을 것 같았다.

양호선생은 알아서 자리를 피했는지 임선생 혼자서 기다리고 있었다.

「그 배 좀 어떻게 할 수 없어? 조마조마해 죽겠어.」

임선생이 대뜸 애걸조로 말했다. 전혀 예기치 않은 말이었기 때문에 문경이는 실망의 빛을 감추지 못했다.

「임신복까지 입고 도대체 어쩌자는 거야?」

문경이의 말없음을 기가 죽은 걸로 간주했는지 임선생의 언성이 한 옥타브 높아졌다.

「임신한 여자가 임신복 입은 걸 그런 눈으로 보지 마, 제발.」

문경이가 임선생 옆에 헌옷처럼 구겨져 내리면서 가느다랗게 말했다. 임선생 옆에서만은 긴장하고 싶지 않았다. 터무니없이 당당하게 굴 기력도 없었다.

「아직은 허리에 뭘 좀 감든지 하면 눈가림을 할 수 있을 텐데 너무 노력을 안하는 것 같아.」

「그런 헛된 노력을 뭣 하러 해. 쑥쑥 자라는 걸 그런 방법으로 억제할 수도 없겠지만, 억제할 마음이었으면 진작 없앨 수도 있었을 거야.」

「나는 차선생이 이렇게 나올 줄은 몰랐어. 정말.」

임선생은 별안간 믿거라 하고 꿔준 돈을 떼먹힌 여자처럼 적나라한 실망과 모멸을 드러냈다.

「왜 그래? 나는 그래도 임선생만은 나를 이해하고 내 편이 돼줄 줄 알았는데.」

「미안해. 이해하고말고. 남의 말 하기 좋아하는 사람들이 흉보고 손가락질하면 역성을 들어줄 각오도 하고 있었어. 그렇지만 그렇게 되기 전에 알아서 조치를 취할 줄 알았어.」

「어떤 조치를?」

「휴직을 하거나, 사직을 하거나. 생각해봐. 학부모나 이 사회가 교육자에게 요구하는 것 중의 도덕적인 것의 비중이 얼마나 막중한가를……」

「부도덕하게 생긴 아이가 아냐, 내 아이는. 알잖아?」

「알아. 아니까 이렇게 차선생을 상대하지 모르면 아마 상대도 하기 싫었을 거야.」

「상대해줘서 고마워. 나도 실은 내가 홀몸이 아니란 게 미구에 교무실 안에 그리고 학교 안에 퍼질 일만 생각하면 무서워. 임선생도 나를 위해 조마조마하고 있다는 것도 알아. 그렇지만 휴직을 하고 아이를 몰래 낳긴 싫어. 사직은 더군다나 할 수가 없구. 지금은 나만의 밥줄이지만 곧 두 입의 밥줄인 걸 어떻게 놓을 수가 있겠어.」

「맙소사, 그렇게 대책이 없는 줄은 정말 몰랐어.」

「내가 내 아이를 위한 유일한 대책은 이 아이를 감추지 않는 거야. 부끄러워하지 않는 거야. 법으로 정해진 산전산후 휴가도 당당히 따먹을 테니 두고 봐.」

임선생이 딱하다는 듯이 바라보거나 말거나 문경이는 이렇게 호언장담을 했다. 문경이 배는 사정없이 불러왔다. 처음에 임신복을 입었을 때만 해도 허리 굵어지는 걸 카무플라주하려고 그런 센스 없는 옷을 입은 줄 알고 놀려대던 동료들이 싹 입을 다물고 저희들끼리 눈짓만 하게 되었다. 복도에서 마주치면 으레 공손히 허리를 굽히게 되어 있는 아이들의 눈빛도 어느 틈에 스승들의 눈빛을 닮아가면서 허리를 굽히는 대신 저희들끼리 서로 허리를 꾹꾹 찌르며 피해갔다. 새소리처럼 재잘대는 웃음 끝에 〈얼굴에 철판〉 어쩌구 하는 소리가 문경이의 귀를 후벼판 적도 한두 번이 아니었다. 얼마 못 견딜 것 같은 막연한 공포와 고독감으로 그 여자의 얼굴은 형편없이 수척해지고 배만 맹꽁이처럼 불러왔다.

교장실의 부름을 받은 것은 겨울방학 얼마 안 남기고였다. 겨울방학이 고비다, 그 고비만 그야말로 얼굴에 철판 깔고 넘기면 된다고 기다리고 기다리던 겨울방학을 문경이 모르게 진행되는 사태가 기다려줄 리 만무했다.

배가 부르고 나서 일 대 일로 대할 기회를 용케 피해온 교장이었다. 문경이는 교장실에 들어서자마자 그동안 자기가 교장을 피해온 게 아니라 교장이 자기를 피해줬다는 걸 깨달았다. 교장은 지금도 문경이를 바로 보지 않았다. 이마에 잔뜩 내천자를 긋고 책장 유리에 암울하게 비친 문경이 옆모습에다 대고 겨우 턱짓으로 앉으라는 시늉을 했다. 문경이는 몸을 공처럼 오그리고 소파 한 모서리에 엉덩이를 붙였다. 다분히 허세이긴 했지만 누구 앞에서도 부른 배를 감추려 하거나 창피해하지 않았건만 교장선생 앞에선 그게 되지 않았다. 이건 옳지 않다. 강요된 죄의식, 강요된 수치감이다, 이렇게 반발하려 해도 노인의 정정하고 깨끗한 동안(童顔)은 절로 그 여자를 주눅들게 했다.

「이래도 되는 겁니까, 차선생.」

학생들 앞에서의 그의 찌렁찌렁한 목소리는 착 가라앉아 있었으나 그 여자 귀에는 추상같이 들렸다.

「죄송합니다. 교장선생님.」

그 여자는 몸을 더욱 동그랗게 말았으므로 뱃속의 드센 발길질은 명치를 치받쳤다.

「이제라도 죄송한 걸 알았으면 됐어요.」

「뭘 말씀인가요?」

문경이는 얼떨결에 이런 바보 같은 질문을 하고 말았다.

「아니 그럼 뭔지도 모르고 사과를 했단 말예요?」

교장선생이 탁자를 탁 쳤다. 탁자 위의 유리 재떨이가 오래도록 진동했다.

재떨이의 진동이 멎은 후에도 문경이의 놀란 가슴은 후들댔다.

「이런 꼴을 보여드리게 돼서 죄송합니다.」

「겨우 그겁니까?」

「네?」

「내가, 이 늙은이가 그 입에 담기 싫은 소리를 꼭 입에 담아야 하겠습니까?」

「말씀 안하셔도 압니다. 제가 뭘 잘못했는지.」

「알면 책임을 져야죠.」

「전 아무에게도 책임을 전가하지 않았습니다. 힘겹지만 아무에게도 폐 안 끼치고 제 힘으로……」

문경이는 울음이 복받쳐 말끝을 잇지 못했다. 교장선생으로서가 아니라 이 세상을 자기보다 갑절을 산 노인으로 대하고 싶은 마음이 갑자기 그 여자를 심약하게 했다. 꾸짖음과 자애가 함께 그리워 한없이 울고 싶었다. 그러나 자애가 조금도 섞이지 않은 교장의 다음 음성 때문에 그 여자는 울음을 뚝 그칠 수밖에 없었다.

「차선생 지금 무슨 말을 하는 거요? 내가 묻는 건 교육자로서의 대사회적인 책임이지, 혼자 사는 여자의 방탕한 사생활의 불미스러운 결과에 대한 사적인 책임이 아니잖소. 그걸 내가 왜 묻겠소? 나 그렇게 한가하고 저급한 사람 아녜요. 이날 이때까지 상스러운 소리 한번 입에 담지 않고 살아왔어요. 여북해야 벌써부터 말해야 된다고 생각하면서도 설마 내가 말할 때까지 있을라구 하는 마음으로 기다려왔겠어요. 교육자가 정말 이래도 되는 겁니까. 어떻게든지 마지막 망신만은 스스로 피할 줄 알았는데……」

교장이 언성을 높이면서 처음으로 그 여자의 배를 똑바로 바라보았다. 교장은 그 흉한 배를 바라본 것만으로도 그의 정결한 생애가 부정탄 것처럼 느꼈고 그 여자는 그 여자대로 그런 시선이 닿았다는 것만으로도 뱃속의 정결한 생명이 부정탄 것처럼 느꼈다. 교장은 황급히 그의 시선을 거두었고 그 여자는 두 손으로 배를 가리는 자세로 돌아앉았다.

「아직도 못 알아들었어요? 단도직입적으로 말하리다. 사표를 내셔야겠어요. 이왕 낼 사표 파다하게 소문이 퍼지기 전에 냈으면 좀 좋아요.」

「알겠습니다.」

가슴속 깊이로부터 몸이 사시나무 떨리듯 떨려오는 걸 참으려고 어금니를 지그시 문 채 겨우 그 말 한 마디를 할 수가 있었다. 너무 쉽게 승복한다는 생각도 없지 않았지만 조리 있는 말은 단 한마디도 할 자신이 없었기 때문에 어쩔 수가 없었다.

「충격이 심한 것 같은데 나 역시 쇼크예요. 사표 내는 시기를 너무 미룬다 싶긴 했어도 차선생이 자발적으로 사표 낼 생각이 전혀 없었다는 건 정말 몰랐거든요. 어째 그럴 수가 있어요. 상식을 가진 사람의 도덕관으로는 도저히 상상도 할 수 없는 일 아녜요. 교육자가 아니더라도 말예요. 차선생이 그런 사람인 줄 조금만 더 일찍 알았더라도 사태가 이렇게까지 악화되기 전에 내 선에서 쉬쉬 마무리를 짓는 건데……」

나중 말은 입속에서 우물거렸지만 그가 심히 낭패스러워하고 있다는 건 여실히 나타났다. 그 여자는 교장이 말하는 사태의 악화라는 게 사표를 내지 않을 수 없게 된 자신의 입장인 줄만 알고

「죄송합니다. 진작 의논을 드렸어야 하는 건데……」

「의논은 무슨 놈의 의논, 나 그 따위 저속한 의논 받는 사람 아녜요.」

그 여자는 더이상 아무 말도 못하고 교장실을 물러났다. 제 발로 걸어나오면서도 그 여자는 마치 비질을 당하는 검부락지처럼 어떤 난폭한 힘에 밀려나고 있는 것처럼 느꼈다.

텅 빈 교무실에 임선생 혼자 남아 있었다. 보나마나 그 여자를 기다리고 있을 터였지만 그 여자는 본체만체 제자리에 앉아서 서랍을 있는 대로 열어제쳤다.

「차선생, 서랍 정리는 나중에 해도 늦잖아. 뭐라고 말 좀 해봐.」

「알잖아 내가 뭐라고 안해도. 그래. 쫓겨났어. 비참해.」

「진작 사표 낼 걸 그랬어.」

「임선생이 내라고 할 때? 임선생이 옳았다고 말하고 싶은 거지? 충고 안 듣더니 꼴 좋다고……」

「차선생 왜 그렇게 화부터 낼려고 그래.」

「내가 화부터 낸다고? 교장실에서 내가 무슨 꼴을 당했는지 당신 같은 사람은 아마 상상도 못할걸.」

「왜 못해 얼마나 심하게 구셨을까 보지 않아도 본 듯해서 나는 나대로 애절을 하고 있었어. 그렇지만 그분이 너무한 거라고만 생각하지 마. 차선생만 모르고 있었지 제일 먼저 들고 일어난 게 어머니회였어. 어머니회에서 교장선생님한테 압력을 넣었는데 처음엔 들은 척도 안하셨다나 봐. 차선생을 봐줄래서가 아니라 그 어른 성미로 봐서 개입하는 것조차 당신 체면에 관계된다고 생각하셨던가 봐. 그러면서 본인이 알아서 처신하기만을 기다렸는데 어머니회에서 더욱 세게 나오는 걸 어쩌겠어. 이사장한테도 알리고 그런 선생한테 사춘기 아이들을 배우게 하니 집단적으로 전학을 가든지 휴학을 시키고 사회적인 여론을 환기시키겠다고 법석들을 하는 바람에 교장선생님이 나서게 된 거야.」

「몰랐댔어.」

「어쩌면 그렇게 깜깜일 수가 있어.」

「아주 모른 건 아냐. 알고 싶지 않았던 것뿐이지. 보기 싫은 게 극도에 달하면 아무 이상 없이도 눈이 안 보이게 되는 수도 있다지 아마. 그와 비슷한 심리작용으로 눈치를 무감각하게 만들었었나 봐.」

「등잔 밑이 어두워도 분수가 있지.」

임선생이 기가 막히다는 듯이 한숨을 쉬었다.

「어머니회에서도 제일 앞장서서 설치고 다닌 이가 바로 차선생 반의 영범이 엄마니 하는 소리야.」

문경이는 열린 서랍들을 꽝꽝 소리나게 닫고는 책상 위에 푹 엎드렸다. 임선생은 그 여자가 울고 싶어서 그러는 줄 알고 잠시 내버려두었다. 그러나 그 여자가 잠든 것처럼 꼼짝을 안하자 살그머니 다가가 어깨를 두 손으로 감싸안으며 말했다.

「자아 이제 퇴근합시다. 우리 어디 가서 저녁이나 먹으면서 앞으로의 일을 의논하자구.」

「임선생이 뭘 안다고 내 일을 의논해?」

그 여자는 엎드린 채 조용히 말했다.

「왜 몰라. 나 차선생 마음 다 알아. 대신 아파주고 싶을 만큼.」

그 여자가 벌떡 일어나면서 헝클어진 머리를 두억시니처럼 흔들면서 말했다.

「당신이 내 마음을 안다고? 당신에게 교직은 기껏 좋아하는 일이고, 보람을 느낄 수 있는 일이야. 흥 아니꼽게스리. 나에겐 이 교직이 밥줄이란 말야. 앞으로는 두 사람의 밥줄인데 나는 그 밥줄을 잃었어. 밥줄을 잃은 기분이, 아직 이 세상에 나오지도 않은 아이의 밥줄까지 잘린 기분이 어떤지 당신처럼 팔자 좋은 여자가 알게 뭐냐 말야. 아아, 난 밥줄을 잃었어.」

그 여자는 비로소 울음을 터뜨리며 임선생의 가슴에 얼굴을 묻었다. 임선생도 눈시울을 붉힌 채 그 여자의 울음이 절로 그치길 기다렸다.

3

사표를 내고 퇴직금을 받아든 문경이는 다시 명랑해졌다. 7백만 원이 넘는 액수였다. 저축도 좀 있어서 출산비용 하고도 2년은 먹고 살 수 있는 목돈이 수중에 있었다. 생후 2년 동안은 아이도 한참 손이 갈 시기이니 목돈을 곶감 꼬치 빼먹듯이 빼먹으면서 온갖 시름을 다 잊고 아이 기르는 일에만 전념할 작정이었다. 다 까먹고 난 후의 걱정은 그때 가서 해도 늦을 건 없다는 배짱 같은 게 생겼다. 궁하면 통하게 돼 있다던가 산 입에 거미줄 치랴는 말이 크게 힘이 되기도 했다.

예정일을 사흘쯤 지나 진통이 와서 정기진단을 받던 동네 산원에 입원한 지 다섯 시간 만에 순산을 했다. 3.8킬로나 되는 충실한 사내아이였다. 임선생은 병원으로도 와주었고 퇴원할 때도 와서 도와주었다. 퇴원한 지 2주일쯤 되어서 아기에게 필요한 걸 한 보따리나 사가지고 온 임선생은 능숙한 솜씨로 아기 목욕까지 시켜주고 나서 말했다.

「녀석 볼수록 믿게 생겼네그려. 어쩌면 엄마는 조금도 안 닮았지. 이목구비가 또렷해질수록 더해. 엄마가 섭섭해서 어쩐다지?」

이러면서 점검하듯이 차근차근 아기를 뜯어보는 임선생의 눈길에는 애 아버지의 모습을 찾아내려는 집요한 호기심 같은 게 엿보여 문경이는 문득 서글퍼졌다. 아기를 낳고 나서부터 그 여자는 왠지 혁주의 모습을 떠올릴 수가 없었다. 어렴풋하고 추상적인 모습으로 생각날 뿐 구체적인 모습이 신기할 정도로 안 떠올랐다.

「아냐, 안 섭섭해. 조금도.」

「왜 딸이 아니라서 섭섭하진 않구.」

「그것도 안 섭섭하구. 난 생긴 대로의 우리 아기가 그냥 좋고 신기하고 감사하고 그래.」

「어쭈 그렇게 고상하게 굴 거 없어. 내 식으로 50점은 벌써 따가지고 세상에 나왔으니 얼마나 기특하냐고 좋아해도 괜찮아.」

「알았어. 근데 왜 이렇게 뭘 많이 사왔어. 나만 자꾸 염치없어지잖아.」

「다 산 거 아냐. 산 건 포장한 것뿐이고 다 우리 아이들 어려서 입던 헌옷들이야. 말짱해. 아직도 두셋은 더 길러도 될걸.」

「나더러 두셋을 더 낳으란 소리 같아서 겁난다.」

「아무리. 참, 흔들의자 보행기 유모차 그런 것도 사지 마. 필요한 시기가 되면 내가 다 한꺼번에 싣고 올 테니까.」

「고마워. 나도 아직은 부자야. 예금통장에 목돈 넣어넣고 빼쓰는 재미도 여간 아냐. 퇴직금 받아들고 무슨 생각한 줄 알아? 까치밥 생각이 나데. 시골서 감 딸 때 맨 윗가지에 몇 개 남겨놓잖아. 겨우내 까치들 먹으라고.」

「그렇게 생각하면 안되지. 그게 어디 남이 베푼 자선인가. 우리가 죽자꾸나 벌어서 다달이 적립한 돈에다 이자를 조금 붙여주는 건데 뭘 그렇게 감지덕지해.」

목욕하고 새근새근 잠자던 아기가 얼굴을 찡그리기도 하고 방긋 방긋 웃기도 했다. 배냇짓이야말로 천사의 웃음이었다. 두 여자도 천사의 미소에 감염된 듯 오래간만에 뜻없이 그러나 마음으로부터 기쁨이 우러나서 은근히 미소를 교환했다.

「그런 줄 알면서도 놀고도 살 수 있다는 게 신기하고 마냥 이렇게 살 순 없지 싶어 겁이 나기도 한다니까.」

「세상 여자들은 다 그렇게 살아. 쉬는 지 며칠이나 됐다고 벌써부터 그렇게 불안해하고 그래. 꼴보기 싫게.」

임선생은 정말 꼴보기 싫은지 눈을 흘겼다.

「세상 여자들 얘기가 나왔으니 말인데 대부분의 여자들이 사는 방식이다 싶기도 해.」

「어쭈, 자기가 마치 그게 옳지 않다고 생각해서 저항을 하다가 이꼴이 된 것처럼 굴고 있네.」

임선생이 또 한번 눈을 흘겼다. 그러나 비꼬거나 얕잡는 투가 아닌 푸근한 눈길이었다.

「그러게 말야. 내 팔자 사나운 생각은 안하고……」

「팔자타령은 더욱 차선생답지 않아.」

「모르겠어 뭐가 뭔지. 1, 2년 놀고 먹을 수 있는 목돈만 있어도 이렇게 든든한데 다달이 빼쓰는 액수만큼 채워주는 화수분 같은 남편이 있는 팔자란 얼마나 느긋할까 은근히 부럽다면 말 다했지. 남편 잘 만난 여자들이 콧대 높은 것도 이해가 되더라니까.」

「점점 더 차선생답지 않아지네.」

임선생이 맥빠진 웃음을 웃으며 아기를 들여다보았다.

「정말 나답지 않지?」

문경이가 쓸쓸하게 말했다. 아직도 푸석한 화장기 없는 얼굴에 몇 가닥의 주름이 신산스러워보였다.

「차선생답다는 게 도대체 뭐게?」

　임선생이 아기를 들여다보던 눈을 들어 그 여자를 쏘아보면서 따지듯이 날카롭게 말했다.

「왜 이랬다저랬다 남 헷갈리게 해?」

「차선생답다는 게 고작 그렇게 헷갈릴 수 있는 거라면 차선생답다는 걸 아주 포기하는 게 어때?」

「임선생 무슨 말을 하려고 그래? 너무 어렵게 굴지 마. 난 못 알아듣겠다.」

「내가 차선생을 보통 여자들과 다르게 생각하는 것도 잘못이지만 차선생이 자신을 그렇게 생각하는 건 더 큰 오해인지 몰라. 자신에 대한 오해를 한번 풀어봐. 공연한 잘난 척만 안할 수 있어도 훨씬 앞날이 편해질 수도 있어.」

「무슨 소린지 난 통 못 알아듣겠어.」

「아까 차선생이 모처럼 정직한 소리 했잖아. 다달이 빼쓰는 액수만큼 채워주는 화수분 같은 남편이 있으면 얼마나 편하겠느냐고. 그런 편한 생활은 차선생과 인연이 없다는 생각을 고치란 말야.」

「애 아버지 얘기를 하고 싶은가 본데 우리 아긴 아버지가 없어. 그가 자기 자식을 부정했어. 우리 아긴 나만의 자식이야.」

「이 아이를 좀 봐. 얼마나 잘났어. 남도 탐나. 이런 관옥 같은 아이의 아버지라면 차선생한테 들은 것보다 훨씬 괜찮은 남자일지도 모른다는 생각이 들어. 아니 보통 정도의 남자만 되더라도 이 아이를 보면 단박 심경의 변화가 생길 것 같아. 화내지 마, 내 멋대로 한 생각이야.」

「때는 이미 늦었어. 그는 작년 가을에 결혼했어.」

「이런 걸 그저 타이밍이 안 맞았다고 하면 너무 경솔한가.」

「그는 딴 여자와 결혼하기 위해 먼저 우리 아기를 부정했어. 타이밍을 못 맞춘 건 내 쪽이고 그 남자는 착착 잘도 타이밍을 맞추었는걸.」

「만일 애 밴 여자가 딴 남자와 결혼할 생각이었으면 애가 크나큰 짐이거나 아니면 목숨 걸고 중절을 해야만 했으련만 남자는 말 한마디로 제가 뿌린 목숨을 없앨 수가 있으니……」

「내가 어떻게 그런 남자를 용서할 수 있겠어.」

「용서하라곤 안했어. 벌을 톡톡히 주면서도 실속을 차리는 방법도 있어. 생각만 고쳐 먹으면.」

임선생의 말투가 간절해졌다.

「오, 제발 나를 꼬시지 말아. 그 남자한테 화수분 노릇을 시키면서 나는 정부 노릇이나 하란 말이지.」

「꼭 그렇게 최악의 말만 골라 쓸 게 뭐람. 화수분 노릇 시키기가 그렇게 쉬운 것도 아니구. 그보다 급한 건 그 남자로 하여금 이 아이를 부정했던 걸 번복시키는 일이야. 이 아이를 제 자식으로 인지시키는 일이야.」

「왜? 뭣 하러?」

「그게 사실이니까. 앞으로의 차선생의 생활력 여하에 따라서는 화수분 같은 건 전혀 필요 없게 될지도 모르지만 아이를 즈이 아버지 호적에 입적시키는 문제는 그와는 별도의 문제야.」

「내 호적에다 나 혼자 낳은 아이로 입적시킬 거야. 물론 내 성을 따르게 할 테고 요샛세상에 엄마 성을 따른 아이가 불이익을 당하는 법은 없다고 생각해.」

「여자가 불이익을 당하는 게 반드시 명문화된 법조문에 의해서만은 아니잖아. 관습에 의해서지. 이 아이도 언제 어디서 관습이나 고정관념에 의해 불이익이나 수모를 당할지 모르는 일이야.」

「나는 우리 아기를 그런 것들 때문에 상처받지 않도록 강하게 늠름하게 키울 테니 두고 봐.」

「성령으로 잉태한 예수님도 세속의 족보에 올라 있다는 걸 명심해둬. 왜 그랬을까?」

문경이가 그 문제를 조금도 안 생각한 건 아니었다. 중요하게 여기지 않으려고 노력했을 뿐이었다. 임선생도 그 문제를 단도직입적으로 얘기하지 않고 빙빙 돌아서 조심스럽게 접근해왔기 때문에 오히려 더 심각하게 들렸다.

임선생이 다녀간 후 며칠 동안을 끙끙거리며 썼다 찢었다 썼다 찢었다 수없이 되풀이한 끝에 마침내 편지 한 통을 썼다. 혁주한테 보내는 편지였다. 집으로 보낼까 회사로 보낼까 겉봉을 고쳐 쓰느라 또 며칠을 허비했다. 혁주의 어머니와 그의 신혼의 아내에 대한 배려에서라기보다는 편지 내용의 간단명료하고 사무적인 사연 때문에 회사로 보내고 싶은 쪽으로 마지막 결정을 내렸다. 아직도 남아 있는 한 조각의 자존심이 이제 와서 혁주를 곤경에 빠뜨리거나 혁주네 집 식구들의 입초사에 오르내리는 일을 피하도록 했는지도 모른다.

몇월 며칠 사내아이를 낳았고, 그 아이가 당신과 나의 아이라는 사실을 당신이 인정해줘서 사실대로 기록될 수 있기를 바란다는 그 여자의 편지에 대한 혁주의 답신에는 육필은 단 한 자도 들어 있지 않았다. 공문조로 타이핑된 사연은 간단했지만 충분히 야비했다.

차문경 여사
여사가 본인의 아이를 낳았다구요?
여사의 말귀를 못 알아듣겠음을 용서하시기 바랍니다. 또한 여사로부터 그와 같은 협박을 당한 게 이번이 처음이 아니라는 걸 본인이 기억하고 있음을 상기시켜드리고자 합니다. 앞으로 다시 이런 허무맹랑한 협박으로 본인의 신성한 가정의 평화가 위협을 받을 시는 여사의 정신상태를 의심할 것이며 본인도 응분의 조치를 취할 것임을 경고합니다.

×년 ×월 ×일   김혁주

끄트머리 성명 삼자까지 타이핑을 했으면서도 무슨 생각에선지 이름 다음에다 인주빛깔도 선명하게 날인을 하고 있었다. 붉은색은 마치 도덕군자의 팬티에 찍힌 창녀의 연지자국처럼 우스꽝스럽고도 생경스러워보였다. 내용을 한번 훑어보고 치가 떨린 문경이도 그 인주빛깔에 이르러서는 픽 하고 웃고 말았다.

그 여자는 아무하고도 상의하지 않고 혼자서 아기 이름을 문혁이라고 지었다. 순우리말 이름도 몇 개 생각해놓은 게 있고 또 뜻과 음이 좋은 한자이름도 사전을 보며 맞춰놓은 게 있었지만 혁주와 문경이 두 사람의 이름자 중에서 한 자씩 떼어다 아들의 이름을 만들기로 했다. 아마 임선생한테 그런 뜻을 의논했더라면 단박 치사하다느니 집요하다느니 하는 평을 들을 게 뻔했다. 그러나 문경이는 그렇게라도 해서 그 아이의 출생의 진실을 남겨놓고 싶었다. 가끔 그 탐스럽고 잘생긴 아기 아버지가 혁주라는 생각을 하면 뜨악해진 적도 있었지만 사실이 마음에 안 든다고 해서 뜯어고치거나 없이할 수 있다고 생각할 수 있을 만큼 편리한 거짓말쟁이가 못되었다.

아기는 백날을 지나면서 어렴풋하던 아버지의 모습이 점점 더 확실해지기 시작했다. 보행기를 올라타게 되자 영감님처럼 약간 구부정하게 걷는 혁주의 걸음걸이까지 빼닮을 조짐이 보였다. 그 여자는 신기하고 한편 낭패스럽기도 했다.

문득 문득 아기를 안고 회사 앞에서 혁주의 퇴근길을 지켜 서 있고 싶은 충동에 사로잡히곤 했다. 만약 자기가 그렇게 할 수만 있다면 혁주는 두말도 못하고 그의 아들을 인지할 것 같았다. 어떤 때는 아기를 잘 씻기고 입히고 자신도 곱게 몸단장을 하고 나서 아기를 안고 회사 앞으로 가기 일보직전까지 이르른 적도 있었다. 이상하게도 그 공문투의 편지 끝의 시뻘건 날인 생각만 하면 아무리 고조된 용기도 맥없이 꺾이고 말았다. 처음 보았을 때는 우스꽝스럽고 생급스럽게만 보이던 날인이 날이 갈수록 그 여자가 도저히 대적하거나 돌파할 수 없는 철옹성 같은 기득권처럼 여겨졌다. 혁주가 의도한 것 이상의 효과를 거두었다고나 할까.

혁주가 회사로 배달된 문경이의 편지를 받았을 때는 옥시글옥시글한 신혼 재미에 아내의 임신까지 확실해져서 더할 나위 없이 행복할 때였다. 그는 편지를 받았을 때도 그러하였고 다 읽고 나서도 호사다마라는 생각밖에는 별로 충격을 받지 않았다. 문경이로부터 뱃속의 아이가 그의 아이가 아니란 자백을 얻어냈을 때 어렵사리 불쾌한 책임을 벗어났다는 안도감은 느꼈을진 몰라도, 물론 그걸 믿은 건 아니었다. 그러나 그후에 획득한 꿈같은 행복을 확실하게 해두고 싶은 욕심은 차차 그걸 믿는 쪽으로 자신을 몰고 갔다. 그는 아무런 거리낌없이 문경이로부터 협박을 당하고 있다고 느꼈으며 그 더러운 협박으로부터 그의 신성한 가정을 지켜야 할 사명감에 불탔다. 그는 자신이 조금도 인정에 약해져선 안된다는 단호한 결의를 나타내고자 의도적으로 육필을 피하고 회사 마크가 들은 타이프 용지에다 타자를 찍어 답장을 썼다.

그리고 보니 자신의 노여움과 확고한 결심을 나타내기엔 어딘지 좀 미흡한 것 같아 쾅 하고 도장을 찍고 나니 분도 좀 풀린 것 같고 말로 미처 다 나타내지 못한 게 보충된 것도 같았다. 무엇보다도 자신의 말에 권위가 붙은 것 같아서 흡족했다.

약간의 치기랄까 허세 때문에 찍은 도장에 문경이는 필요 이상 주눅이 들고 있었다. 어쩌면 단순히 도장 때문이 아닌지도 몰랐다. 문경이는 외롭고 불안하고 조금씩 곤궁해지고 있었지만 혁주는 행복하고 자신있고 날로 윤택해지고 있었다. 열등감은 피해의식을 불러일으키게 마련이다. 우월감이 까딱하단 무모한 가해의 충동이 되는 것처럼.

혁주는 문경이가 그의 첫아들을 낳았다는 데 대해서도 매우 냉담했다. 그는 오직 그의 행복을 방해받고 싶지 않았다. 아아, 아름답고 여자다울 뿐 아니라 경제력까지 있는 아내처럼 사랑스러운 게 이 세상에 또 있을까. 그 사랑스러운 아내는 목하 임신중이었다. 그는 그의 행복에 도취해 눈에 보이는 게 없었다.

그로부터 3년 여가 지났다.

아이는 건강하고 사랑스럽게 자라주었다. 우리 나이로 네 살이 된 문혁이는 어찌나 숙성한지 벌써 세발자전거는 마다하고 보조바퀴가 달린 두발자전거를 탔다. 약간 긴 듯한 결 좋은 머리칼을 나부끼며 속도감을 즐기는 아이를 베란다에서 내다보는 건 무엇과도 바꿀 수 없는 그 여자의 기쁨이자 뿌듯한 자랑이었다. 암만해도 나이가 있는지라 다리의 길이가 페달까지 닿기에 넉넉지 않은지 뒤에서 보면 아이의 궁둥이가 몹시 씰룩댔다. 그 여자는 그게 우습고도 신통해 환하게 웃으면서 아이가 커브를 돌기를 기다렸다. 어린이 놀이터를 가운데다 둔 타원형의 아스팔트길은 아직도 차도나 주차장으로 쓰이지 않는 단지 내의 유일한 안전지대여서 부부가 배드민턴을 치거나 아이들이 자전거를 타기에 알맞았다. 커브를 돈 아이는 엄마의 시선을 의식했는지 이쪽을 보면서 한 손을 들어 보였다.

그럴 땐 아이가 아니라 소년처럼 보였다. 그 여자는 짜릿한 행복감을 느꼈다. 신나게 몇 바퀴 돌고 난 아이는 곧 싱그러운 땀냄새를 풍기며 엄마를 부를 것이다. 그리고 먹을 것을 찾을 것이다. 건강한 아이답게 문혁이는 잘 놀고 잘 먹었다. 아이의 탐스러운 먹성을 생각하면서 그 여자는 부엌 쪽으로 갔다. 감자, 삶은계란, 사과, 우유 등 아이의 간식거리를 궁리하다 말고 그 여자의 얼굴엔 점점 그늘이 졌다. 다섯 자리 숫자밖에 안 남은 은행의 잔고가 생각났기 때문이다.

　퇴직금말고도 그 여자는 어느 정도 여축을 가지고 있었다. 이혼하고 혼자 살고부터 교사월급으로도 다달이 저축이 가능했다. 그러나 혼자 산다고 해서 안 먹고 안 쓰고 안 입고 오로지 돈 모으는 재미 하나로 살 만큼 그 여자는 악착같지가 못했다. 행여 메마르고 악착같아질까 봐 늘 자신을 돌보았다. 돌보고 걱정해줄 가족이 없으니까 스스로 그 일을 해야만 했다. 혼자 먹는 식사도 손님대접처럼 갖출 거 갖춰놓고 분위기까지 신경을 쓰며 했다. 나를 나 이상 잘 대접할 사람이 누가 있을까, 이렇게 생각하면서 열심히 대접했다. 옷도 사치할 형편은 못돼도 남들한테 꽤 잘 입는다는 소리를 들었으니까 옷 한번 장만하려면 값싸고 그럴듯한 걸 고르려고 돈보다 시간을 많이 들이는 편이었다. 낭비나 사치를 모르는 집안에서 자라서 절제가 몸에 배 있긴 해도 체질적으로 궁상스러운 건 질색이었다. 결국 쓸 만큼 쓰고 저축을 했단 얘기니까 그렇게 많을 리는 없었다. 그래도 거기다가 퇴직금을 합치니까 그 여자로서는 평생 처음 쥐어보는 거금이더니 고작 3년 남짓 파먹고 나서 바닥이 나다니.

　혼자 살 때도 아무렇게나 입거나 아무거나 먹지 않도록 노력한 그 여자가 아이가 생겼으니 씀씀이가 갑절로 늘어나는 건 당연했다. 직업도 없이 식구까지 늘었는데도 한푼을 쪼개 쓰려는 안달을 안했던 것도 천성이 낙천적이어서가 아니라 그 여자가 노력한 결과였다. 그 여자는 아이에게 심리적으로나 물질적으로나 아빠가 안정된 직업을 가진 가정분위기를 보장해주고 싶었다. 복 많은 여자들은 임신중 태교에 힘쓰기도 한다는데 그 여자는 태아의 목숨을 지키기도 벅찼었다는 걸 그렇게라도 해서 보상하고자 했다. 그래서 그동안 내일 어떻게 될까 근심하지 않고 편안한 마음으로 넉넉하게 먹고, 생활에 즐거움을 해치지 않을 정도로만 절약하면서 살았다.

그 여자가 넘치지 않을 정도로 윤택하게 살면서도 그 목돈이 3년이나 넘어 유지됐던 건 물론 주위의 따뜻한 도움 때문이기도 했다. 지금 아이가 타고 있는 자전거도 임선생 아들이 타던 걸 물려준 거였다. 요새 갑자기 생활들이 넉넉해지기 시작한 언니 오빠들의 도움도 컸다. 동기간들은 도와줄 때마다 설교를 하면서 도와줘서 아니꼬울 적도 있었지만 만약 나에게 나 같은 동생이 있어도 그럴 수밖에 없으려니, 입장을 바꾸어 생각하면 참아줄 만했다. 그러나 그 여자가 너무 오랫동안 동기간의 물심양면의 도움을 감지덕지하지도, 감사하는 기색도 없이 예사롭고 떳떳하게 받은 건 잘못이었나 보다. 이제 너도 뭘 해야지, 사생아 낳은 게 무슨 벼슬이라고 마냥 놀고 먹느냐는 투의 비양거림을 큰언니가 먼저 비추더니 차례차례 약속이나 한 듯이 베풀던 동정이 식어갔다.

하긴 하늘도 스스로 돕는 자를 돕는다지 않나. 언니 오빠들이 나에게 홀로서기 연습을 시키려는 게야. 그 여자는 도움을 받을 때 비굴하지 않았던 것처럼 그게 끊어졌을 때 원망도 하지 않았다. 그 여자가 특별히 잘났거나 무감각해서가 아니라 아이의 유아기와 유년기만은 에미로서 정서적인 안정을 누리고 싶었다. 그게 아이에겐 태중에서 못 받은 태교의 대신이 되길 바랐고 자신에겐 고된 앞날을 위한 충전이 되길 바랐다. 편안하고 무심하게 산 거야말로 저절로 된 게 아니라 그 여자가 가장 큰 노력을 기울인 결과였다.

그러나 더이상 편안하고 무심할 수는 없을 것 같았다. 손가락질이나 비웃음에는 무심할 수 있었지만 잔고가 달랑달랑한 예금통장에 어떻게 무심할 수 있단 말인가.

아이가 문밖에서 연속적으로 시끄럽게 벨을 눌러댔다. 놀다가 배고플 때 하는 버릇이었다. 그 여자는 급히 현관문을 열었고 아이는 치마폭으로 덥석 안겨왔다. 그 여자는 아이를 번쩍 안아 올렸지만 어깨 높이 이상으로 들어올리진 못했다. 그 여자는 자기 힘에 부치는 아이의 몸무게를 대견해하며 아이를 힘주어 안았다. 격렬한 운동을 하고 난 아이는 끈끈하고도 시척지근했다. 아아 얼마나 좋은 냄새인가. 그 여자는 거의 황홀한 기분으로 아기를 보듬어 안았다. 안긴 아이의 튼실한 어깨 너머로 저만치 복도 끝집 앞에서 이쪽을 물끄러미 보고 있는 젊은 남자와 시선이 맞부딪쳤다. 그 남자도 아이를 안고 있었는데 문혁이하고도 논 적이 있는 동갑내기 여자아이였다. 늘 예쁜 핀을 꽂고 예쁘게 빗고 있던 그 아이의 머리는 헝클어져 있었고 얼굴도 꾀죄죄했다. 이쪽과 눈이 마주치자 얼른 눈길을 피해 먼 산을 바라보는 남자도 초조해보였다. 못 볼 것을 본 것 같아 안으로 들어가려는데 계집애가 문혁이한테로 오고 싶은 시늉을 하면서 몸을 뒤틀었다. 남자가 「안돼」 하자 앙 하고 울기 시작했다. 그 여자는 들어가려다 말고 이끌리듯이 그들 부녀 곁으로 다가갔다.

「우리 문혁이하고 놀래? 엄마가 어디 가셨나 보구나.」

그러면서 문혁이를 내려놓고 그 여자아이를 안았다. 나이는 문혁이만큼 뵈는데 안쓰럽도록 가뿐하고 가냘픈 아이였다.

「우리 아이한테 엄마 소리 하지 마십시오. 얘 엄마는 죽었습니다.」

남자가 눈길을 허공에 둔 채 말했다.

「그럴 리가요. 얼마 전에도 얘 데리고 슈퍼에 온 걸 봤는데……」

그 여자는 처녀처럼 앳돼보이던 아기 엄마를 생각하며, 이 철없이 젊은 아빠가 부부싸움 끝에 이렇게 못되게 구는구나 싶어 웃음이 나오려고 했다. 그러나 남자가 하도 슬픈 눈으로 쳐다보자 그 여자는 움찔하고 말았다.

「그 사람은 얘 고모였습니다. 며칠 전에 시집을 갔죠.」

「그럼 얘 엄마가 그렇게 됐다는 게 정말이란 말씀인가요?」

「그런 농담도 합니까?」

남자가 버럭 역정을 내면서 딸을 빼앗으려고 했다. 계집애가 싫다고 앙탈을 하면서 그 여자의 목을 얼싸안았다. 남자가 낭패스러운 얼굴로 바지 호주머니를 뒤졌다. 담배를 찾는 눈치였지만 몸짓으로만 그쳤다.

「미안합니다. 아무것도 몰랐습니다. 아파트 이웃이라는 게 워낙 그렇지 않습니까.」

「피차 마찬가지죠 뭐.」

「아이 돌볼 사람은 있습니까? 고모가 참 잘 거두었었는데……」

「파출부한테 맡겼었는데 그 아줌마가 글쎄 오늘 아무 연락도 없이 안 오지 뭡니까. 자기 아니면 내가 출근도 못하리라는 걸 뻔히 알면서……」

「세상에 아이 맡길 데가 없어서 회사도 못 나갔단 말입니까. 할머니도 안 계신가요?」

「친할머니는 안 계시고 외할머니는 시골 사세요. 오셔서 봐주실 순 없지만 맡기려면 갖다 맡기라곤 하지만 그러긴 싫어요. 죽이 되든 밥이 되든 제 자식은 제가 길러볼랍니다.」

남자가 제딴엔 당당하게 굴려는 것 같았지만 자포자기하게 말했다.

「그런 말이 어딨어요. 아이는 사람을 만들어야지 죽을 쑤면 되나요.」

그 여자는 남자가 열 살은 손아래로 보이는지라 이렇게 의젓하게 타이르면서 불현듯 선생 티를 낸 것처럼 느꼈다. 그리고 가슴이 아릿하게 잃어버린 직업에 대한 향수에 사로잡혔다. 남자의 팔목시계가 정오에 육박하고 있었다.

「지금 출근해도 되는 거라면 서둘러서 준비를 해요. 이 아이는 저녁때까지 내가 봐줄게요. 너 이름 뭐야?」

그 여자는 막내 남동생 대하듯이 스스럼없이 그러나 조금 무뚝뚝하게 말했다.

「정말 그래주시겠습니까. 회사에는 아이가 아파서 조금 늦겠다고 전화 걸어놨습니다. 이름은 하나입니다. 감사합니다.」

그리고 꽁지가 빠지게 집으로 들어갔다. 그 여자는 하나는 안고 문혁이는 걸리고 집으로 들어와 두 아이 몫의 간식을 차렸다. 어떤 가능성이 그 여자의 가슴을 울렁거리게 했다.

겉으로는 낙천적인 것처럼 굴었지만 예금통장의 잔액이 여섯째 자리로 떨어졌을 때부터 그 여자는 곧 빈털터리가 되는 두려움에 떨었고, 그전에 뭔가를 시작해야 한다는 강박관념에 쫓기고 있었다. 일을 가진 엄마의 아이를 온종일 돌봐주는 일도 그 여자가 머릿속으로 타진해본 돈을 벌 수 있는 수많은 가능성 중의 하나였다. 하나는 문혁이하고 잘 놀았다. 낮잠을 재우고 나서 씻기고 머리를 가뜬하게 빗기고 나니까 딴 아이처럼 고와졌다. 반나절 동안에 뺨에 핏기까지 살아난 것 같았다. 아주 시들어버리기 직전에 물을 준

화초처럼 그 빠른 소생력이 그 여자를 기쁘게도 보람 있게도 했다.

하나 아빠의 퇴근은 그 여자가 예상했던 것보다 한 시간 가량 늦었지만 서둘러 달려온 티가 역력했다. 남자도 하나가 달라진 게 놀라운 모양이었다. 껴안고 볼을 부비며 처량하게 넋두리를 했다.

「하나야, 너 이 아줌마가 좋은 모양이구나. 녀석은 그저 여자만 좋아하면서 파출부 아줌마하곤 왜 그렇게 잘 못 사귀냐. 그럼 못써 이 녀석아. 네 분수를 알아야지. 그렇게 귀여워하던 고모도 널 버리고 가버렸잖아.」

이 남자 철나려면 아직 아직 멀었네. 그 여자는 남자의 이슬 맺힌 눈을 보며 속으로 혀를 찼다.

「아이한테 그렇게 불안감을 줄 거 뭐 있어요.」

그 여자는 점점 자신있게 큰누나처럼 굴었다.

「고모가 오늘 회사로 전화했더군요. 하나 보고 싶어 죽겠다고 울더군요. 이 오래비 때문에 시집도 가기 전에 엄마 노릇만 실컷 해본 생각을 하면 어쩌나 측은한지 나도 울고 싶은 걸 참고 하나 잘 있으니 걱정 말고 시집살이나 잘하라고 타일렀죠. 파출부 아줌마 때문에 낭패본 얘기도 안했어요. 쭈루루 달려올까 봐서요. 잘했죠?」

남자가 붙임성 있게 물었다. 그 여자는 잘했다는 표시로 고개만 크게 끄덕여주었다. 그러고 나서 차 한잔하고 가라고 붙들어 앉혔다. 향기가 괜찮은 잎차를 한 잔씩 앞에 놓고 자연스럽게 용건을 꺼냈다.

「내가 앞으로도 계속해서 하나를 맡아 돌봐주면 어떻겠어요. 물론 출근했다 퇴근할 때까지만이고 일요일도 빼고요.」

「그게 무슨 말씀입니까?」

「나도 아들 하나 데리고 혼자 살거든요. 지금까지는 별 어려움

없이 살았는데 앞으로는 나도 돈벌이를 해야 할 것 같아서요. 그러니까 거저 애보기를 하겠다는 건 물론 아니고요, 또 댁의 아이만 전적으로 봐주겠다는 것도 아니지요. 하나를 시작으로 이 일을 키우게 되길 바래요. 한 다섯 아기까지는 돌볼 자신이 있고 또 그 정도는 돼야 생계가 해결되니까요.」

「그게 정말이십니까. 꿈만 같군요. 이렇게 좋은 일이 있을 줄은 몰랐습니다. 갑자기 날아갈 것처럼 행복해지네요. 정말 이래도 되는 겁니까?」

남자가 이게 꿈인가 생신가 하는 얼굴로 탄성을 질렀다.

「안되지요. 아빠가 날아가면 하나는 어떡하라구요.」

「우리 하나 때문에 그런 거창한 계획을 세우셨단 말씀이십니까? 오늘 하룻동안에……」

「천만에요. 돈벌이의 방법으로 무슨 생각은 안해봤겠어요. 애보기도 그중의 하나였는데 오늘 하나 때문에 마침내 결정을 보게 된 거죠. 하나가 나 취직시켜줬지 뭡니까.」

그 여자는 아빠 무릎에 앉은 하나의 볼을 찔러주며 말했다. 수고비는 한 달에 10만 원 정도면 어떻겠느냐고 문경이 쪽에서 먼저 제안을 하고 아직도 이게 꿈인가 생신가 너무 쉽게 곤경에서 벗어난 걸 감지덕지해하는 데 여념이 없는 남자는 더 많아도 좋다고 했다. 그러나 그 여자는 그와 유사한 일을 하는 데를 통해 좀더 알아보아서 앞으로 올릴 수도 내릴 수도 있다는 정도의 융통성을 두는 걸로 그 문제를 마무리했다. 아내의 일이 아이 기르는 일만이 아니므로 그 남자는 아이문제가 해결된 후에도 식사나 청소 빨래를 위해 다시 파출부를 고용하게 될 테고 그때 비로소 10만 원도 벅차다는 걸 알게 될 것을 생각하고 그 여자는 쓴웃음을 지었다.

며칠 후 그 남자는 하나 또래의 여자아이를 또 한 명 소개해주었다. 같은 단지에 사는 친구 부부가 맞벌이를 하면서 딸을 외할머니 한테 맡겼었는데 하나 얘기를 듣더니 애엄마가 특히 솔깃해하더라는 거였다. 만나본 애엄마는 이 기회에 친정 의존에서 벗어나 독립된 가정을 이루어보고 싶다고 했다.

두 아이를 확보하게 된 그 여자는 어느 만큼 자신도 생기고 꼭 필요한 일이라는 보람도 가지게 되어 선전을 한번 해볼까 하는 용기가 생겼다. 먼저 그의 집 현관문에다 예쁜 그림으로 장식한 〈할미새 둥지〉라는 포스터를 써붙였다. 같은 포스터를 상가 게시판이나 진입로의 전주, 각 동의 현관마다 있는 게시판 등에 붙였다. 외부에 붙이는 포스터에는 따로 돌 지나서부터 유치원 가기 전까지의 아기들을 엄마들이 원하는 시간에 맡겼다가 원하는 시간에 찾아갈 수 있다는 것과 전직교사가 정성을 다해 돌본다는 걸 명시했다. 그여자가 첫사업에 〈할미새 둥지〉라는 좀 별난 이름을 붙인 건 아기들이나 엄마들이 할머니에 대해 가질 법한 그리움과 편안한 느낌을 이용해보자는 속셈도 있었다. 또 뻐꾸기는 따로 둥지를 짓지 않고 할미새 둥지에다 알을 낳아놓으면 할미새가 제 알과 다름없이 품어 부화시킨다는 걸 엄마들이 연상해주어도 나쁠 게 없다고 생각했다.

이름을 잘 지었는지 시기를 잘 탔는지 한 달에 두 명꼴은 되게 새로 맡아달라는 아기가 늘어나 반년도 안돼서 그 여자의 둥지는 포화상태가 되고 말았다. 소형 아파트 단지라 젊은 맞벌이부부가 많다는 것도 잘되는 이유 중의 하나였다.

그러나 그것도 사업인지라 잘된다는 소문이 나자 경쟁자가 나타났다. 같은 단지에 놀이방이라는 유사한 집이 또하나 생겨났다. 남이 자리잡은 사업에 파고들려니까 그 나름의 작전이 필요하긴 했겠지만 그 여자가 사생아를 낳아 교직에서 쫓겨났단 소문을 낸 모양이었다. 겨우 돌 지난 아들을 맡겼던 국민학교 선생인 엄마가 어느 날 노기등등해서 그 여자의 과거를 들춰내 치사한 언사로 모욕을 주더니 아기를 데려갔다. 놀이방으로 데려간다고 했다. 그 선생처럼 노골적인 모욕을 주지는 않았지만 마치 자기 애가 부정을 탄 양 억울하고 꺼림칙한 얼굴로 아기를 빼가는 엄마가 그후에도 늘어나 불과 한 달 새에 아기 수효는 반으로 줄었다. 분하고도 김빠지는 일이었지만 그후 다시 맡겨오는 아이도 생겨나 결국은 그 여자가 돌보기 알맞은 선에서 들쭉날쭉했으므로 더 열심히 그 일에 매달리는 수밖에 없었다. 그 일은 두 모자의 밥줄이었고 또 적성에도 맞는 일이었으므로 놓치고 싶지 않았을 뿐 아니라 발전도 시키고 싶었다. 경쟁자가 생겼다는 것도 좋은 사업의 확산이었으므로 모략보다는 선의의 경쟁 쪽으로 유도하는 게 개척자다운 도리이다 싶었다. 그 여자는 자기가 돌볼 수 있는 한계인 6, 7명을 넘게 되면 놀이방을 소개해줄 정도로 여유를 갖고 보다 유익한 놀이, 보다 쾌적한 환경을 꾸밀 공부와 연구를 소홀히 하지 않았다. 가까운 이웃인 하나 아빠도 그런 일에 좋은 의견을 내주기도 했고 또는 직접 도와주는 수고도 아끼지 않았다. 특히 그 여자가 20대의 엄마선생한테 모욕당하고 깊은 실의에 빠졌을 때, 그가 적절히 위로해주고 용기를 북돋아준 건 그 여자가 재기하는 데 무엇보다도 큰 힘이 돼주었다. 문혁이를 정규과정의 유치원에 보낸 후에도 하나는 계속해서 〈할미새 둥지〉에 다녔다. 유치원 갔다 온 후에 돌볼 사람이 없는 가정이니 어쩔 수가 없었다. 이래저래 하나한테는 엄마 노릇까지 해왔고 하나 역시 너무 따라서 딴 아이들한테 편애나 텃세로 보이지 않도록 신경을 써야 했다. 그밖에는 아무런 문제 없이 그 여자의 둥지가 아기를 맡길 만한 집으로 소문이 나고 신용을 얻기까지는 그 사건 이후 다시 1년이 걸렸다.

어느 날 평소보다 그렇게 늦은 시간도 아닌데 하나를 데리러 온 하나 아빠는 거나하게 취해 있었다. 무엇이 그렇게 기분이 좋은지 싱글벙글이었다. 올라오란 말도 안했는데 현관에서 아이를 데려가던 이가 성큼성큼 올라오더니 차 한잔 얻어마시자고 했다.

「좋은 일이 있나 보죠.」

「있다마다요.」

「승진?」

「그보다 훨씬 좋은 일이에요.」

「뭘까? 하나한테 엄마라도 생겼나.」

「맞았어요. 벌써부터 점 찍어뒀던 올드미스한테 지난주에 청혼을 했거든요. 부모님만 승낙한다면 어쩌구 하면서 며칠 애를 먹이더니 오늘 마침내 부모님 뵙고 승낙은 물론 날짜까지 받아냈답니다. 장인 장모 성미가 저보다 더 급하던걸요. 쇠뿔도 단김에 빼야 한다나요.」

「그랬어요? 정말 잘됐네요. 축하해요.」

그의 착한 심성을 잘 아는지라 그가 행복하게 된 게 그렇게 기쁘고 대견할 수가 없었다.

「문혁이 엄마가 제일 기뻐해주실 줄 알았어요. 그동안 정말 고마웠어요. 아아 나의 큰누님 같은 문혁이 엄마!」

술김에 잔뜩 기분이 고조된 남자가 연극 대사를 외듯이 읊조리면서 하나를 안고 있는 그 여자를 하나와 함께 얼싸안았다. 갑자기 당하는 일이라 몸에 중심을 잃은 그 여자는 휘청하면서 소파 쪽으로 엉덩방아를 찧었고, 남자가 그 위로 덮치는 꼴이 되었다. 잠시지만 두 사람의 꼴이 우습게 되었다. 그때 마침 딴 날보다 좀 늦게 퇴근한 철우 엄마가 철우를 데려가려고 허둥지둥 들어서다 말고 에그머니나 하고 비명을 질렀다. 잘못한 것도 없이 얼굴이 빨개진 그 여자가 뭐라고 변명의 말을 할 새도 없이 철우 엄마는 아이의 손목을 잡아끌고 가버렸다. 그 뒤통수가 어쩐지 심상치 않아 보였다. 그렇다고 나쁜 짓을 할 의도가 없었던 게 뻔한 하나 아빠에게 뭐랄 수도 없고, 그 여자는 잠시 뭐라고 형언할 수 없는 고약한 기분에 사로잡혔다. 그 여자의 예감은 적중했다. 그 밤이 다 가기도 전에 그 소문은 그 여자에게 아기를 맡긴 가정으로 쫙 퍼졌다.

그 선생이 글쎄 아기들도 보는 앞에서 연하의 남자하고 어쩌구 저쩌구, 연하의 남자기만 하면 또 좋게, 그 남자 딸도 맡았으니까 학부형도 되는데 어쩜 그럴 수가…… 혹시 당신 남편이 아이 찾으러 간 적 없었어? 왜 그 늙은 여자하고 뽀뽀했을까 봐. 지금 남편이 문제유. 우리 아이들을 그런 문란한 여자한테 맡겼던 게 문제지. 아무리 남자한테 걸신이 났기로서니 순진한 아이들 앞에서 어쩜 그럴 수가 있을까. 이번이 처음이 아닐지도 모른다고 생각해봐. 얼마나 치떨리나. 그러게 내 뭐랬어. 사생아를 배서 쫓겨난 여자를 그래도 전직교사라고 믿거라 한 게 우리들의 불찰이지 누구 탓할 게 뭐 있어.

이렇게 전화통에다 대고 또는 일부러 만나서 찧고 까부는 소리가 귀에 징해서 그 여자는 밤새 잠을 이루지 못했다. 그 여자의 추측은 과히 틀리지 않았다. 더 지독하고 음탕한 소리들도 했다. 그리고 일제히 아이들을 보내지 않았다. 그 여자는 서럽고 억울했지만 엄마들이 원망스럽지는 않았다.

아아, 그 남자가 다시 나를 빈털터리로 만들어버렸어. 그 여자는 실로 오래간만에 혁주를 원망하며 머리칼을 쥐어뜯었다. 뒤늦게 그 사실을 안 하나 아빠가 백배사죄를 하면서 재기할 용기를 가지라고 했지만 그 여자는 그럴 마음이 나지 않았다. 엄마들을 원망할 마음은 아니었지만 정이 떨어졌다. 아파트 단지의 생리에도 정이 떨어졌고 다시는 그런 식으로 엄마들과 상종하고 싶지도 않았다. 다시는 혁주에 의해 빈털터리가 되고 싶지도 않았다. 체면이나 교양 도덕을 코에 걸어야 하는 직업을 가지려고 하는 이상 혁주와의 지난 관계 때문에 빈털터리가 되는 위험을 벗어날 순 없으리라.

그 여자는 복덕방에 집을 내놓았다.

집을 복덕방에 내놓았다는 것만으로도 허전하고 허전해서 그 여자는 안하던 짓이 하고 싶어졌다. 안하던 짓이란 신세한탄이었다. 그 여자가 학교를 그만두고 나서도 변함없는 우정을 유지하고 있는 유일한 동료교사인 임선생한테 전화를 걸었다.

「어머, 웬일이야, 차선생이 나한테 전화 걸 적이 다 있으니.」

「우린 일주일이 멀다 하고 만나지 않으면 전화질했었는데 놀라긴.」

「죄다 내가 걸었지 차선생이 건 적 있는 줄 알아?」

「임선생은 출근하고 난 집에만 있으니까 전화 걸려면 얼마나 신경 써지는 줄 알아. 아침시간은 아예 생각도 못하고 퇴근 후 시간도 지금은 가장 피곤한 시간인데, 지금은 아이들하고 놀아줄 시간인데, 지금은 서방님이 퇴근해서 깨가 쏟아질 시간인데, 하고 망설이게 된단 말야. 한마디로 무직자의 열등감이지 뭐.」

「아이고 알았어, 알았으니 어서 용건이나 말하슈.」

「용건은 따로 없고 신세한탄이 하고 싶어서……」

이렇게 어렵게 시작해서 털어놓은 그간의 사정을 다 듣고 난 임선생은 그렇게 될 수밖에 없었다는 걸 수긍해주었지만 아파트를 파는 건 펄쩍 뛰면서 반대했다.

「미쳤어. 지금 거기가 금싸라기 땅이야. 들어온 복을 내쳐도 분수가 있지 그 좋은 아파트를 팔아서 어쩌겠다는 거야.」

「나 이 아파트에서 되는 일 없는 건 임선생도 알잖아. 동네도 정떨어지고.」

「이 바보야. 그건 차선생 개인사정이고 거긴 지금 8학군이야. 딴 집 같아 봐 제 아이가 문혁이만할 때면 8학군으로 전입하려고 혈안이 돼 있을 거야. 문혁이 생각도 해야지.」

「제발 그 팔자 좋은 소리 좀 그만해. 난 지금 빈털터리래두. 이 열여덟 평을 밑천으로 뭔가를 다시 시작하지 않으면 굶어죽게 돼 있단 말야. 단지 두 식구의 생계가 그렇게 심각하다는 걸 임선생 같은 부르주아가 이해해주길 바라는 내가 바보지만 말야.」

「부르주아 좋아하네.」

「내 처지에 비해선 그런 걸 어떡해.」

「상대적으로 차선생 처지도 그렇게 비칠 수 있다는 걸 명심해두라고.」

「설마.」

「설마가 아냐. 그 아파트값이 지금 얼만 줄 알기나 알고 내놓았나 모르겠네.」

「나를 너무 숙맥이 취급하지 말아. 너무 많이 올라서 나도 좀 놀랐어. 8학군만 면하면 그 돈으로 조그만 독채 전세 얻고도 상당한 목돈이 떨어질 것 같아. 이제 문혁이도 어린애가 아니니까 그 돈을 곶감 꼬치 빼먹듯 빼먹고 살진 않을 테지 뭐. 천천히 생각해가며 내가 할 수 있는 장사를 궁리해볼 거야.」

「구태여 8학군에 집착하지 않는 차선생 생각엔 나도 찬성이야. 그렇지만 아파트를 팔지는 마. 지금 그 아파트 전셋값이나 알아봐. 또 놀랄걸. 아마 집값의 3분의 2도 넘을 테니까.」

「그것도 알고 있어.」

「근데 왜 팔아.」

「이 동네가 정떨어졌다고 했잖아.」

「혼자서 외아들 키우는 주제에 그렇게 감정적으로 굴면 어떡해. 전세 줘도 얼마든지 딴 동네로 갈 수 있잖아. 두고 봐. 그 정떨어진 집이 해마다 황금알을 낳을 테니. 전셋값은 해마다 오르거든. 딴 동네 집값이나 전셋값의 상승률은 8학군보다 훨씬 둔하니까 잘하면 몇 번 올려받은 전셋값을 보태서 집을 또 한 채 장만할 수 있을 거야. 단 그동안 차선생이 장사를 하든 취직을 하든 해서 생활비를 벌 수만 있다면 말야. 황금알을 낳는 거위를 덧들이거나 놓치지만 않으면 차선생도 부르주아 되는 건 시간문제일 테니 두고 봐.」

임선생이 점점 더 수다스러워졌다. 그 여자가 울적하거나 기가 죽어 있을 때의 임선생의 버릇이었다. 그래서 그 여자는 임선생의 수다가 가슴이 짠하도록 고마웠다.

「8학군이 그 정도라니까 어째 좀 놓치기가 아깝네. 내년이면 학교에 갈 문혁이한테 미안한 것도 같고.」

그 여자는 가슴이 짠해진 김에 응석도 부리고 싶어 그렇게 말했다.

「이왕 정떨어졌으면 정떨어진 동네에다 철저히 복수를 해보는 거야. 황금알은 황금알대로 챙기고 8학군 아닌 동네에서도 문혁이를 공부 잘 시켜 좋은 학교 보내면 될 거 아냐.」

임선생한테 그 여자는 결국은 설득을 당하고 말았다. 설득을 안 당할 수가 없는 게 말만 그럴듯하게 한 게 아니라 바쁜 시간을 내서 앞장서서 다니면서 실제로 보여준 현상이 거의 말과 맞아떨어졌기 때문이다. 임선생 말대로 아파트를 전세 놓은 돈으로 강북에 새로 개발된 주택단지의 다세대주택 중의 한 세대를 전세로 얻고도 목돈을 쥘 수가 있었다. 처음부터 여러 세대가 살도록 설계된 주택이라 아파트처럼 독립되어 있었고 시설도 불편함이 없이 갖추어져 있었다. 가용면적은 오히려 전에 살던 아파트보다 넓어서 숨통이

트였다. 마침 바로 길 건너엔 대단위 아파트 단지가 입주중이었고 상가는 분양신청중이었다. 그것도 임선생이 앞장서서 알아본 결과 길목이 좋은 데는 이미 다 분양이 끝나 있었고 장사가 될성부르지 않은 데만 군데군데 남아 있었다. 아쉬운 대로 그거라도 잡자고 임선생이 서둘렀다. 집으로부터의 거리도 가깝고 남아 있는 돈도 겨우 그런 자투리 매장이나 분양받을 수 있을 만큼이어서 그렇게 하기로 했다. 케이크가게, 떡집, 치킨센터, 수입상품점, 건강식품상 등이 이미 들어서서 성업중인 1층 매장에서 2층으로 올라가는 계단에 가려서 정문 쪽에선 잘 안 보이는 삼각형 매장을 그 여자는 마음에 들어했고 임선생은 아직은 반듯한 게 남아 있는 2층이나 3층 쪽을 권했다. 그러나 그 여자 생각으로는 2층과 3층은 의류와 액세서리 실내장식품이 주여서 밑천이 없이 덤벼들 자신이 없었다.

「밑천이 없으면 내가 좀 꾸어줄게 이자 없이.」

「이자가 없으면 없는 것만큼 더 부담이 된다는 거 알잖아.」

「하여튼 그놈의 고약한 성미 가지고 장사나 할 수 있으려나 몰라.」

「내가 얼마나 질기게 밥줄에 매달릴 수 있다는 건 임선생도 알잖아.」

그 여자는 문혁이를 뱄을 때의 일을 임선생한테 상기시키면서 스스로의 각오도 새롭게 했다.

「그렇지만 장소가 너무 후미져서…… 밑천도 넉넉잖은데 좁은 건 탓할 수는 없지만 안 보인다는 건 치명적인 문제 아니겠어?」

「출입문 쪽에서만 잘 안 보인다뿐이지 매장 전체에선 그래도 한가운데야. 잘하면 황금알을 낳게 할 수도 있어.」

「어―쭈 이 여자 황금알에 맛들였네. 장사는 가혹한 현실이야. 무엇보다도 구체적인 방법이 필요해.」

「잘 안 보이는 대신 냄새는 피울 거야.」

「냄새를? 어떻게?」

「임선생이 내 음식솜씨 칭찬해준 거 그냥 듣기 좋으라고 한 소리 아니지?」

「그래 나 입술에 붙은 소리 못하는 거 알잖아? 그렇지만 내가 차선생네서 얻어먹은 건 고작 김치깍두기, 나물밖에 더 있어?」

「그 정도의 메뉴만 임선생이 솜씨를 보장해줘도 난 만족이야.」

그 여자가 그 모서리 매장을 보고 영감처럼 떠올린 장사 종목은 반찬가게였다. 나물이나 밑반찬 등 아파트에 사는 주부들이 하기 싫어하는 반찬을 맛깔스럽게 만들어 팔면 가장 밑천이 적게 들고도 회전이 빠른 장사가 되리라는 그 여자의 전망은 다행히 적중했다. 오전중에도 가게를 비워놓고 집에서 준비를 해도 됐고 오후에 시작한 장사를 저녁시간에 끝내고 일찌거니 집에 돌아올 수 있어서 문혁이를 돌보는 데 지장이 없다는 것도 반찬장사의 매력이었다. 임선생이 보장해준 대로 그 여자의 반찬솜씨는 깔끔하고도 구수해서 한번 맛을 들이면 또 찾게 되어 있었다. 그러나 처음부터 손님의 눈길을 끌게 한 데는 임선생의 공로도 적지 않았다. 임선생은 반찬가게 이름을 〈장모님 솜씨〉라고 붙여주었을 뿐 아니라 출입문으로부터 〈장모님 솜씨〉라는 표지판이 가게를 인도하도록 머리를 써주었다.

「차라리 엄마 솜씨나 어머니 솜씨가 낫지 않을까. 장모님 솜씨는 어쩨 좀 야시롭다.」

그 여자의 불안을 임선생은 가볍게 일축했다.

「주부들이 나물이나 밑반찬을 장만하는 건 아이들 때문이 아니라 대개 옛날 입맛을 못 잊어하는 남편 때문인데, 남편이 시어머니 솜씨를 그리워하는 건 또 못 참아주는 게 요즈음 젊은 주부들의 심뽀라구. 반면 우리 장모님 솜씨가 최고라고 하면 듣기 좋아하는 주부들의 속셈을 넘겨짚은 작명이니까 잘될 거야.」

작명과 음식솜씨가 서로 궁합이 잘 맞았는지 그 여자의 반찬가게는 날로 소문이 나고 매상이 올라서 품목도 김치, 찌갯거리, 김밥 등을 추가하게 되었다. 그중에도 김밥의 인기는 대단해서 김밥 전문점이 지하에 서너 군데나 있는데도 불구하고 일요일날은 예약을 받지 않으면 미처 해낼 수가 없을 정도로 번창했다. 그 여자는 먹고 사는 문제에 비로소 자신이 생겼고 일을 거들어줄 아주머니도 한 사람 고용하게 되었다.

무엇보다도 교양이나 체면을 코에 걸지 않고도 먹고 살 수 있게 되었다는 게 그 여자를 자유롭고 행복하게 했다.

4

　돌아누워서 울기만 하는 아내를 위로하다가 지친 혁주는 문득 담배 생각이 간절했다. 허둥지둥 병실 밖으로 나오다 말고 복도에 지켜서 있는 어머니와 마주치자 입안에서 〈앗〉 소리를 삼킬 만큼 놀라고 풀이 죽었다.

　「어머니 언제 오셨어요. 오셨으면 들어오시잖구 여기서 뭘 하세요.」

　「널 기다리고 있었다.」

　예상한 대로 황여사의 말투는 싸늘했고 도전적이었다.

　「슬기가 밤새 많이 보챘죠.」

　혁주는 짐짓 딴청을 부렸다. 슬기는 애숙과 결혼하고 얻은 딸이었다.

　「슬기가 어린애냐 보채게. 내일 모레면 학교에 갈 년이.」

　슬기가 어린애가 아니란 소리는 돌 지나고부터 황여사가 글강

외듯 윈 소리였다. 죽은 며느리가 남긴 유일한 혈육이 손자가 아닌 손녀였기 때문에 혁주가 애숙이를 후처로 맞아들이자마자 태기가 있었을 때 황여사는 이번만은 아들 손주 보기를 얼마나 열망했던가. 그러나 또 손녀였기에 어서어서 사내동생 보기를 축원할 수밖에 없었다. 남들은 백일 안에도 아우가 들어선다는데 돌이 지나도 아우를 안 보더니 세살 네살을 속절없이 넘기니 며느리의 나이에 신경이 써지는 건 당연했다. 그래서 더욱 애꿎은 손녀 나이만 들먹였다.

애숙이 미모와 경제력과 여자다움을 겸비했다는 조건 때문에 나이가 좀 많다는 걸 거의 신경 안 쓰고 며느리로 맞았다는 걸 황여사가 슬슬 후회하기 시작할 무렵 그 일이 생겼다. 애숙도 겉으로는 전실 딸 시내와 제 속으로 낳은 딸 슬기만으로 만족한 척했지만 아들 손주를 고대하는 시어머니로부터 받는 압박감은 견디기 어려운 것이었다. 슬기를 낳고 나서 한두 해는 딸을 낳았으니까 아들도 낳겠지 하고 기다릴 수 있었지만 슬기가 다섯 살이 넘도록 아우가 없자 자신의 가임기간을 염두에 두지 않을 수가 없었다. 어떡하든 마흔이 넘기 전에 한번 더 임신을 하고 싶다는 갈망이 하도 절실하다 보니 생리현상도 들쭉날쭉 불규칙해져서 몇 번인가 헛된 희망에 가슴을 졸인 적도 있었다. 이래선 안되겠다 싶어 임신을 위한 정밀검사를 받던 중 불행중 다행으로 자궁내의 악성종양을 조기발견하게 된 것이었다.

「수술은 잘됐답니다. 좀전에 의식도 회복했구요.」

황여사가 며느리의 수술경과에 대해 묻지 않자 혁주가 먼저 이렇게 말했다.

「수술이 잘됐다면 혹만 떼어내고 아기집은 놔뒀다더냐?」

황여사가 비꼬는 투로 말했다.

「어머니, 다 아시면서 이렇게 공연한 억지를 부리시면 어쩝니까.」

「내가 억지 안 부리게 됐냐. 아기집을 떼낸 것도 계집이라고 역성을 들긴……」

「어머니 우리에겐 슬기가 있잖습니까. 딸도 없이 잘사는 부부도 많아요.」

「흥, 이 늙은이만 없으면 느이도 그럴 텐데, 하고 에미가 눈엣가시 같겠구나.」

「어머니 정말 왜 이러세요.」

「몰라서 묻냐? 우리 집안은 대가 끊어지게 됐다. 이게 이만저만한 일이냐. 그까짓 계집애 둘 아니라 열이 있으면 뭘 하냐. 대를 못 잇는걸.」

「어머니, 대를 잇는다는 게 도대체 뭡니까?」

혁주는 어머니를 보지 않고 허공을 보면서 침통하게 말했다. 어머니 입에서 그 말이 나오기 훨씬 전, 아내가 다시는 임신할 수 없으리라는 게 확실해지자마자 자신에게 최초로 던진 질문도 그거였고 지금까지 수없이 되풀이해온 질문도 같은 거였다.

「뭔 뭐냐. 자식 된 도리지.」

질문의 심각성에 비해 어머니의 대답은 너무도 간단했다. 혁주는 울컥 치미는 혐오감을 얼버무리기 위해 돌아서서 담배를 피워 물었다. 차멀미할 때 미식미식하다가 별안간 토악질이 치미는 것처럼 걷잡을 수 없는 혐오감이었다. 그는 어머니를 외면한 채 간신히 감정을 가라앉히고 말했다.

「슬기 에미한테도 그렇게 심한 말 하시려거든 그냥 가시는 게 낫겠어요. 모셔다 드리죠.」

「못난 것, 그저 계집만 끼고 돌 생각이라니까. 아범 무서워서 까딱하단 고부간에 의절할라.」

무슨 생각에선지 황여사의 말투에 심통이 가시고 농담조로 누그러졌다.

「끼고 돌래서가 아니라요 지금 그 사람 기분도 생각해주셔야죠. 누가 뭐래기도 전에 자꾸 울기만 하는 사람한테 언짢은 말씀 하실 게 뻔하니까 하는 소리죠.」

「에미가 울디?」

「네.」

「쯧쯧 거봐라. 지가 내 집 들어와 전실 애 귀애해, 재산 불려, 시에미 공경 잘해, 뭐 하나 잘못한 게 없건만도 아들 하나 못 낳은 죄가 그리도 무섭구나.」

황여사는 아들의 기분은 아랑곳하지 않고 혼자서 연방 고개를 주억거리며 알았다는 시늉을 했다. 혁주는 문득 어머니가 아내를 미워하고 있는지 동정을 하고 있는지 헷갈리기 시작했다.

「아범아.」

황여사가 혁주의 발끝을 보면서 감길 듯이 은근하고 간곡한 소리로 불렀다.

「네 어머니.」

혁주는 까닭 없이 떨리는 목소리로 대답했다.

「그 여자가 낳은 애는 잘 자라겠지?」

「그 여자라뇨?」

「시침 떼지 말아라. 우리가 모른 척한 여자 말이다.」

「어머니 제발.」

「가만있자. 그 여자가 배 부른 걸 본 게 아범이 새장가들기 바로 전이었으니까 우리 슬기보다도 크겠구나. 그 아이가.」

「한번도 본 적이 없습니다.」

혁주가 쓰디쓰게 말했다.

「아들이냐? 딸이냐? 그 아이는.」

황여사의 눈빛이 번쩍 빛나면서 혁주를 바라보았다. 혁주는 절
체절명의 순간에 몰린 것처럼 체념하고 말했다.

「아들을 낳았다고 하더군요.」

「아들?」

황여사의 얼굴에 환한 화색이 도는 걸 보고 혁주는 비로소 안할
말을 한 것처럼 느꼈다. 황여사의 화색은 점점 황홀한 미소로 번졌
다.

「어머니 왜 이러세요.」

「내가 뭘 어쨌다고……」

「지금 그 애가 무슨 소용이랍니까? 우리 입으로 우리 자식이 아
니라고 수없이 잡아뗀 자식인걸요.」

「우리가 벌을 받고 있는 게야. 요샌 당대에 죗값이 내린다더니,
그 여자에게 우리가 못할 노릇 한 벌을 이렇게 당장 받을 줄은 미
처 몰랐구나.」

그러나 황여사는 죗값을 하며 뉘우치는 사람과는 얼토당토않은
환한 미소를 아직도 짓고 있었다.

「됐어요 어머니, 그 아이에 대해서 그쯤 생각하신다면 저도 안
심입니다. 그 이상은 미련을 갖지 마세요.」

「미련을 갖지 말라니 그게 무슨 소리냐?」

「아닙니다. 아무것도 아닙니다.」

「고마운 노릇이다.」

황여사가 두 손을 앞으로 모으며 기도하는 자세로 머리를 조아
렸다.

「왜 이러세요?」

「우리 가문에 대가 끊이지 않게 해주신 천지신명의 뜻이 이 아니 고마우냐.」

「어머니 그 아이는……」

「아이고 내 정신 좀 보게나. 며늘아기 문병 와서 마냥 딴청만 부리고 있었네.」

황여사는 혁주가 하려는 말을 이렇게 가로막더니 서둘러 병실로 들어가려고 했다.

「어머니 제발.」

「알았다. 알았어. 행여나 네 댁 마음 상하게 할 소리 할까 봐 그러지. 이제 심통 부릴 까닭이 하나도 없는데 뭣 하러 심통을 부리겠느냐. 며늘애기한테 무슨 잘못이 있다고…… 나 그렇게 못된 시에미 아니다.」

그러면서 병실 안으로 들어갔다. 혁주는 한동안 그 자리에 더 서 있었다. 애숙이를 후처로 맞고 나서 행복했던 나날이 주마등처럼 스쳐갔다. 남자들끼리 여자를 평할 때 쓰는 이분법에 두 가지가 있다. 하나로 섹시한가, 못한가, 또하나는 재수가 있나, 없나인데 두 가지를 다 겸비한 여자는 꿈에나 그릴까 현실적으로는 한 가지만 갖춘 여자를 만나도 행운인데 애숙이는 두 가지를 겸비하고 있었다. 섹시한 아내가 주는 만족도는 혁주의 독점사항이었지만 애숙이 재수 좋은 아내라는 건 황여사도 인정하고 있었고 친척 친지간에도 널리 알려진 사실이었다. 애숙은 결혼 전에도 자기 사업을 성공적으로 이끌어왔거니와 결혼하고 나서는 표면적으로는 사회활동에서 손을 뗀 것처럼 굴면서 실질적인 이재의 솜씨는 쉬지 않고 발휘해왔었다. 현재 혁주는 해마다 착실한 신장세를 보이고 있는 기성품 수출업체의 유능한 사장이고, 그의 가정은 경제적 부유와 문화적으로 세련된 감각과 가족적 화목이 적절히 조화된 모범적인 상류가정이지만 그와 그의 가정을 그렇게 만든 건 애숙이라는 걸 누구보다도 혁주가 잘 알고 있다. 애숙은 결혼 전까지 키워온 자기 사업에서 표면적으로는 손을 뗐지만 뒤에 숨어서 직접 활동할 때 이상의 수완을 발휘하고 있었다. 애숙의 수완의 가장 큰 미덕은 혁주로 하여금 조금도 아내의 조종을 받고 있다는 걸 못 느끼게 하면서 성취감을 만끽하게 하는 거였다. 혁주는 모든 남자들이 부러워하는 것들인 성공한 사업, 아름답고 순종적인 아내, 화목한 가정을 겸비한 자신을 돌이켜보면서 처복이라는 게 바로 이런 거로구나 하는 정도로 아내의 공을 인정한 건 사실이나 복이란 굴러들어온 거지 노력이나 실력하곤 상관 없는 거였다. 결국 그는 그가 성취한 모든 것을 그 자신의 노력과 실력의 결과로 삼을 수가 있었다. 외적으로는 누구나 선망하는 성공의 조건을 빠짐없이 갖추었고 내적인 성취감 또한 의심할 나위가 없었으니 그의 행복감은 완벽하달 수 있었다.

다만 황여사처럼 심각한 건 아니었다 해도 아들만 하나 있었으면 더 바랄 게 없을 텐데 하는 아쉬움이 없었던 건 아니다. 그러나 옥에도 티가 있듯이 아무리 행복한 사람에게도 한 가지 걱정은 있어야 될 것 같고, 그 정도의 걱정이라면 걱정 중에선 가장 경미한 걱정일 듯싶어 될 수 있는 대로 의식을 안하려고 해왔다. 혁주는 홀로 또 한 개비의 담배를 피워 물면서 의식할 필요조차 없다고 생각해온 가장 경미한 걱정에 의해 그의 가정이 뿌리째 흔들리려는 위기의식을 달래려 들었다. 그러면서 오래간만에, 실로 오래간만에 차문경이 낳았다는 그의 아들에 대해 생각했다. 자신의 어릴 적의 사진을 닮은 건강하고 귀염성스러운 소년의 모습이 떠올랐다. 그의 입가에 미소가 번졌다. 황여사가 그 아이가 아들이라는 걸 확인하고 나서 지은 미소를 닮은 황홀한 미소였다. 그는 미소지으며 생각했다. 그동안 애숙과의 사이에서 아들을 못 본 걸 그닥 크게 걱정하지 않은 건 딸자식도 아들만 못지않다고 생각해서가 아니라 어디선가 자라고 있을 아들을 의식해서가 아니었을까. 순간 혁주는 자신의 속셈에 섬찟했지만 행복하고 음흉한 미소를 지울 만하진 않았다. 그가 허둥지둥 점잖고 근심스러운 표정으로 되돌아온 것은 복도 끝 엘리베이터에서 내린 장인 장모를 보고 나서였다.

수술하는 동안 줄창 지켜 있다가 회복실에서 실려나오는 딸을 확인하고 나서 집도한 의사를 만나러 갔다가 오는 길이었다. 평소 그리도 당당하고 품위 있던 장인 장모도 딴사람처럼 초췌해보였다. 고개를 숙이고 장인 뒤에 숨다시피 한 장모와는 달리 장인은 그래도 호탕하게 웃으며 말했다.

「안심하게나. 수술은 성공적이었다네. 딴 장기가 말짱하다니 얼마나 다행인가.」

그러면서 혁주의 어깨를 토닥거렸지만 어찌나 비굴해보이는지 되레 혁주 쪽에서 위로의 말을 해주고 싶은 심정이었다. 그때 장인 뒤에 숨은 장모가 흑, 하는 소리를 내며 손수건으로 얼굴을 가리는 게 보였다.

장인이 어린애 다루듯이 부드럽고 조심스럽게 한사코 몸을 숨기려는 장모를 그의 등뒤에서 떼어내어 앞으로 내세웠다.

「원 사람도, 수술실에 들어가기 전까지는 딸자식 하나 죽는 꼴볼까 봐 벌벌 떨더니 생명엔 지장 없다는 소리 듣자마자 자궁 떼어낸 게 아깝고 자네 볼 낯이 없어서 이런다네. 사람 욕심이 이렇다니까.」

장인 역시 면목없다는 듯이 쓸쓸하게 웃으면서 말했다. 평소 장인 장모가 다 자애롭고 살뜰한 편은 못됐다. 성격 탓도 있겠지만 뭐 하나 꿀릴 게 없다는 우월감 때문인지 장인은 과묵하고 무뚝뚝

했고 장모는 사교적이고 콧대가 높은 편이었다. 혁주는 이렇듯 그에게 만만하지 않던 장인 장모가 자기 앞에서 쩔쩔매는 모습을 묘한 쾌감을 느끼며 지켜보았다.

「자네 볼 낯이 없네.」

장모가 벌겋게 충혈된 눈에 다시 하나 가득 눈물이 고였다.

「글쎄 고정하래도……」

장인이 정색을 하고 장모를 나무랐다. 그러나 장인의 표정도 거의 울상이었다.

「딸 가진 죄인이라더니……」

장모는 자신의 저자세를 딸 둔 부모 공통의 것으로 보편화시키며 한숨을 쉬었다. 일종의 자위책이리라.

「그래서 자고로 딸은 애물이라고 하지 않았소.」

장인도 맞장구를 쳤다.

혁주는 장인 장모의 이렇듯 적나라한 딸 가진 죄인 노릇을 지켜보면서 새삼스럽고도 힘차게 아들은 있고 볼 일이라고 생각했다. 만약 지금 나에게 숨겨놓은 아들이 없었다면 얼마나 비참했을까. 혁주는 자신이 장인 장모에게 턱없이 거만하게 화풀이를 할 필요도, 장인 장모와 더불어 비통과 절망을 나눌 필요도 없이 홀로 의연할 수 있게 해준 숨겨놓은 아들이 대견하고 기특했다. 애숙이하고 재혼해 행복하게 사는 동안 까맣게 잊고 지낸 아들이 그의 무의식 밑바닥에서 힘차게 자맥질을 하며 솟구쳐오르자마자 그가 기대고 내세울 수 있는 언덕과 체면이 돼주고 있었다. 아들이란 얼마나 좋은가. 혁주는 아들을 가졌다는 기쁨과 함께 아들을 떳떳하게 표면화시키는 데 있어서 아내나 처가 쪽의 반발을 그닥 두려워하지 않아도 될 것 같은 안도감을 느꼈다.

「들어가보시죠. 에미는 아까아까 깨어났습니다. 지금 어머니도

와 계십니다.」

혁주는 장인 장모를 따뜻한 연민의 시선으로 감싸며 말했다.

「사부인께서 벌써?」

장인 장모가 동시에 부르짖으며 병실 앞에 멈춰섰다. 송구스러워 몸둘 바를 모르는 눈치가 역력했다. 마침 황여사가 병실에서 나오다 그들과 마주쳤다. 황여사의 표정이 거만하고 비통하게 굳어졌다.

「뵐 낯이 없습니다. 사돈마님.」

얼떨결에 사돈과 맞닥뜨린 장모는 다시 손수건으로 얼굴을 가리며 울음을 삼켰고 이번엔 장인이 장모 뒤로 고개를 떨구고 물러났다.

「별말씀을. 다 우리 가운인걸요.」

황여사가 땅이 꺼지게 한숨을 쉬었다. 애숙이가 깨어난 지가 몇 시간이나 됐다고 친정식구나 시집식구가 약속이나 한 듯이 애숙이의 용태에 대한 근심은 저리 가라, 오로지 애숙이가 떼어낸 자궁에만 연연하며 그 돌이킬 수 없는 상실을 비통해하고 있었다. 특히 황여사의 망연자실은 사돈 내외의 몸둘 바를 모르게 했다. 당장 꺼질 수 있다면 깜쪽같이 꺼지고 싶은 눈치였다. 평소 며느리한테 더할 나위 없이 자애로운 시어머니 노릇을 하면서도 기회만 있으면 아들에게 며느리 흉을 보지 못해하는 황여사의 이중성을 잘 아는 혁주가 보기에는 그런 과장된 비탄이 계산된 연기로 보였다. 감추어놓은 아들 손주를 드러낼 때 예상되는 며느리와 사돈의 놀라움과 반발을 최소한으로 줄이기 위한 어머니의 계산된 연기를 혁주는 간파했을 뿐 아니라 자연스럽게 동조했다. 그도 땅이 꺼지게 한숨을 쉬면서 말했다.

「어머니는 집에 가 계세요. 여기 일은 장모님한테 맡기시고요.

그 사람 심정도 그게 편할 테니까요.」

「알았다. 나더러 병구완을 하래도 맥이 빠져서 할 것 같지도 않
다만 어째 사부인 뵙기에 미안쿠나.」

「별말씀을요. 이렇게 와주신 것만도 얼마나 고맙고 힘이 된다구
요. 여기 염려는 마시고 댁에 가서 편히 쉬십시오.」

장모가 죄인처럼 머리를 조아리고 말했다.

「쉬는 것도 편해야지요. 이 판에 쉬는 게 다 뭡니까?」

「어머니, 그만해두시고 어서 가세요.」

혁주는 황여사가 더 싫은 소리를 할까 봐, 장인 장모를 생각하는
척 서둘렀다. 그리고 엘리베이터까지만 배웅해도 될 것을 아래층
현관까지 모시고 나가 자판기에서 커피를 빼서 마시면서 시간을 끌
다가 병실로 돌아왔다. 그런 대수롭지 않은 행동도 장인 장모에겐
편가름처럼 신경이 쓰였다. 아닌게아니라 그건 편가름의 시작이었
다. 황여사는 그날 이후 병원엔 신경 안 쓰고 집에서 편안하고 당
당하게 상심을 달랬고, 장인 장모는 딸의 간병을 도맡아 하면서도
하루 한번씩 들르는 혁주에게 저자세로 쩔쩔맸다. 퇴원할 때도 친
정에서 좀더 조리를 시키고 보약이라도 먹여서 보내겠다는 장모의
제안을 혁주는 두말 않고 선선히 받아들임으로써 아내와 처가식구
로 하여금 석연치 않은 소외감을 느끼게 했다. 애숙이 친정에서 요
양하는 동안도 혁주는 빨리 집으로 돌아와야지 집안꼴이 말이 아니
라는 정도의 아쉬운 소리도 안했다. 기다리다 못해 애숙이 쪽에서
아이들 보고 싶어 못살겠다고 애틋한 눈물을 보인 끝에 겨우 시집
으로 돌아올 수가 있었다. 뭐 하나 꿀릴 게 없을 뿐 아니라 후취로
오기에는 과람한 조건을 갖췄다는 우월감 때문에 처음부터 눈치보
거나 기죽지 않고 시집살이를 해온 애숙으로서는 그것만으로도 여
간 굴욕스럽지가 않았다. 그러나 애숙의 굴욕은 그것만으로 끝난

게 아니었다. 집안 분위기가 전 같지 않았다. 남편은 자주 한숨을 쉬었고 시어머니는 자주 눈물을 보였고, 시내와 슬기는 그 새중간에서 구박만 받은 아이들처럼 날로 불쌍해지고 있었다. 식구간의 화목도 자연스럽지 못했고 자연스러운 건 오직 근심밖에 없었다. 다시는 아이를 낳을 수가 없고 따라서 아들을 가질 가망도 없다는 데 따르는 근심은 돈이나 시간이 해결해줄 수 있는 것도 아니니 근심이라기보다는 절망이었다. 곱게 자라 사랑을 많이 받고 하고 싶은 일마다 뜻대로 풀려 불행에 대한 대비도 이해심도 없이 살아온 애숙에게는 실로 견디기 어려운 고통이었다. 친정에서 정성껏 달여먹인 보약도 그녀가 그 생소한 불행을 극복할 수 있는 힘이 되진 못했다. 애숙은 하루하루 수척하고 명해졌다. 남들 다 가진 아들을 영영 가질 수 없다는 열등감과 한 가문의 대를 끊어놓았다는 죄의식이 그녀의 몸뿐 아니라 마음까지 허약하게 만들었다. 애숙은 매사가 시들해서 기쁨도 슬픔도 선명하게 느끼질 못했고 뒤에서 조종하던 사업에 대해서도 의욕이 도무지 생기지 않았다. 가끔 아무도 모르게 은밀히 맹렬한 의욕을 느낄 적이 있는데 그건 어디 가서 남의 아들을 훔쳐오고 싶다던가, 잃어버린 자신의 자궁을 되찾을 수 있는 방법이 꼭 있을 것 같아 몸이 다는 식의 터무니없는 것이어서 의욕이라기보다는 광기였다. 애숙은 여직껏 외모와 물질에 대해 충분한 우월감을 누려온 만큼 남 다 가진 걸 자기만 못 가진 걸 참을 수가 없었고 그 열등감에도 약했다. 남 보기에도 그랬지만 스스로 생각해도 사람이 다 변한 것 같았다. 자궁이 자신의 전부였던 것처럼 자궁을 상실하고 나서는 본래의 인간성까지 점점 달라져가고 있었다.

이런 애숙이를 대하는 혁주나 황여사의 태도는 나무랄 데 없었다. 보약도 한 제를 더 먹도록 강요하다시피 했고 아들 욕심을 드러내지 않으려고 대화할 때마다 세심한 주의를 했다. 하다못해 일가친척 중에서 누가 아이를 뱄다거나 아들을 낳았다는 소식이 와도 애숙이의 마음을 언짢게 하거나 열등감을 건드릴 짓도 하지 않으려는 시어머니나 남편의 세심한 배려가 되레 애숙이를 괴롭혔다. 그런 배려에서 따뜻한 애정을 느끼기보다는 불쌍해하고 있다는 걸 느끼는 게 고작이었다. 애숙의 자존심은 연민보다는 차라리 미움을 받고 싶었다.

애숙의 우울증과 피해의식이 극도에 달했을 때 혁주는 그 일을 터뜨렸다. 슬기보다는 반년이나 먼저 낳은 아들이 혁주에게 있었다는 사실은 애숙에겐 청천벽력이었지만 한차례 소동을 부리고 난 그녀는 묘한 안도감을 느꼈다. 그 아이가 애숙을 만나기 전에 생겨났다는 계산 때문에도 그럴 수가 있었고, 무엇보다도 시어머니의 능란한 구변이 큰 위로가 되었다.

「너하고 선도 보기 전의 일을 가지고 네가 섭섭해할 거 없지 않겠느냐. 상대방 여자는 처녀도 아니고 애비하곤 나이도 동갑인 소박데기란다. 그때 애비가 상처하고 3년씩이나 혼자 지낸 후라는 것도 생각해줘야 한다. 고적한 홀애비가 이혼하고 혼자 지내는 대학 동창을 우연히 만나서 상관을 한 걸 지금 와서 나무라서 무슨 이득이 돌아오겠느냐. 그보다는 그런 여자 속에서라도 아들이 태어난 걸 감지덕지해야 하는 게 네 입장이라는 걸 명심해야 하느니 우리도 일이 이렇게 될 줄은 꿈에도 모르고 너하고 혼인식 올리기 전에 아이를 떼라고 몇 번이나 그 여자를 타일렀지만 그 여자도 제 팔자가 장차 정식결혼해서 자식 낳고 살 팔자가 못된다는 것쯤은 알았는지, 아이를 낳겠다고 고집을 부리더구나. 이 집 자식도 아니니 상관 말라는 게야. 아무리 제 몸을 함부로 굴렸기로서니 그런 말버릇이 어디 있겠느냐. 그 말 한마디에 오만정이 떨어져서 아이를 떼

건 낳아 기르건 상관 않기로 작정하고 너하고 혼사를 치렀고, 너도 알다시피 그후 이날 이때까지 겉으로나 마음속으로나 그쪽과 연통을 하거나 궁금해한 적이 한번도 없었다. 네가 아들만 낳았다면 아마 영원히 그렇게 됐을 것을, 지금 그 아들이나마 되찾으려는 애비나 내 심정인들 오죽하겠느냐. 그걸 네가 이해 못하고 이 집안에 불화를 일으킨다면 나도 그 꼴은 못 본다.」

「그 여자가 그 아이를 호락호락 내놓을까요?」

「자식 하나 얻어가지려고 어수룩한 애비를 꼬신 여잔데 쉽게 뺏기기야 하겠느냐. 또 강제로 뺏는다는 것도 사람 할 짓이 아니고. 그렇지만 우리 호적에 입적시키는 거야 그 여자도 마다고는 못할 줄 안다. 입적시켜달라고 애걸한 적도 있다니까. 이 세상 어미치고 지 자식을 사생아로 키우고 싶은 어미가 어디 있겠느냐. 나도 입적 이상은 안 바란다. 우선 대나 안 끊자는 거고 그러면 너도 다리 뻗고 살 게 아니냐.」

심한 말도 서슴지 않았음에도 불구하고 황여사의 말이 애숙에게 위로가 되었던 것은 아들을 낳았다는 그 미지의 여자를 이쪽에서 마음대로 짓밟고 이용할 수 있는 여자로 취급하는 그 특이한 말투 때문이었다. 한번도 본 적이 없는 그 여자를 쓰면 뱉고 달면 삼켜도 되는 만만한 여자로 가정할 수 있다는 건 애숙에게 있어서 참으로 불행중 다행이었다. 그녀는 귀염만 받고 자라 떼만 쓰면 무엇이든지 가능했던 경험을 풍부하게 가지고 있었다. 이번 일도 스페어 아들이 대기하고 있다가 아들을 못 낳게 된 절망에서 구원해준 것처럼 느꼈다. 그러면 그렇지, 고통에 약한 나에게 구원의 여지가 전혀 없는 절망이 주어질 리가 없지. 이렇게 자신의 좋은 팔자만 믿고 응석부리듯 매달렸다.

그런 아이가 있다는 것을 알게 되고 나니 몰랐을 때보다 좋아진

122

건 한두 가지가 아니었다. 애숙은 날로 건강하고 명랑해졌고 예전처럼 자유롭게 혁주를 지배하고 조종할 수 있게 되었고 혁주는 아무 걱정 없이 사업에만 전념하게 되었고, 집에서나 밖에서나 다시 공처가 노릇을 자연스럽게 할 수 있게 되었다. 그 일이 가져온 무엇보다도 큰 복은 식구들이 더욱 화목해진 거였다. 이제 가족간의 편가름 같은 건 없었다. 그 아이는 어떻게 생긴 아이일까? 그 아이를 입적시키는 일은 뜻대로 잘될까? 잘 안될 땐 돈으로 해결할 수밖에 없는데 그 아이가 가난하게 살고 있었으면 좋으련만 입적을 시키고 나면은 조금씩 조금씩 그 아이를 빼앗아오고 싶을 텐데. 그럴 수 있기 위해서라도 그 아이의 엄마는 곤궁하고 무력한 입장에 처해 있기를…… 이런 공동의 관심사와 가상의 적을 겨냥한 투지로 가족간의 똘똘 뭉친 마음은 그 어느 때보다도 물샐 틈이 없었다.

5

유난히 바쁜 날이었다. 반찬가게에다 김밥을 한 종목 더 추가하고 나서 처음 맞는 소풍철이기 때문인지 아침부터 눈코 뜰 새가 없었다. 김밥은 예약받은 것만 해주기로 하고 있건만도 그랬다.

「아줌마 먼저 들어가요, 뒷정리는 내가 할게요.」

아줌마를 고용하고 나서 장사가 더 잘되는 게 다행스럽기도 하고 한편 미안하기도 했다. 고용할 때만 해도 일손이 딸리는 건 오후 3, 4시경부터 저녁시간까지라고 말했는데 온종일 부려먹게 되니 괜히 악덕기업주라도 된 기분이었다.

「지가 할게요. 선생님이나 좀 쉬셔요.」

아줌마는 문경이가 한때 교사였다는 걸 어디서 들었는지 꼬박꼬박 선생님이라고 불렀고 그 여자도 그게 듣기 싫지 않았다.

「고단하지 않아요?」

「그만큼도 안 고단하고 입에 밥이 들어가면 미안해서 어쩌게요.」

「그렇게 생각해줘서 고마워요. 요샌 맨날 아침부터 볶아치니까 내가 꼭 아줌마를 속인 것 같아 속으로 얼마나 불안한지 몰라요.」

「선생님도, 장사를 하시려면 장사꾼답게 구셔야죠. 장사꾼이 장사 잘되는 걸 미안해하시면 어떻게 돈을 버시려고 그러세요.」

「아줌마 같은 사람 만난 것도 내 복이지 뭐유. 아줌마 오고 나서 장사 잘되는 것만큼은 나도 섭섭지 않게 생각할게요.」

「저야말로 선생님 같은 장사꾼 만난 게 큰 복이네요.」

「그래요, 우리 복 좋은 사람끼리 신나게 빨리 치웁시다. 우리 문혁이가 또 기다리다 못해 마중 오겠수.」

그 말이 채 끝나기도 전에 엄마, 하는 씩씩한 소리가 나면서 문혁이가 달려오는 게 보였다. 그 여자도 마주 달려가 아이를 얼싸안았다. 아이의 몸은 튼실하고 가슴의 고동은 약간 빠른 듯하면서도 힘찼다. 그 여자도 웃고 아이도 웃었다. 모자는 매일 저녁 그렇게 만났다. 만약 아이가 마중 나오지 않았어도 집 현관에서 같은 모양으로 만났을 것이다. 그 여자는 안아 올린 아이가 힘에 겨워 내려 놓으려고 했지만 아이는 좀더 오래 엄마의 품에 늘어붙어 있으려고 했다. 아이가 눈을 가느스름하게 뜨고 엄마의 어깨로부터 젖가슴까지 얼굴로 훑어내리기 시작했다. 아이가 황홀한 표정으로 하고 있는 짓은 엄마의 냄새맡기였다. 끈끈한 땀냄새에다 온갖 반찬냄새가 혼합된 엄마의 냄새를 아이는 그렇게 좋아했다. 그 여자는 반찬 장사로 밥을 먹기 시작한 후로 거의 자신의 체취가 되다시피 한 온갖 양념냄새를 깔끔하고 점잖은 자리에선 더러 부끄러워한 적도 있었으나 아이가 좋아한다는 걸 알고부터는 스스로 거리끼지 않게 되었다. 그 여자는 아들과 함께 자기 장사까지도 대견하고 자랑스러웠다. 가슴이 충만하게 행복한 시간이었다. 그 여자의 하루의 하이라이트였다.

「또 오셨어요? 아까 잔뜩 사가시고선…… 다 팔렸는데.」

가게 앞에서 우두커니 모자의 행복한 모습을 바라보고 있는 노부인에게 아줌마가 말을 시켰다. 노부인은 아줌마가 낮에 왔던 자기를 알아보는 게 뜻밖이었는지 곤혹스러운 표정으로 들고 있던 비닐주머니를 얼른 뒤로 감추었다. 비닐주머니는 그 쇼핑센터 매장에서 공동으로 쓰는 것으로 단박 표시가 났고 더군다나 낮에 판 나물과 마른 반찬 젓갈류가 희미하게 비쳤다. 아줌마가 수상쩍은 얼굴로 재차 물었다.

「혹시 낮에 사가신 게 입맛에 안 맞으셨는지요? 입맛에 안 맞으시는 것까지는 책임질 수 없습니다만 만의 하나라도 변질이 됐다면 물러드리겠습니다.」

아줌마는 문경이로부터 교육받은 대로 공손하게 말했고 노부인은 점점 더 곤혹스러운 얼굴로 어쩔 줄을 몰랐다. 그제서야 문경이도 그 점잖고 곱게 늙은 부인을 어디서 본 듯하여 주의 깊게 바라보았다.

그럴 리가, 설마…… 문경이는 그 귀부인의 모습에 겹쳐지는 6년 전의 그악스러운 황여사의 모습을 떨어내려고 도리질을 하며 우선 문혁이 먼저 뒤로 감추었다. 거의 본능적인 방어태세였다.

「나를 알아보겠소?」

황여사의 목소리도 가늘게 떨렸다. 순간 문경이는 치가 떨렸지만 문경이 뒤에서 남실대는 아이의 머리를 바라보는 황여사의 입가엔 어느새 보통 할머니와 다름없는 자애로운 미소가 번졌다.

「뭣 하러 오셨습니까? 제가 여기 있다는 걸 어찌 아시고.」

「만나보고 싶어 수소문했다오. 시간 좀 내주겠소?」

「저는 만나뵐 일 없는데요. 한가한 몸도 아니구요.」

126

「잠깐이면 돼요. 괴롭히거나 해칠 생각은 추호도 없으니 안심해요.」

「사람 어떻게 보고 하시는 말씀이십니까. 저를 아무한테나 호락호락 해를 입거나 괴로움을 당할 사람처럼 보셨다면 잘못 보셨습니다.」

문경이는 말은 그렇게 했지만 온몸이 사시나무 떨리듯 떨렸다. 떨고 있는 자신이 한심하다는 생각 때문에 눈물까지 글썽해지려고 했다. 그 여자에 비해 황여사가 훨씬 여유가 있었다. 적반하장도 분수가 있지. 그 여자는 그것도 억울했다.

「거봐요. 우리는 암만해도 할 얘기가 많을 것 같지 않소. 어디 조용한 데로 가는 게 좋을 듯싶은데.」

「좋습니다. 아줌마, 우리 문혁이 좀 집에 데려다 줄래요. 그리고 좀 같이 있어줘요. 잠깐이면 될 테니까.」

그 여자가 아줌마에게 아이를 맡기려 하자 황여사가 황급히 가로막았다.

「걔도 데리고 가면 안되겠소. 잠깐 동안만이라도 같이 있고 싶은데.」

그러면서 아이의 손목을 잡았다. 워낙 붙임성 있는 아이라 다른 한 손으로는 자연스럽게 엄마의 손을 잡고 가운데서 깡충거리기 시작했다.

「아이도 있고 하니 케이크집이 좋을 것 같소만……, 난 이 근처 지리를 잘 몰라서.」

상가를 나오자 황여사는 그렇게 말하면서 아이의 손을 두 손으로 감싸더니 얼굴을 찬찬히 들여다보기 시작했다. 이윽고 경탄, 환희, 회한 그런 것들이 차례차례 스치며 노부인의 얼굴을 처참하게 구겨놓았다. 문경이는 동정심과 함께 불확실하고도 엄청난 위험을 감지하고 외마디소리를 질렀다.

「고정하시죠. 아이 앞에서 이러시면 어쩝니까.」

그리고 서둘러 근처에 보이는 케이크집으로 들어갔다. 다방보다 한결 조용하고 한산했다. 따라들어온 황여사는 다시는 감정이 격해져선 안되겠다 싶었던지 아이한테만 말을 시켰다.

「잘도 생겼네. 이름이 뭐랬지?」

「문혁이요. 차문혁.」

「좋은 이름이구나. 나이는.」

「여섯 살……」

「저런 똑똑도 하지. 내년엔 학교 가겠네. 자아 우리 문혁이 뭐 먹고 싶은가.」

그러면서 아이의 손목을 잡고 진열장으로 가서 먹고 싶은 케이크를 스스로 고르게 했고 아이스크림을 먹는 아이를 홀린 듯이 지켜보는 황여사의 눈빛은 곧 아이스크림처럼 녹아내릴 듯이 따뜻하고 감미로워졌다. 문경이 또한 여직껏 혼자 손으로 아이를 기르면서 살아오는 데 적지 않은 힘도 되었지만, 타고난 인간성을 척박하게 하는 데도 기여했던 황여사에 대한 증오와 원한이 맥없이 무너지려는 걸 느꼈다. 황여사의 보통 할머니다움은 문경이에게 그만큼 놀랍고 감동스러운 것이었다.

이러면 안된다는 생각을 문경이가 마음을 도사려 먹으면서 일어서려고 할 때도 황여사는 붙들지 않고 고맙다는 말만 연발했다. 그리고 아이에게 이것저것 값비싼 걸로만 골라서 케이크를 한 보따리 사주고 나서 힘주어 안아보더니 아쉬운 듯 작별인사를 했다.

황여사의 쓸쓸한 뒷모습이 저만치 가고 나서야 문경이는 내 아들은 당신네와 아무 상관 없는 나만의 아들이다, 당신 입으로 그렇게 부정하지 않았느냐고 면박을 주지 못한 걸 후회했지만 돌이킬 수 없는 일이었다. 그리고 집으로 돌아와서 깨끗이 씻긴 아이와 식탁에 마주앉아서는 면박을 준 것보다도 훨씬 효과적인 복수를 했다고 자위했다. 오늘따라 문혁이는 유난히 혁주를 닮아보이면서도 탐나게 잘생겨보였다.

며칠 있다가는 혁주가 비슷한 시간에 나타났다. 문경이는 예상하고 있었던 것처럼 그닥 놀라지 않았다. 마침 아이가 거기 나와 있지 않은 것도 그 여자가 격앙하지 않고 차분하게 구는 데 도움이 되었다.

「혹시 아이가 나와 있으면 먼발치에서 한번만 보고 가려고 했소.」

「될 수 있으면 이런 데 안 나오도록 한답니다. 어쩌다가 나오죠.」

「그럼 어머니가 운이 좋으셨군.」

혁주가 혼자말처럼 중얼거리고 어깨를 축 늘어뜨렸다.

순간 그 여자는 마음이 약해지려고 해서 그들 모자가 번갈아가며 나타나 괴롭히고 협박하던 6년 전 일을 생각하려고 애썼다.

「한번만 보고 싶었는데……」

혁주는 그 여자의 냉담한 태도에도 굴하지 않고 슬슬 그 근처를 몇 바퀴 돌고 와서 애걸했다. 온몸에 부티가 절절 흐르는 사람이 비굴하게 구는 건 더 못 봐줄 노릇이었다. 아줌마가 이상한 눈으로 바라보는 것도 신경 써졌다.

「어머니가 그러시더군. 꼭 나를 빼닮았다고…… 차선생 보기에도 그렇소?」

「전혀 안 그래요. 그럴 리도 없구요.」

「역시 차갑군.」

「도대체 지금 와서 나한테 뭘 바라는 거죠?」

그 여자는 정말로 견딜 수 없이 화가 나서 소리질렀다. 그럴수록 혁주는 죽여줍쇼 하는 태도로 일관했다.

「더도 안 바래요. 꼭 한번만 보고 싶소.」

「그 약속 지킬 수 있겠어요?」

「지키다마다 그렇게 날 못 믿겠소?」

그 소리엔 그 여자도 가만히 있질 못했다.

「당신네를 내가 믿기를 정말 바라고 하는 소리예요? 기가 막혀서. 당신네처럼 편리하게 생겨먹은 사람들은 벌써 잊었는지 모르지만 당신 어머니하고 당신하고 짜고 번갈아가며 나한테 못할 노릇한 걸 내가 어떻게 잊겠어요. 죽는 날까지 그걸 못 잊을 텐데 당신을 믿어요?」

숫제 말을 안할 걸 그랬나 보다. 다리가 벌벌 떨리면서 언성이 높아졌다.

「이러지 말고 우리 잠깐 어디로 갑시다.」

혁주는 놀랐는지 잡아끌다시피 앞장섰다. 하필 황여사하고 만났던 제과점이었다. 그 지긋지긋한 모자한테 6년 만에 다시 번갈아 당하고 있는 의혹과 억울한 생각이 지글지글 피어올랐다. 오히려 혁주 쪽에서 먼저 평정을 회복하고 침울한 소리로 말했다.

「잘못했소. 죽을죄를 졌소. 그러나 당신은 이미 복수를 했잖소.」

「그게 무슨 소리예요?」

「나에겐 아들이 없소. 그때 결혼한 아내는 딸 하나를 낳고 단산수술을 하지 않으면 안되었으니 더 낳을 가망도 없고……」

이제 모든 게 확실해졌다. 궁금한 게 풀려서 속도 시원하거니와 뜨겁고 뭉클한 기쁨 같은 게 솟구치는 걸 숨길 수가 없었다. 그래도 짐짓 냉담하게 비꼬는 투로 물었다.

「그래서요?」

「당신이 이겼소.」

「그럼 우리 사이는 이제 깨끗이 끝난 게 아닌가요? 당신이 역전을 시킬 음모라도 꾸미고 있는 게 아니라면.」

「나를 그렇게까지 나쁜 사람으로 여기지 않았으면 좋겠소. 아이를 봐서라도.」

「내 아이를 들먹이지 말아요. 당신 입술에 오르내리는 것도 싫어요.」

「어떤 저주든지 달게 받겠소.」

「다신 오지 말아요. 꼴도 보기 싫으니까.」

「한번만 보여주면 다시 또 보자고는 않겠다고 약속하겠소. 그렇지만 당신하고 볼일은 좀더 남아 있을지도 모르겠소.」

「무슨 뜻이죠?」

「당신이 이기고, 내가 벌받은 건 저절로 그렇게 된 거지 누가 시켜서 된 건 아니잖소. 억지로 꽈다붙이면 하늘의 뜻이랄 수도 있겠지만, 그렇다고 인간이 할 도리가 남아 있는 것까지 모르는 척할 순 없는 거 아니겠소.」

「이제 와서 당신 입에서 인간의 도리 어쩌구 하는 소릴 듣게 되다니.」

「개도 고양이도 웃을 소리라고 하고 싶겠지만 당신의 협조 없인 그나마의 인간 노릇도 못하고 말 테니 도와주오. 부탁이오.」

「아이는 한번만이라면 보여줄 수도 있어요. 그밖에 또 뭘 도와달라고 싶은 거죠?」

「아이를 내 아들로 입적시키고 싶소.」

「안돼요. 당신네 모자가 어떻게 해서 내 입에서 그 아이가 당신네 자식이 아니란 소리가 나오게 됐는지 벌써 잊었어요. 세상에, 그건 고문이었어요. 이제 와서 뭐라고? 그래도 애비라고 권리를 주장하려고……」

　그 여자는 속이 떨리고 입에 침이 말라 더이상 말을 잇지 못했다. 혁주가 오히려 여유 있어졌다.

　「권리를 주장할 생각은 조금도 없어요. 그 아이가 장차 누릴 수 있는 권리를 주고 싶을 뿐이지. 그 아이는 나에겐 단지 하나밖에 없는 아들이란 말요. 당신이 정 싫다면 할 수 없는 노릇이지만 분을 가라앉히고 생각해보면 알 것이오. 어엿한 아버지를 없는 것처럼 하는 것도 아이에게 할 짓이 아니라는 걸.」

　「난 이제 그런 감언이설에 넘어갈 만큼 순진하지 않아요. 나도 산전수전 다 겪은 여자가 되고 말았어요. 다 당신네들 덕이죠.」

　「그 아이를 내 호적에 올린다고 해서 지금하고 달라질 건 아무것도 없어요. 그 아이가 당연한 권리를 누리게 되는 것도 한참 앞날의 이야기고, 또 전적으로 그 아이의 자유의사에 달린 문제니까.」

　「여기서 잠시 기다릴래요? 아이를 데려오겠어요. 한번만이라는 거 명심해요.」

　「오늘은 당신이 너무 피곤해뵈고 또 흥분한 거 같으니 나중에 봐도 상관없겠는데.」

　혁주가 뭘 믿고 그러는지 점점 더 느긋해졌다. 그럴수록 그 여자는 알 수 없는 조바심으로 마음이 옥죄였다.

　「아아뇨. 오늘 보고 가요. 그런 핑계로 당신을 또 보게 되는 건 정말 싫으니까.」

　그 여자는 그의 대답을 기다리지 않고 집으로 달음질쳤다. 알 수 없는 분노를 화통처럼 뿜으며.

　「인사해 엄마 친구분이야.」

　아이를 앞세우고 온 그 여자는 혁주가 미처 뭐라고 말하기 전에 헐떡이며 이렇게 말했다.

「그럼 이 아저씨도 선생님이야?」

아이가 이상하다는 듯이 물었다. 그 여자를 집까지 찾아오는 친구는 대개 교사시절의 동료여서 아이도 선생님의 분위기엔 어느 정도 익숙해져 있었다. 아이 보기에도 혁주가 선생님 같지가 않아선지 막연히 심상치 않은 걸 느껴선지 앞으로 선뜻 나서지 않고 엄마의 눈치만 봤다.

「안녕.」

혁주가 먼저 악수를 청했다. 아이가 미적미적 손을 내밀자 혁주는 두 손으로 받아 감싸고 한참을 있다가 아이의 손등에다 정중히 뽀뽀를 했다. 그 여자는 혁주가 심각하고 축축한 쪽으로 유도하려는 분위기를 깨기 위해 짐짓 명랑한 소리로 말했다.

「우리 문혁이 뭐 먹을까. 삼색 아이스크림하고 파이 어때?」

아이가 고개를 끄덕였다. 아이가 먹는 걸 말없이 지켜보던 혁주가 거진 다 먹어갈 무렵 가져온 상자를 끌렀다. 원격조정할 수 있는 날씬하게 생긴 자동차였다. 산뜻한 색상 하며 견고하고도 쪽 빠진 자태며 외제상품 하며 10만 원도 넘어 호가할 것 같은 장난감이었다.

「당신의 어머니도 그러더니 당신도 마찬가지군요.」

「뭐가 말이오?」

「아이한테까지 물질공세 취하려는 거 말예요. 6년 전 저 아이를 없애라고 둘이서 번갈아가며 돈봉투로 날 협박할 때하고 어쩌면 그렇게 안 달라졌죠?」

그 여자는 아이를 의식해서 혁주의 귓전에다 대고 속삭이듯 오금을 박았다.

「말 삼가요. 이건 내가 외국출장길에 막연히 이 아이를 그리워하며 산 거였소. 이렇게 되리라는 건 꿈에도 모르고 순수한 마음으로 산 걸 모독하지 말아요.」

그러면서 조종기에다 따로 가져온 건전지를 집어넣자 안테나를 촉각처럼 곤두세운 스포츠카는 테이블과 의자의 다리를 요리조리 피해가며 제과점의 모노륨 바닥을 순식간에 통과해 길바닥으로 나가버렸다. 혁주가 아이에게 의미 있는 일별을 하고 밖으로 따라나가자 아이도 환성을 지르며 따라나갔다. 바깥과는 기껏해야 잘 닦인 유리창 하나를 사이에 두고 있었다. 네 활개를 치며 뛰노는 혁주와 아이의 모습이 잘 보였지만 소리는 잘 들리지 않았다. 그 여자는 그게 안타까웠다. 조종기는 혁주의 손에서 아이한테로 넘어갔다. 혁주가 무어라고 주의할 점을 가르쳐주는 것 같았다. 아이가 조종을 하자 차가 차도로 내려갔다. 혁주가 허풍스럽게 놀라며 조종기를 빼앗으려고 하자 아이가 안 내놓으려는 것 같았다. 혁주가 웃으면서 아이를 안아 올려 둘이서 함께 조종을 하기 시작했다. 뭐가 그렇게 좋은지 아이가 깔깔대며 한 팔로 혁주의 목을 감는 게 보였다.

외국출장 갔다 오는 아빠가 선물로 사온 원격조정할 수 있는 자동차가 아이가 속으로 얼마나 부러워한 꿈의 장난감인지 그 여자는 알고 있었다. 아이가 지금 누리고 있는 황홀경이 그 여자의 가슴을 미어지게 했다. 두 사람의 놀이는 거의 무아지경이었다. 워낙 성품이 밝고 잘 노는 아이였지만 그렇게 행복해보이긴 처음이었다. 혁주의 개구쟁이짓도 일품이었다. 전에 깊이 사귈 동안도 미처 알아보지 못한 그의 감추어진 일면을 본 것처럼 느꼈다.

어느 순간 혁주가 먼저 딱 놀이를 그만두더니 장난감을 수습하고 아쉬워하는 아이를 앞세우고 제과점 안으로 들어왔다.

「자아, 자아, 그만 놀자. 너무 오래 놀면 엄마가 다시는 우리끼리 못 놀게 할지도 모르니까.」

일부러 크게 말하는 게 그 여자 들으라고 하는 소리 같았다. 그 날은 더이상 입적에 대한 말은 없이 서운할 정도로 미적거리지 않고 떠나갔다. 그러나 아이를 한번만 보겠다는 약속은 지켜지지 않았고 그 여자도 구태여 그걸 탄하지 않았다. 아이가 몹시 기다리는 눈치였기 때문이다. 다음에 올 때도 혁주는 비싼 장난감을 사왔고 미리 그 여자의 허락을 받고 단둘이만 나가서 외식을 하고 돌아왔다. 그동안 아이를 어떻게 포섭을 했는지 아이는 혁주를 자연스럽게 아빠라고 부르고 있었다. 그 여자도 아이에게 혁주가 아빠라는 걸 어떻게 혼란이나 충격을 주지 않고 가르쳐줄 수 있을까 은근히 걱정하고 있던 참이었기 때문에 차라리 잘됐다 싶었다. 혁주가 돌아간 후 은근히 아이의 마음을 떠봐도 아이가 갈등을 느끼고 있는 흔적을 찾아볼 수 없었다. 아이의 마음이란 어른의 마음의 잣대로 잴 수 없는 특이한 유연성을 가지고 있나 보다. 또 천륜도 무시 못한다고 생각됐다. 혁주는 미웠지만 부자가 금세 친해진 게 천륜 때문이라고 생각하면 그 여자는 쉽게 편안해질 수가 있었다. 되레 올 때마다 들입다 비싼 장난감을 사가지고 와서 아이의 환심을 사려는 혁주가 딱해보였다. 저렇게 조바심 안해도 아빠는 아빠인 것을 하고.

그 여자의 그런 연민은 혁주를 애 아버지로 인정한 거나 다름없는 생각이었다.

혁주가 드나드는 사이사이 황여사는 황여사대로 고기나 과일 케이크 등 비싼 먹을 것을 사가지고 와 그 여자의 눈치를 살펴가면서 아이의 환심을 사려고 애썼다. 입적을 핑계로 만나기 시작한 게 핏줄의 정에 이끌리게 되는 과정을 지켜보면서 그 여자는 두려움과 함께 묘한 승리감 같은 걸 맛보고 있었다. 혁주의 말대로 그 여자는 복수를 한 것인지도 몰랐다.

혁주와 황여사는 비싼 물건을 잔뜩 사가지고 와서도 비실비실 비굴하게 행동했고 그 여자가 아이를 보여주면 감지덕지했고 안 보여줘도 싫은 소리 한마디 못했다. 그 여자는 자기도 모르게 그런 관계를 즐기고 있는 사이에 아이는 아무런 갈등 없이 새로운 아버지와 할머니의 존재를 받아들였고 쉽사리 고급의 장난감과 비싼 물건에 길들여졌다. 그들이 친해지는 걸 천륜이라고만 생각해오던 그 여자도 차츰 지나친 물질공세로부터 아이를 보호할 필요성을 느끼게 됐다. 혁주의 당초의 약속도 입적문제만 허락해주면 자주 드나들지 않겠다고 했고, 그들의 물질공세도 목적을 빨리 달성하고픈 일종의 정서불안 증세로 보였기 때문이다. 이왕이면 아이가 학교에 들어가기 전에 입적문제를 마무리짓고 싶은 것도 그 여자의 솔직한 심정이었다. 성이 달라지는 일이라 아이의 혼란을 최소한으로 줄이려면 서두를 수밖에 없었다.

문혁이를 김혁주의 아들로 입적시키는 일은 문혁이가 태어나기 전부터 그 여자가 바라던 바였고 그렇게 바라던 걸 시뜻하게 미룬 건 그게 거부당했을 때의 원한 때문이지 사실대로 기록되길 바라는 마음에 변화가 있었던 것은 아니다. 물론 그동안 자신의 성을 따르게 하면서 지녀온 나만의 자식이라는 강한 오기와 소유욕을 양보하게 된 게 서운하기도 했지만 자신이 속한 사회가 부계혈통 사회니만치 홀로 모계혈통으로 기르는 외로움과 불안에서 벗어나고 싶기도 했다. 부계혈통 사회에선 아버지의 호적에 입적시키는 게 원칙이고 내 자식도 이제부터 원칙대로 키우게 됐다는 안도감이 비로소 어미의 도리를 다한 것 같은 만족감과도 비슷한 게 그 여자의 솔직한 심정이었다.

그 여자가 문혁이를 낳고 나서 한때나마 입적을 시켜주길 애걸하다가 거절당하자 사생아로 키우되 강한 아이로 키우기로 결심한 것도 인습적인 편견에 의해 불이익이나 상처를 안 받을 강한 아이지, 자기가 속한 사회의 법질서를 일부러 무시하고 사는 비상식적인 인간을 뜻한 건 아닐 터였다.

그 여자는 아이하고 놀고 싶어 왔다는 혁주한테 아이는 보여주지 않고 조용한 다방으로 데리고 가서 용건부터 말했다.

「입적을 시키되 사실대로 기록하는 걸 잊지 말아야 해요. 문혁이가 당신과 내 아이라는 게 사실이니까 그렇게 기록되길 바라는 거지 행여 당신네가 잘나고 유력해보여서 내가 양보하는 줄 알면 곤란하단 말예요. 될 일도 아니고요.」

「그게 무슨 뜻인지 난 못 알아듣겠는걸.」

혁주의 안색이 경직됐다. 저게 바로 저 남자의 본색이다라는 생각이 불길한 예감처럼 선뜩하게 그 여자를 스쳤다.

「나도 문혁이의 생모로 기재되길 바란단 말예요. 그게 사실이니까.」

「뭐라고? 그럼 나더러 이혼을 하란 소리가 아뇨. 당신 참 대단한 여자군. 아들 하나를 미끼로 너무 큰 걸 노리고 있었구만. 기가 막혀서……」

「기가 막힌 건 나예요. 난 내가 말한 대로 사실대로 기록되길 바랄 뿐이에요. 난 지금 당신의 아내가 아니고, 또 당신 같은 사람의 아내가 돼달래도 10리는 도망갈 사람이란 말예요. 사람이 한 번 속지 두 번 속나요. 지금의 당신네들 부부관계에 법적인 도전을 할 생각은 꿈에도 없으니 안심하고 문혁이를 당신 호적에 올리되 모(母)난에 나를 생모로 기록해야 돼요. 너무 강조하는 것 같지만 나는 사실이 사실대로 기재되길 바랄 뿐이에요.」

「내가 만일 내 임의로 문혁이를 아내와의 사이의 아이로 신고한다면 어쩔 테요.」

「당신 아내와 내 아들 사이가 친생자관계가 아니라는 걸 확인해달라고 법원에다 청구할 거예요.」

「당신은 순진한 척 사실, 사실, 하지만 뒤로는 여차즉하면 법에 호소할 궁리까지 하고 있었군. 그렇게까지 영악한 여잔 줄 몰랐소.」

「당신처럼 자기 이익에 따라 마음대로 사실을 왜곡하는 사람과 상대해야 할 때 사실을 사실로 인정해줄 법이라는 빽이라도 있어야 하는 거 아녜요?」

「그래서 법을 얼마나 연구했는지는 모르지만 문혁이가 혼인 외의 자식이 될 때 장차 받을 불이익까지는 왜 못 생각했소? 우리는 내 재산보다 아내 명의의 재산이 훨씬 더 많은데 아내는 아마 제가 낳은 딸한테 다 상속을 시키면 시켰지 문혁이한테는 한푼도 상속을 안 시킬지도 모르는데.」

「그건 당연하잖아요. 자기가 불린 재산 자기 핏줄한테 주고 싶은 건. 나 그 재산 탐나서 문혁이 인지해달라는 거 아녜요.」

「문혁이 장래를 생각하면 그럴 수는 없을 텐데……」

「당신이야말로 문혁이 장래를 생각한다는 게 고작 그거였어요. 여직껏 받은 장난감이나 먹을 것이나 다 구역질이 나요. 그걸로 우릴 매수한 줄 알고 있었을 거 아녜요. 사실이고 나발이고 다 일없으니 10년이 걸리든 백 년이 걸리든 돈으로 안되는 것도 이 세상에 쎄고 쎘다는 걸 깨닫기 전엔 내 앞에 얼씬도 할 생각 말아요.」

이렇게 해서 문혁이의 인지를 둘러싼 첫 담판은 어이없이 끝났다. 그러나 모욕을 당하고 화가 머리끝까지 나서 자리를 박차고 일어난 혁주는 며칠 안돼 속죄하는 죄인처럼 풀죽고 면목없는 모습으로 다시 나타났다.

차문경을 생모로 해서라도 입적을 시키겠다는 거였다.

그 여자는 혁주의 비굴한 저자세와 불안 초조를 지켜보면서 그만하면 지난날 문혁이를 입적시켜달라고 애걸할 때 당한 모욕과 배신을 어느 정도 갚아준 것처럼 느꼈기 때문에 더는 군소리 안하고 승낙을 했다. 그러나 김혁주의 장남으로 기재된 호적등본을 떼본 그 여자는 착잡한 감회로 울음이 복받쳤다. 오랜 소원을 성취한 것도 같았지만 그동안 자신을 지탱해준 받침대를 잃은 것처럼 휘청거렸고, 아무리 가난할 때도 충만하게 해주던 보물을 잃은 것처럼 허전하기도 했다.

달라진 건 아무것도 없어, 문혁이는 내 아들이고, 김혁주의 호적에 사실대로 기재되길 바란 건 내 오랜 소원이었지 않나.

이렇게 자위했지만 현실은 야금야금 달라지고 있었다. 문혁이를 보고 싶다는 핑계로 뻔질나게 드나들던 아버지와 할머니의 발길이 뜸해진 대신 조금씩 당당해진 그들은 문혁이가 어른을 뵈러 오길 요구하기 시작했다. 처음부터 윗사람의 권위를 내세워 문혁이의 의무를 강요한 건 아니고 처음엔 할머니 생신날 문혁이를 초대하는 형식이었다. 이왕 그 집안의 호주상속자가 된 마당에 절손될까 봐 온갖 굴욕을 무릅쓴 그 집안의 웃어른 생신을 굳이 외면할 만큼 그 여자는 옹졸하거나 원한이 맺혀 있지 않았다. 정성껏 마련한 선물까지 안동해서 데리러 온 운전기사한테 아이를 내주었다. 돌려보내기로 약속한 시간보다 한 시간쯤 늦게 돌아왔지만 크게 신경 쓰지 않았다. 되레 물건도 아닌 아이를 시간약속까지 하고 빌려주듯이 내준 건 너무 옹졸한 처사가 아니었던가 뉘우치는 마음까지 없지 않았다. 그러나 시작이 반이라던가. 그렇게 한번 길을 트기 시작하자 툭하면 아이를 불러가지 못해했다. 집안 식구 생일마다 불러가는 것으로도 성이 차지 않는지 할머니가 보고 싶어한다고, 누이들이 놀고 싶어한다고도 차를 보냈다. 외롭게 자랐으면서도 붙임성이 좋은 문혁이는 누이들과 쉽게 친해진 모양이었다. 누이들 얘기를 자주 했고 어떤 때는 문혁이 쪽에서 먼저 누이들하고 놀고 싶어하기도 했다. 동기간이 생겼다는 건 좋은 일이었다.

그러나 문혁이가 무슨 말끝에 〈큰엄마〉는 참 예쁘고 엄마보다 훨씬 멋쟁이라는 소리를 했을 때는 그 여자도 충격을 받았다. 예쁜 멋쟁이보다 〈큰엄마〉가 충격적이었던 것이다. 그쪽 여자가 〈큰엄마〉라면 나는 무언가? 작은엄마? 소실? 첩? 그 정도로 자신을 비하시키고 나서도 역시 그까짓 호칭에 신경 쓸 거 없다고 자신의 옹졸함을 나무랐다. 〈큰엄마〉〈작은엄마〉는 백모 숙모에게도 해당되는 호칭이 아닌가. 그 여자도 그 무렵엔 부르기 편한 대로 아이한테 그쪽 집을 말할 때 〈할먼네〉 아니면 〈큰집〉이라고 하고 있었다.

크리스마스 때도 문혁이는 큰집에 초대되었다. 문혁이한테는 벌써부터 바람을 넣은 듯 며칠 전부터 선물받을 기대로 아이는 잔뜩 들떠 있었다. 선물은 받기만 하는 게 아니라 주기도 해야 된다는 걸 가르쳐주려고 그 여자는 아이의 손목을 잡고 같이 선물을 사러 다녔다. 그리고 그동안 아이의 눈이 얼마나 높아졌는지를 몸소 느끼고 경악을 금치 못했다. 아이는 몇백 원짜리 장난감이나 학용품을 거들떠도 안 보고 비싸고 반질반질한 수입상품이나 어른들의 사치품 쪽으로만 눈길을 주고 있었다. 억지로 달래고 야단을 쳐서 아이의 분수에 맞는 걸 사도록 했지만 아이는 끝내 시뜻하고 불만스러운 표정을 풀지 않았다.

큰집에선 크리스마스 이브에 데려간 아이를 그날 밤 돌려보내지 않았다. 처음 있는 일이었지만 특별한 날인 걸 감안해서 탓할 마음은 없었다. 그러나 다음날 오후에나 돌려보내면서 아이에게 딸려

보낸 어마어마한 선물은 그 여자를 아연실색하게 했다. 할머니로부터 한 살 터울의 어린 누이동생에 이르기까지 식구들마다 각각 포장을 달리한 선물은 누가 선물했나와는 전혀 관계없는 고가품 아니면 사치품이었다. 자기의 키보다 더 큰 선물상자에 가린 운전기사가 아마 도련님이 학교에 갈 때 필요한 일습을 장만해 보내신 것 같다고 변명을 할 만치 그 선물은 우선 부피로부터 비위에 거슬렸다. 내용물도 기사의 말과 틀리지 않았지만 옷도 몇 벌씩이나 되는 게 하나같이 기가 질리게 비싼 것들이었고 학용품은 값도 알 수 없는 외제품들이었다. 이건 어른들한테는 천 원짜리, 누나들한테는 5백 원짜리 정도의 선물을 사보낸 그 여자에 대한 중대한 도전이요 모욕이었다. 특히 책가방을 비롯해서 도시락통 지우개에 이르기까지 학용품 일습이 단 한 개의 국산품도 안 섞인 일제일 뿐더러 그 생김새와 씀씀이가 아이들뿐 아니라 어른의 눈도 능히 홀리게 할 만큼 아름답고, 간사하리만치 정교한 데 이르러서는 분노마저 금할 수가 없었다.

그 여자는 단호하게 아이로부터 그 모든 것을 빼앗으려고 했고 아이는 몸부림을 치며 그 모든 것을 차지하려고 했다.

그 여자는 처음으로 아이를 몹시 때렸다.

매맞고 잠든 아이의 종아리를 쓰다듬으며 그 여자는 문득 아이의 다리가 풍족한 물질의 늪에 깊숙이 빨려들어가고 있는 것처럼 느꼈다. 위기의식이 차가운 칼날처럼 무섭고 섬뜩하게 그 여자를 스쳤다. 아이를 꼭 껴안고 잠이 들어서도 사정없이 빨아들이는 깊이 모를 진흙탕에서 아이를 구하려고 몸부림치는 꿈을 꾸다가 깨어났다. 악몽이었다. 온종일 일이 손에 잡히지 않고 불안했다.

저녁때 엄마를 상가까지 마중나온 아이는 쇼윈도의 어린이 마네킹이 입고 있는 스키복을 보고 발길을 멈추더니 말했다.

「엄마 나도 저런 거 큰엄마가 사주었어. 설 쇠고 스키 타러 가는데 같이 가자고. 엄마 나 가도 되지? 시내 누나도 아빠도 다 같이 간댔어. 할머니만 집 보시고.」

아이가 엄마의 눈치를 몹시 보면서 말했다. 한번도 그런 적이 없던 아이였다. 그 여자는 비정상적인 가족관계가 아이의 성격에 혹시라도 나쁜 영향을 끼칠까 봐 아이가 그쪽 식구들과 어울리는 일에 스트레스를 안 받도록 세심하게 신경을 썼었다. 그 집 가면 어찌어찌 하라고 특별한 예절을 강요하지도 않았거니와 그 여자 자신도 특별히 좋아하거나 싫어하는 눈치를 안 보이고 예사롭게 굴려고 노력했다. 그러나 처음 든 매질에 아이는 벌써 어른들의 싸고싼 비밀을 다 알아버렸다는 듯 순진치 못한 얼굴을 하고 있었다.

그동안 겪은 신상의 변화가 아이에겐 과중했었나 보다. 너무 그쪽에서 하자는 대로 아이를 내맡겼었다는 후회도 되었다. 그 여자는 다만 아이가 부자 아버지를 포함해서 갑자기 생겨난 새로운 가족과 환경의 변화를 사실대로 받아들이길 바랐을 뿐이었다.

그 여자는 안된다고 그러고 싶었다. 그러나 아이가 상심할 게 미리 염려되었다. 아이는 이미 전에는 상상도 못할 것들에 대한 욕망을 가지고 있었다. 돌이킬 수 없는 일이었다. 그 여자는 어찌할 바를 몰랐고 괴로웠다. 그러나 그걸 내색해선 안된다고 생각했다. 아이로 하여금 줄줄이 일어나는 변화를 무사히 넘기게 하려면 자기가 먼저 그걸 대수롭지 않게 여겨야 된다고 생각했다.

그 여자가 그렇게 망설이는 동안 아이가 초조한 듯 쳐다보았다. 너무 오래 생각했나? 그까짓 일을 가지고 너무 오래 생각하는 것도 아이에겐 부담이 될 것도 같아 냉큼 「괜찮고말고」라고 말해버렸다. 그리고 이내 낭패감에 사로잡혔다. 그러나 다른 무슨 말을 할 수 있단 말인가? 그 여자는 울고 싶었다. 무엇인가 납덩이 같은 게 그 여자의 마음을 짓눌렀다. 그 여자는 괜히 아이를 보고 미소지었다. 그러나 아이는 미소짓지 않았다. 아이는 정직하니까. 아이도 뭔가에 짓눌리고 있었다.

아이가 신년 연휴를 용평 스키장에서 보내는 동안 그 여자도 반찬가게 문을 닫고 집에서 오래간만에 푹 쉬도록 했다. 자연히 텔레비전이 유일한 벗이었고 텔레비전은 고맙게도 뉴스시간에도 오락시간에도 자주 용평 소식을 전해주었다. 날이 포근해 서울에선 아직 눈다운 눈을 못 보았는데 용평과 설악산 쪽엔 간밤에도 50센티가 넘는 폭설이 내렸다고 했다. 뉴스시간엔 대관령의 제설작업과 거북이걸음을 하는 차량, 아예 주인 없이 세워진 빈 차들의 모습과 함께 풍성한 눈에 환호하면서 즐기는 스키어들의 모습을 비춰주었다. 쇼도 용평에서 찍은 거였다. 멋진 스키복을 입은 인기 연예인들이 유연한 활강 폼으로 노래를 부르기도 하고, 일부러 엎으러지며 고꾸라지며 사람을 웃기기도 했다. 북구의 아이들을 방불케 할 만큼 눈 장비를 완벽하게 갖춘 아이들이 천진하게 웃기도 하고 손으로 브이자를 그려 보이기도 하면서 화면에 비치고 싶어 연예인 근처를 얼씬대는 모습이 한층 현장감을 살리고 있었다. 그동안 고달프고 억척스럽게만 살아온 그 여자에겐 눈부신 별천지였다. 그러나 문혁이가 그 별천지와 관계를 맺기 시작한 이상 그 별천지는 신기하고 재미있는 구경거리일 수만은 없었다. 그 여자는 역경을 살아오면서 웬만한 어려움이나 근심에 동요 안할 배짱 하나는 두둑해졌다고 생각하고 있었다. 그러나 자신이 어렵게 쌓아올린 생활에 별천지로 통하는 출구가 생겨났다는 건 여직껏 경험한 어떤 어려움이나 근심하고도 달랐다. 그 여자는 두려웠다. 거의 눈물을 흘릴 뻔한 적도 한두 번이 아니었다.

아이는 돌아온다는 날에 돌아왔고 매우 건강하고 행복해보였다.

3박 4일이나 아이가 엄마 곁을 떠나 있던 적은 처음이었다. 겨우 그동안에 또 한번 북구라파 아이들 생각을 했다. 그러나 그 여자가 북구라파 아이들에 대해 구체적으로 뭘 알고 있는 건 아니었다. 눈이 많은 지방, 따뜻하고 원색적인 털옷, 해맑은 피부, 순진한 표정 등 다분히 동화적인 상상력이 고작이었다. 어쩌면 그 여자는 이런 약간 유치한 상상력으로 보다 심각한 변화를 모르는 척하고 싶었는지도 모른다. 그 여자가 정말 알고 싶은 건 아이의 내적 변화였다. 그러나 아이는 엄마와 떨어져서 보낸 3박 4일 동안을 어떻게 지냈는지 한마디도 말하지 않았다. 문혁이는 원래 그런 아이가 아니었다. 유치원에서 배운 거, 친구집이나 길 가다 새롭게 보고 들은 거, 외갓집이나 이모네서 사촌들하고 놀다가 생긴 일 등을 엄마가 묻지 않아도 자세하고 생생하게 들려주던 아이였다. 그런 아이가 분명히 여직껏의 경험 중 최고의 획기적인 경험이 되었을 지난 3박 4일에 대해선 없었던 것처럼 굴었다. 아이의 그런 능청스러움이란 얼마나 부자연스러운 것인지. 궁금하면 그 여자 쪽에서 먼저 물어볼 수도 있으련만 그 여자도 그러지 않았다. 아이와 어른이 무슨 꿍꿍이속인지 마음을 합해 그동안을 구태여 여백으로 남겨놓으려고 했다. 그러나 아이는 친구들하고 놀 때는 곧잘 스키 타러 갔다온 걸 자랑삼았고 그 여자는 신경을 곤두세우고 그걸 엿들었다.

그렇게 그 여자의 심사가 편치 않을 때 혁주 쪽에서 새로운 제안을 해왔다. 아이의 주민등록을 그의 집으로 옮겼으면 하는데 어떻게 생각하느냐는 거였다. 전화로 조심스럽게 물어온 걸 그 여자는 생각하고 말 것도 없이 일언지하에 거절을 했다. 거절을 하고 나서도 안 들으니만 못하고 생각할수록 치가 떨렸다. 괘씸한 생각 같아선 당장 달려가서 따귀라도 때리고 싶었다. 입적을 시켜달라고 할 때 고분고분 협조했던 게 후회가 됐다. 바로 그게 만만하게 보인 시초가 된 것 같아 분하고 억울했다.

그 여자가 달려갈 것도 없이 혁주가 먼저 달려왔다.

「남의 얘기를 끝까지 듣기도 전에 전화를 그렇게 끊는 법이 어딨어요?」

혁주는 즉시 달려온 사람답지 않게 흥분한 기색 없이 차분하게 말했다.

「끝까지 듣는다고 해서 내 대답이 달라질 리 만무하니까요.」

「사람이 말을 그렇게 무쭉 자르듯이 딱 잘라 말하는 게 아녜요.」

혁주의 훈계조의 온화한 말투가 털벌레처럼 징그러워서 그 여자는 언성을 높였다.

「당신 지금 얻다 대고 제 마누라 훈계하듯 수작 부리는 거예요?」

그의 마누라를 입에 담았다는 것만으로도 아차, 싶었지만 한번 내뱉은 말을 주워담을 수는 없었다. 그럴싸해서 그런지 그의 얼굴에 얄잡는 듯한 미소가 스친 것 같았다.

「그렇게 들렸다면 미안하오. 나는 다만 당신이 좀더 협조적일 수도 있다고 생각했을 뿐이오. 딴 일과 달라서 문혁이를 위한 일이 아니오.」

「그애 주민등록을 옮기는 일이 말인가요?」

「화부터 내지 말고 생각해봐요. 우리집은 8학군에 있고, 국민학교도 부자동네라 시설 좋고 잘 가르치기로 소문난 학교에 보낼 수 있소. 딸들은 다 그런 학교에 보내면서 하나밖에 없는 아들을 이런 후진 동네에 있는 학교에 보내려니 어찌 걸리지가 않겠소. 나보다는 어머니하고 집사람이 더 극성이지만 말요. 여자들의 교육열은 알아주는 거 아뇨. 그래서 당신도 기꺼이 협조할 줄 알았던 거요.

주민등록만 옮기자는 게지 아이의 몸까지 옮기자는 것도 아닌데 그렇게 과민하게 반응할 게 뭐 있소?」

「몸은 안 옮기면, 그럼 1학년짜리가 이 동네서 그 동네까지 매일 한강을 건너서 통학을 할 수 있단 소리예요 뭐예요. 그 말도 안되는 소리 좀 작작 하시우.」

「당신은 마치 우리 쪽은 사람도 아닌 것처럼 여기는 모양인데 애비도 사람이오. 왜 그 생각을 안했겠소. 회사 차말고 집사람 차가 따로 있는데 이번 기회에 운전수를 고용해서 아이의 수송을 전담시키고 나머지 시간만 집에서 쓰기로 했소. 그래도 안되겠소?」

「네. 안되고말고요. 그리고 그런 눈으로 날 바라보지 말아요. 당신 눈엔 내가 자식의 교육문제는 안중에도 없는 한심한 에미로 보이는 모양이지만 내 눈엔 당신네들이 그렇게 보여요. 알아듣겠어요? 내 말뜻.」

「모르겠소 전혀.」

「당연하죠. 그게 당신네들과 나의 사람의 차이니까요. 그렇다고 나의 교육관을…… 조금 우습네요. 교육관이라고 말해놓고 나니. 그냥 자식 기르는 도리라고 해둡시다. 그 문제를 놓고 당신하고 긴 말하고 싶지 않아요. 당신네 같은 벽창호가 알아듣게 할 재간도 없거니와 그럴 필요성도 없으니까요.」

「당신이 뭐라고 변명해도 당신은 지금 동물적인 애정 때문에 중요한 걸 놓치려 하고 있소. 후회할 거요.」

혁주가 냉혹하고 거만하게 말했다. 그 여자는 속속들이 떨려서 말문이 막혀버렸다.

「당신은 뭘 너무 몰라. 우리는 마음만 먹으면 문혁이를 당신한테서 빼앗아갈 수도 있어.」

그런 무서운 말을 혁주가 남기고 가버리자 그 여자가 발을 동동

구르며 제일 먼저 한 짓은 겨우 문혁이를 찾아나서는 거였다. 아이는 놀이터에서 동네 아이들하고 섞여서 잘 놀고 있었고 그 여자가 힘주어 껴안고 놓아주지 않자 참고 있다가 곧 몸을 비틀었다. 그리고 그 다음엔 생각한 게 집을 옮기는 거였고 전셋집이기 때문에 곧 실행에 옮길 수가 있었지만 물론 8학군을 염두에 두어서가 아니었다. 아직은 성업중인 반찬가게가 있는 동네를 벗어날 형편이 아니었다. 결국은 그 동네에서 문혁이가 갈 국민학교하고 좀더 가까운 집으로 옮긴 데 불과했다. 도둑맞은 집이 정떨어지듯이 도둑을 맞을 것 같아 미리 정이 떨어졌다고나 할까. 이사하고 나서야 너무 허둥댔다고 쓴웃음이 나올 정도였으니까 이사해서 한동안이라도 혁주네를 피할 수 있으리라고 여긴 건 아니었다. 무서웠기 때문에 외로웠기 때문에 가만히 있을 수가 없었고 학교 운동장이 내 집 마당처럼 바라보이는 집이라는 게 심리적으로 위안도 되었다.

문경이가 단 몇 달이라도 정말 큰집과의 관계를 끊고 싶었다면 전셋집을 옮기는 것과 동시에 반찬집도 폐업을 하든지 멀찌거니 떠나야 했을 것이다. 그러나 그 여자는 그러지 않았다. 그래볼까 하는 생각조차 스친 적이 없었다. 남에겐 우습게 보일지 몰라도 반찬집은 그들 모자의 밥줄이었다. 밥줄은 남으로부터도 침해받을 수 없지만 본인 또한 함부로 경시해선 안된다는 생각에 그 여자는 투철했다. 밥줄을 놓쳤을 때의 막막하고 참담한 체험은 밥줄을 빼앗은 사람들에 대한 분노보다도 그렇게 호락호락 빼앗긴 자신에 대한 분노로 더 많이 남아 있었다. 그만큼 자리가 잡힌 반찬가게만은 악착같이 지키고 싶었다.

결과적으로 이사는 괜한 짓이었다. 문경이의 생활의 근거가 반찬가게에 있는 이상 큰집과의 관계는 그후에도 변함이 없었다. 아이를 빼앗아갈 수도 있다는 말은 혁주가 홧김에 한번 그래본 것일

뿐 다시는 그런 협박조의 말을 입에 담지도 않았거니와 그럴 의심을 받을 만한 짓도 하지 않았다. 8학군에 대한 얘기도 다시는 거론하지 않아 아이는 이웃 학교에 입학해 잘 다녔다.

할머니가 보고 싶어한다고, 또는 누나 생일이라고, 피크닉을 간다고 가끔 문혁이를 데려가거나 값비싼 선물을 보내오는 일도 전과 다름없었다. 그러나 그걸 청할 때 정중했고 약속한 시간을 어기지 않고 돌려보냈기 때문에 이사까지 하느라 법석을 떤 게 스스로 창피하고 무안해질 지경이었다. 그 여자는 다시 마음을 놓고 생업에 종사할 수가 있었다. 다만 아이가 터무니없이 비싼 옷이나 물건에 길들여지면서 예상되는 넉넉지 못한 친구가 대부분인 학교생활과의 갈등에 대해선 혁주하고 한번 진지하게 상의해볼 참이었다. 혁주가 아이를 위하고 사랑하는 마음에 거짓이 없다면 그 방법의 차이나 잘못은 쉽게 고쳐나갈 수 있다고 믿었다.

그러나 그런 상의할 시간을 갖기 전에 여름방학이 왔고, 혁주가 처음으로 약속을 안 지키는 일을 저질렀다. 저녁 먹여서 보내마고 데려간 아이를 그날 밤 돌려보내지 않았다. 방학이라 어른 아이가 다 느긋해져서 그러려니 했다. 그러나 그런 버릇은 짚고 넘어가야 할 것 같아 다음날 회사로 전화를 걸었다.

문혁이가 뱃속에 있고 혁주가 전산실 김계장일 때 걸어보고 처음 걸어보는 전화였다. 지금 혁주는 남의 회사 계장이 아니라 자기 회사를 가진 사장이었다. 전화도 쉽게 연결되지 않았고 여비서인 듯한 상냥한 목소리는 회의중이신데 누구시라고 전할까요? 하고 이쪽의 신분을 알고 싶어했다. 괜히 이름만 대선 안 바꿔줄 것 같았다. 차문경이가 영자, 미자, 정숙, 영숙과 무엇이 다를까. 그쪽에서 요구하는 건 사회적인 지위나 가족적 관계일 터였다. 얼떨결에 그 여자는 「문혁이 엄마라고 전해주세요」라고 말했다. 그리고 나서 자신의 이름이 김씨 집 호적에 문혁이의 모(母)로 올라 있음을 무슨 큰 빽이나 되는 것처럼 상기했다.

「그렇게 전하겠습니다.」

여비서는 그렇게 말하고 전화를 끊었다. 바꿔주려고 물어본 것도 아닌데 괜히 신분을 밝힌 게 아닌가 하는 생각도 들었다. 그리고 자신이 왜 그렇게 떳떳지 못해야 하는지 분하고 억울했다.

넉넉잡고 회의가 끝났을 것 같은 무렵 다시 전화를 걸었다.

「아까 전화 걸었던 문혁이 엄마입니다만 김사장님과 통화할 수 있을까요?」

그 여자는 신분은 물론 교양까지 과시하려고 애썼다.

「네, 잠깐만 기다려주십시오.」

그 여자는 여직원의 사무적인 말투에서도 뭔가를 짐작해내려고 잔뜩 신경을 곤두세웠다.

「전화 바꿨소.」

혁주 목소리였다.

「문혁이 때문에 걸었어요.」

「잘 있소.」

「오늘은 보내주세요.」

「알았소.」

전혀 감정이 섞이지 않은 짧은 대꾸는 찰까닥 하는 기계적인 음향과 함께 끝났다. 문경이는 마치 불의에 떠다밀린 것처럼 어안이 벙벙했다. 그리고 그날도 문혁이는 돌아오지 않을 것 같은 예감이 들었다. 돌려보내주지 않을 줄 뻔히 알면서도 그 여자는 목마르게 문혁이를 기다렸고 밤새 잠을 못 이뤘다.

다음날은 한결 성난 목소리로 다시 회사로 전화를 걸었다. 전화는 곧 연결이 됐지만 그쪽 목소리도 잔뜩 성이 나 있었다.

「아이는 잘 있다고 했잖소.」

「안부를 묻는 거 아녜요. 약속이 틀리잖아요. 오늘 안으로 꼭 돌려보내주셔야 해요. 안 그러면……」

「안 그러면?」

비꼬고 경멸하고 있다는 것을 나타내려고 그랬을까. 딴사람의 목소리처럼 한껏 꼬이고 가시 돋친 목소리였다.

「화낼 일이 아니잖아요.」

「아이는 물건이 아니란 말요.」

「누가 물건이랬어요?」

「난 그 애 애비요.」

혁주의 말투가 별안간 선언투로 변했다. 짐은 국가라고 선언하는 제왕의 목소리도 아마 그보다 더 오만불손하진 않았으리라. 그 여자는 공구(恐懼)했다. 혁주의 부권(父權)에 대해서라기보다는 별안간 당면하게 된 새로운 국면에 자신이 너무 무방비 상태라는 게 두려웠다.

「그래서요?」

그 여자의 목소리는 형편없이 떨렸다.

「문혁이가 어디 못 올 데 온 거 아니니 성화 좀 작작 하란 말요.」

그리고 나서 또 〈찰까닥〉이었다. 설사 그가 대답을 기다려줬다고 해도 그 여자는 암말도 못했으리라. 꽤 오랫동안 수화기를 쥔 채 말문이 막혀 있었다.

이윽고 떠오른 생각은 더 늦기 전에 아이를 빼앗아와야 한다는 거였다. 더 늦기 전에, 더 늦기 전에…… 그 여자는 〈더 늦기 전에〉에 끊임없이 쫓기면서도 늦도록 장사를 해야만 했다.

대강 머리를 매만지고 옷을 갈아입었다고는 하나 마음이 급해서

멋에까지 신경을 쓸 겨를이 없었다. 혁주가 사는 아파트 진입로의 휘황한 상가와 산책 나온 그곳 주민들의 세련되고 대담한 옷차림은 이국의 휴양지를 방불케 했다. 한여름이었다. 특히 여자들의 옷차림은 여름 꽃밭 같았다. 그 여자는 자신의 옷차림이 수수한 정도가 아니라 궁상맞게 보일 것 같아 그만 주눅이 들려고 했다. 그러나 그럴수록 문혁이가 보고 싶은 열정도 목구멍까지 차올랐다. 그 여자는 화차처럼 뜨겁게 헐떡이며 혁주네 아파트에 당도했다. 문혁이가 드나드는 동안 동 호수만 알아놓았을 뿐 가보긴 처음이었다.

문을 열어준 가정부의 어깨 너머로 서늘한 바람이 머리카락 한 줌이 땀에 함부로 엉겨붙은 그 여자의 이마에 상쾌하게 와 닿았다. 복중으로 치닫고 있는 날씨와 좋지 못한 예감과 분노로 뜨겁게 달구어진 그 여자에게 냉방이 잘된 아파트의 실내온도는 매우 생뚱스러웠다. 그 여자는 갑작스러운 이질감 때문에 문혁을 찾으러 온 걸 잠깐 잊어먹고 별세상 같은 분위기를 멍한 기분으로 바라보았다. 저녁식사 후인 듯 감미로운 고기 냄새가 희미하게 남아 있었지만 넓은 거실 한가운데 차려진 건 색색가지 과일이었다. 은빛 쟁반 위에 소담하고 모양 있게 썰어담은 과일, 둘러앉아 담소하는 사람들의 나른하고 근심 없는 표정, 그것들을 비추는 샹들리에서 요염하게 하늘대는 크리스털 조각들…… 그 여자의 눈길이 거기까지 미쳤을 때 「엄마!」 하면서 문혁이가 뛰어나왔다. 아이는 엄마에게 깊이 파고들었다. 그리고 울음을 터뜨렸다. 그 여자는 품속에서 흐느끼는 아이의 어깨를 감싸안으며 그동안 앙상해진 것처럼 느꼈다. 사흘 만인데도 그 여자는 아주 오랫동안 아이에게 무심했던 것처럼 느꼈고, 엄마가 무관심한 동안 앙상해진 건 아이의 어깨뿐 아니라 마음도 함께라는 걸 깨달았다.

혁주의 아내인 듯싶은 우아한 여자가 앞장서고 그 뒤로 놀란 식구들이 우루루 몰려나왔다. 그들이 놀란 건 갑작스러운 엄마의 출현보다도 아이의 울음인 듯했다. 왜 우냐고 한마디씩 했다.

「어머머 쟤 좀 봐. 온집안 식구가 상전처럼 떠받들었는데도 뭐가 부족해서. 아이 분해. 즈이 엄만 우리가 짜고 구박이라도 한 줄 알겠네.」

큰엄마가 이렇게 푸념을 하면서 서로 뒤엉킨 모자를 노려보았다. 어떡하든 빼앗아 가지고 싶은 호시탐탐한 눈빛이었다. 문경이는 큰엄마의 그런 눈빛에 전율하면서 아이의 몸과 마음이 그동안 황폐해진 건 저 눈독 때문이라고 생각했다.

그 여자가 어렸을 적 저녁나절이면 한꺼번에 피어나는 분꽃이 신기해서 어떻게 오무렸던 게 벌어지나 그 신비를 잡으려고 꽃봉오리 하나를 지목해서 지키고 있으면 딴 꽃은 다 피는데 지키고 있는 꽃만 안 필 적이 있었다. 그러면 어머니는 웃으며 말했었다.

「그건 꽃을 예뻐하는 게 아니란다. 눈독이지. 꽃은 눈독 손독을 싫어하니까 네가 꽃을 정말 예뻐하려거든 잠시 눈을 떼고 딴 데를 보렴.」

어머니 말대로 했더니 신기하게도 그동안에 꽃이 활짝 벌어졌던 기억이 왜 그렇게 생생한지, 그 여자는 오직 아이를 눈독으로부터 보호해야겠다는 생각만 하면서 인사도 하는 둥 마는 둥 아이를 데리고 나와버렸다. 그리고 쫓아오지도 않는데 쫓기듯이 허둥거렸다. 아이는 밖에 나와서도 울음 끝을 길게 끌었고 「엄마 나 다신 그 집에 보내지 마」하고 응석을 부리기도 했다.

그 여자는 그래 그래 다신 안 보낼게. 엄마가 잘못했다고 사과 겸 약속을 했지만 그 집에서 아이가 무슨 일을 당했는지 묻지 않았고 아이도 고자질 같은 건 하지 않았다. 그 여자는 아이에게 고자질할 건덕지가 있을 만큼 언짢은 일을 당했다고 여기진 않았다. 그쪽 여자 말짝으로 상전처럼 떠받들었을 게 틀림없건만 애정 없는 소유욕, 지나친 비위맞춤에 아이는 스스로 넌더리를 내고 있었다.

그쪽에서도 아이의 태도가 여간 섭섭하지 않았나 보다. 한동안 소식과 연락이 딱 끊겼다. 처음엔 그러려니 했지만, 다시는 보고 싶다는 소리 없이 방학을 넘기자 토라져도 단단히 토라졌구나 조금은 안됐단 생각이 들었다. 그러나 가을까지도 단절과 침묵이 계속되자 슬그머니 불안해지기 시작했다. 그렇지만 그런 날벼락이 떨어질 줄은 꿈에도 몰랐다.

10월 초 차문경은 가정법원으로부터 출두하라는 통지서를 받고 비로소 자신이 김혁주가 제기한 자(子)인도 청구권 소송의 피신청인이 되었음을 알게 되었다.

피신청인이라니, 그 여자에겐 피고나 다름없는 어감으로 들려서 우선 가슴이 떨렸다. 「빚보증 서기나 송사질 좋아하는 자식은 낳지도 말라」는 식의 가정교육을 받으면서 자란 그 여자였다. 식구 중에 누가 재판소는 물론 파출소에 불려가는 꼴도 본 적이 없었다. 그게 결코 좋은 것만은 아니었다. 그후 산전수전 겪을 만큼 겪었건만도 법원으로부터 날아온 문서는 죄없이도 겁나고 위협적이었다.

다행히 출두해야 하기까지는 충분한 시일이 남아 있었다. 그리고 출두해야 할 장소도 법정이 아니라 가사조정실로 돼 있었다. 조금씩 마음의 여유가 생겼고 법적인 맹문이에서 벗어나보고자 하는 의욕도 생겼다. 법적인 무지 때문에 당한 억울한 일은 수없이 들어와서 거의 상식에 가까웠다. 재판소가 덮어놓고 싫고 무서운 것도 실은 그런 상식에 근거하고 있었다. 그러나 어떤 싸움에 있어서도 미리 얕보이면 불리하다는 것 또한 그 여자가 살아오면서 터득한 상식이었다. 얕보이지 않으려면 뭘 알아야 한다는 것, 무지하면 얕보여 싸다고까지 생각한 건 그동안 까맣게 잊어버린 줄 알았던 고등교육을 받은 성깔인지도 몰랐다.

가사선생 시절 졸업반 아이들한테 더러 여자이기 때문에 당해야 하는 법률상의 불이익에 대해 말해준 적이 있었다. 연합고사를 치르고 나면 시험점수에 구애받지 않고 교사 재량껏 세상물정이나 남녀간의 애정문제 등 그 또래의 아이들이 솔깃해할 만한 얘기를 해줄 수 있는 시간이 생기는 법이다. 그런 여백의 시간일망정 유용하게 보내려고 제법 공부를 해가며 가르치긴 했지만 어디까지나 상식의 차원을 못 벗어난 얘기였고 그 상식도 벅찰 만큼 그 여자의 제자들은 그때 철부지들이었다. 그 여자는 아쉬운 대로 그때 큰소리치며 알은척한 법률상식을 생각해내려 했지만, 생각나지도 않았거니와 지금까지 유용한가도 긴가민가했다. 벌써 그때가 언젠가. 법이란 끊임없이 새로 생겨나기도 하고 개정되기도 하지만, 묵은 법이 저절로 사문화되거나 폐지되기도 하니까.

그러면서도 그 여자의 의식에 집요하게 달라붙어 그때나 이때나 한결같이 유효한 상식이 있었으니 그건 민법 중에서도 가족생활관계를 규정지은 소위 가족법은 여성에게 일방적으로 불리하게 돼 있다는 일종의 피해의식이었다.

그 여자는 육법전서를 비롯해서 몇 가지의 법률서적을 사들였다. 육법전서는 너무 활자가 작아 시력이 많이 약해졌다고 처음으로 자신의 노쇠현상을 깨달은 것 외엔 별 소득이 없었지만 상식적으로 해설해놓은 친족법에 관한 책들은 도움도 되고 위안도 되었다. 그 여자는 마치 호랑이에게 쫓겨 뒤란 나무 위로 올라가 하나님 하나님 저를 살리시려거든 성한 동앗줄을 내려주시고, 저를 죽이시려거든 썩은 동앗줄을 내려달라고 기도하는 옛날이야기 속의 어린 오누이 같은 심정으로 가족법 사이를 헤맸다. 어떡하든지 문혁이와 더불어 움켜잡을 수 있는 성한 동앗줄을 찾아내야만 했다.

심판에 회부되기 전에 조정절차를 거쳐야 하는데 조정은 어디까지나 쌍방의 원만한 합의가 이루어졌을 때 법적 효력이 생기는 거지 강제력은 전혀 없다고 했다. 그 정도만 알고 나도 좀 마음이 놓였다. 조정절차에 기대를 걸어서가 아니었다. 혁주가 걸어온 싸움을 끝까지 싸워보지도 않고 손들 사람들도 아니거니와 그 여자 또한 아이의 양육권을 내놓는다는 건 상상도 할 수 없는 일이었다.

조정위원 중에 솔로몬이 있다고 해도 합의점을 찾을 가망은 없었다. 그렇지만 심판에 회부되기 전에 조정의 과정이 있다는 건 시간을 벌기 위해서도 자신에게 유리한 건수를 찾아내기 위해서도 고마운 일이었다. 특히 아닌 밤중에 홍두깨처럼 불의에 당한 피신청인의 경우는 더욱 그러했다.

하필 출두해야 하는 날은 김밥의 예약이 여느 때의 몇 곱 몰린 날이었다. 아줌마하고 새벽부터 김밥을 말다 말고 시간이 되자 옷도 못 갈아입고 입은 채로 가정법원으로 달려갔다. 법원 3층 조정실 앞 긴 나무의자에서 기다리는 동안 그 여자는 비로소 자기가 너무 초라하다는 걸 깨달았다.

조정절차를 심판보다도 가볍게 보았기 때문에 옷차림에 신경을 안 썼는지도 모른다. 그건 중대한 실수였다. 그 여자는 목둘레가 늘어난 보랏빛 셔츠의 말아올린 소매를 내려서 판판히 쓰다듬다 말고 검정바지에 밥풀자국이 버짐처럼 얼룩진 걸 발견하고 어쩔 줄을 몰랐다. 지독한 낭패감 때문에 울음이 복받치려고 하는 걸 간신히 참고 그 여자는 손수건에 침을 묻혀가며 그 밥풀자국을 열심히 문질렀다. 그러다가 한쪽 뺨이 따갑게 남의 시선을 의식하고 휘둘러보니 저만치 혁주부부가 물끄러미 이쪽을 보고 있었다. 그쪽도 출두하리라는 당연한 사실을 왜 좀더 미리 의식하지 못했을까. 아무리 목구멍이 포도청이라지만 먹고 사는 일을 모든 일에 우선한 자기꼴이 쥐구멍이 있으면 들어가고 싶도록 참담하게 느껴졌다. 부티와 교양이 철철 넘치게 차려입은 그들 부부의 시선에 적의는 없었다. 그러나 적의보다 연민이 더 견디기 어려웠다. 밥풀자국 문지르는 일을 계속하려도 침이 말라버려 뜻대로 안됐다. 다행히 곧 그들 차례가 되어서 안으로 같이 불려 들어갔다.

정면에 부장판사가 앉고 양쪽에 두 사람씩 사회 저명인사로 구성된 조정위원이 앉았다. 네 사람 중엔 여자도 한 사람 있었다. 산부인과 의사인데 여성지에다 청소년문제를 다룬 글을 많이 써서 문경이도 이름을 아는 소위 여류 명사였다.

문경이는 싫든 좋든 혁주부부와 나란히 앉아야 했다. 반찬냄새가 그들에게 풍길 것 같아 떨어져 앉고 싶었지만 양쪽에 배석한 서기 때문에 그것조차 여의치 않았다.

조정위원들이 참고서류를 팔랑팔랑 넘겨 해당되는 사건번호를 찾아 신청인과 피신청인의 교육정도 직업 등을 유심히 살펴보고 나서 그 뒷장에 간략하게 요약된 신청취지와 신청원인을 훑어내렸다. 그들이 흥미있어하는 건 신청원인보다 첫눈에 현격하게 드러나는 양측의 신분의 차이인 것 같았다.

「지금 현재 아드님은 생모가 양육하고 있겠군요?」

판사가 먼저 이렇게 말문을 열자 혁주가 그 말을 받아 생모는 새벽부터 시장바닥에서 일하고 아이는 셋방을 지키다가 혼자 책가방을 챙겨서 등교해야 하는 경제적 궁핍과 열악한 교육환경을 더는 보고만 있을 수 없다는 뜻을 명백히 했다. 혁주는 이렇게 가진 자의 느긋한 우월감과 부권을 유감없이 과시하고 본처와 생모는 양쪽에서 말 한마디 없이 겉모양만 가지고도 능히 그의 말이 사실임을 증명하고 있었다. 아니나다를까 조정위원들은 입을 모아 아이의 장래와 행복을 위해 양육권을 법률상의 친권자에게 넘기라고 문경이

156

를 설득하기 시작했다. 그 여자는 아이의 행복에 대해서 당신네들이 도대체 뭘 안단 말이냐고 대들고 싶은 걸 힘겹게 참고 그럴 순 없다는 짤막한 대답으로 일관했다. 여의사가 혁주에게 좀 색다른 질문을 했다.

「생모로부터 아이를 빼앗을 생각만 하지 말고 생모 밑에서도 윤택한 교육환경을 누릴 수 있도록 아버지가 배려하실 생각은 없으신지요?」

혁주는 소송까지 제기할 때는 그전에 왜 그런 생각을 안해봤겠느냐고, 벌써 골백번도 넘게 시도해봤지만 생모가 말을 안 들었다고 받아넘겼다. 줘도 안 받을 거라는 건 사실이지만 무엇보다도 억울한 건 만장일치로 모든 사람이 자신을 도와줘야 할 극빈자로 보고 있다는 거였다. 그 여자가 그런 비참한 취급을 당하고 있는 동안도 본처는 부덕과 교양을 겸비한 조용하고 사려깊은 태도로 일관했다. 그러나 그 여자는 그 온화한 눈빛 속에서 아흔아홉 냥 가진 이가 한 냥 가진 이의 모든 것인 한 냥을 기어코 뺏고 말겠다는 비정한 소유욕을 역력히 읽어냈다.

결국 조정은 성립되지 않았고 판사는 심판에 회부한다고 말했다. 문경이는 혁주부부와 함께 그 방을 물러났지만 잠시라도 같이 걷기가 싫고 거북해서 뒤로 처져서 자동판매기를 찾는 것처럼 서성댔다. 그들이 마지막 차례였는지 조정위원들도 곧 뒤따라나왔다. 여의사 방주혜 박사가 혼자 서 있는 문경이를 보고 친근하게 웃어 보였다. 그리고 딴 조정위원과 작별의 인사를 나누더니 문경이 곁으로 다가왔다.

「볼일이 남아 있나요?」

「아뇨. 그 사람들하고 같이 가기 싫어서……」

「그럴 거예요. 안에서 일껏 화해를 시켜놨는데도 나오자마자 싸우는 사람도 봤어요.」

「재미있는 구경 많이 하시겠네요. 차 한잔 대접해도 되겠어요?」

방박사는 거절하지 않았다.

「선생님 보시기에 재판하면 제가 이길 가망이 있을까요?」

다방에 앉자마자 문경이는 다급하게 물었다.

「글쎄요. 내가 뭘 알아야죠?」

「조정위원이신데두요?」

「집안 내나 혈육간의 분쟁이라는 게 법조문으로만 규정할 수 없는 인정적인 게 대부분 아녜요. 그래서 나잇살이나 먹고 경험도 풍부한 소위 명사한테 위촉해서 좋은 말로 타일러서 해결할 수 있는 여지를 찾아보자고 있는 제도니까 별거 아녜요. 설사 조정이 성립된다 해도 얼마나 그 화해가 진실하고 오래갈는지는 의문의 여지가 많구요.」

「인정이라는 게 편견과 다를 거 하나 없더군요.」

「불쾌했었나 보죠?」

「돈푼이나 있어보이는 사람의 주장에 덮어놓고 동조하는 게 고작 저명인사가 할 짓인가요? 시정잡배와 뭬 다르죠?」

「단단히 화가 났군요. 그렇지만 우린 누가 옳고 그른 걸 판결한 건 아니잖아요. 아이의 장래와 행복을 아주 상식적인 시각으로 판단해서 보다 유리한 쪽으로 책임지게 하고 싶었을 뿐이에요. 물론 어디까지나 권고지 강제할 권한은 없었고, 댁에선 우리 권고를 받아들이지 않았어요.」

「뜻하지 않게 내 아들을 인도하라는 청구권소송을 당하고 나서 가슴이 떨리기도 하고 겁도 났어요. 가족법에 대해 뭘 좀 알아야겠다는 생각도 들어 생전 처음 법률책을 다 읽어봤죠. 워낙 생소한 분야라 제대로 이해했다고는 할 수 없지만 자에게 의사능력이 없을 때에만 친권자의 인도청구권을 인정한다는 게 흥미롭더군요. 우리 아이는 분명한 의사능력을 가지고 있거든요. 그렇지만 겨우 일곱 살짜릴 법정에 세워 그걸 묻게 하고 싶지 않아요. 그 나이의 의사 능력이라는 건 실상 얼마든지 외부적인 조작이 가능하다는 것도 알고 있구요. 그보다는 〈자에게 의사능력이 없는 경우라도 친권자의 인도청구권은 언제나 인정되어서는 안되며 자의 복리를 위한 것인가를 고려하여 결정하여야 한다. 특히 자의 부모가 이혼하고 모가 자를 양육하고 있을 때, 부가 친권자로서 모에 대하여 인도청구를 할 수 있는데, 이 경우에는 제반사정에 비추어 자의 복리를 특히 고려해야 한다〉는 대목이 얼마나 힘이 됐는지 몰라요. 이거야말로 내가 찾던 성한 동앗줄이라고 무릎을 쳤죠.」

「성한 동앗줄이라뇨?」

방박사가 말귀를 못 알아듣고 물었다. 문경이는 거기에 대한 설명 대신 서글프게 웃었다. 어떻게든 지난 며칠간의 노력을 헛수고로 만들면 안된단 생각이 얼핏 스쳤다.

「어머니가 아이를 뺏기지 않을 굉장한 법적 근거라고 생각했단 얘기죠. 그렇지만 오늘 조정위원들한테 당하고 나니까 그런 희망이 터무니없는 거란 생각이 들어 맥이 쭉 빠져요.」

문경이는 어깨를 쭉 처뜨리는 시늉을 과장해서 보여주면서 말했다.

「우리 조정위원들이 댁을 미처 이해하지 못했다는 건 인정해요. 그렇지만 그렇게까지 큰 잘못을 한 것 같지는 않은데.」

「재판 때 판사도 자의 복리는 가진 자가 더 잘 보장해주리라고 쉽게 판단해버릴 수 있겠구나 싶었어요. 조정위원들의 태도를 보아하니 그랬어요.」

「물론 아이한테 복리가 되는 게 돈이 다는 아니겠죠. 그렇지만 복리에서 돈이 차지하는 비율을 너무 무시해서도 안된다고 생각하는데…… 댁은 아이에게 복리는 모성이면 다라고 말하고 싶겠지만.」

방박사는 그러면서 새삼스럽게 문경이의 초라하고 구질스러운 옷차림을 훑어보는 것이었다.

「선생님 보시기엔 제가 아이의 복리에 위배될 만큼 그렇게 가난해보입니까.」

「외모로 주머니 사정까지 단정할 수야 있나요.」

「전 돈은 얼마 없지만 아이 하나쯤 넉넉히 입히고 먹이고 공부시킬 만한 경제력은 있습니다. 무엇보다도 나는 내 아이를 사랑하구요. 그러나 애 아빠나 그쪽 여자는 그 아이를 필요로 할 뿐입니다. 구색으로서 아들이 필요한 겁니다. 나는 그 아이가 딸이었더라도 똑같이 사랑했을 테고 똑같이 안 뺏길려고 최선을 다했을 겁니다. 그들은 아닙니다. 다시는 임신을 할 수 없다는 걸 알고부터 그 애를 찾기 시작했습니다. 그전엔 그 애가 즈이집 자식이 아니라는 강제자백까지 나한테 받아낸 사람들이 말입니다. 그들에겐 딸이 둘이나 있습니다. 게다가 부유하기까지 해서 아들만 하나 있으면 세상에 그럴 게 없다고 생각한 것 같습니다. 아시죠? 선생님도 아흔 아홉 냥 가진 자가 한 냥 가진 걸 빼앗아 채우고자 할 때 얼마나 수단 방법 가리지 않고 잔혹해질 수 있는지. 나는 그 애를 사랑하기 때문에 그 애에 대해 많은 꿈이 있지만 그들은 계획이 있을 뿐이에요. 어떻게든 그 애를 그들의 구색을 완벽하게 할 도구로 삼아야겠다는 철저한 계획 말입니다. 아까 선생님도 보셨죠? 그들이 아이의 행복에 대해 얼마나 쉽게 생각하는지를요. 나는 돈은 얼마 없지만 돈만 있으면 아이를 행복하게 해주는 건 문제 없다는 생각은 구역질 나요. 가소롭구요. 돈이 얼마 없어서 그런지 모르지만 나는 오히려 그들이 내세우는 돈의 위력은 물론 혜택으로부터도 아이를 보호해야 할 것처럼 느끼거든요. 내 이런 생각을 판사가 이해해줄까요? 돈이 얼마 없다는 게 결코 자식을 빼앗길 만큼 비참한 악조건은 아니라는 것도 아울러 이해받고 싶어요.」

방박사가 이를 드러내고 방실방실 웃었다. 우스운 얘기를 한 것 같지는 않았지만 비웃거나 얕잡는 웃음은 아니었다. 푸근한 친근감이 가는 웃음이었다.

「돈이 얼마 없다는 소릴 시방 몇 번이나 한 줄 알아요?」

웃고 나서 이런 엉뚱한 질문을 했다.

「왜요. 그 소리가 마음에 안 드셨나요.」

「아뇨 여간 마음에 들지 않았어요. 돈이 얼마 없는 상태가 얼마나 좋아요. 난 그걸 알거든요.」

「저를 놀리실 셈이군요.」

「천만에요. 내가 자랄 때 우리 어머니한테 가장 많이 듣던 소리가 그 소리였어요. 얘야 우린 돈이 얼마 없단다. 그러면서 교복도 내리 입히고, 내복도 기워입히고 용돈도 조금밖에 안 주셨죠. 그렇지만 학비를 제때에 못 내거나 밥을 실컷 못 먹거나 할 정도로 궁색한 형편은 아니었어요. 얼마 없다는 건 아주 없는 것보다는 여유가 있으니까요. 아버지가 교육자셨는데 6남매나 되었으니 어머니가 언제나 돈이 얼마 없을 수밖에요. 돈이 얼마 없는 상태는 형제간에 우애 절제 근면을 배우기에 아주 적절한 상태였나 봐요. 6남매가 다 쓸 만하게 되었거든요. 지금 난 남매밖에 안 낳았어요. 남편도 의사니까 아이들은 아쉬운 것 모르고 유복하게 자라죠. 돈이면 다라고 하지만 돈이 아무리 많아도 해줄 수 없는 게 딱 한 가지 있잖아요. 돈이 얼마 없을 때의 활력 말예요. 그게 얼마나 중요하다는 걸 알고 있기 때문에 아쉬운 것이 없이 해주면서도 미안한 생각이 드는 거 있죠?」

「선생님이 돈이 얼마 없는 상태가 뭐라는 걸 정확하게 이해해주셔서 얼마나 기쁜지 몰라요.」

「앞으로 잘될 거예요. 잘되길 빌겠어요.」

「그래도 재판받을 생각 하면 떨려요. 어려서부터 빚보증 서기나 소송 좋아하는 자식은 낳지도 말라는 식의 가정교육을 받아온 탓인지 웬만한 손해라면 당하고 말지 경찰이나 법원 신세 안 지자 주의였는데.」

그 여자가 한숨을 쉬자

「팔자 한탄이라면 안 듣겠어요.」

방박사의 말투는 농담 같으면서도 단호한 데가 있었다.

「안 그럴게요. 시간 내주셔서 감사합니다. 실은 재판받을 생각을 하면 떨리거든요. 떨린 나머지 선생님을 상대로 재판의 예행연습을 하고 싶었나 봐요.」

「나도 재판에 대해서 잘은 모르지만 시방 나하고 얘기한 것처럼 긴 얘길 늘어놓을 새도 아마 없을걸요. 심판 때보다 소상하게 자초지종을 늘어놓을 수 있으라고 조정과정을 미리 둔 것 아니겠어요. 그러니까 심판 전에 아까 나한테 얘기한 요지를 서면으로 작성해서 제출하세요. 저쪽에선 변호사에게 위임할 경우도 염두에 두고 조리있게 쓰셔야 돼요. 가족법에서 자의 복리를 특히 고려해야 한다는 대목이 가장 마음에 들고 힘이 되더라고 말했죠? 그럼 그걸 믿고 매달리는 거예요. 그걸 믿고 그걸 근거로 해서 주장을 펴나가란 말예요.」

「고맙습니다.」

「어떻게 생긴 아이인지 언제고 한번 볼 기회가 있었으면 좋겠네.」

「그 애에게 거는 저의 가장 찬란한 꿈이 뭔 줄 아세요? 남자로 태어났으면 마땅히 여자를 이용하고 짓밟고 능멸해도 된다는 그 천부의 권리로부터 자유로운 신종 남자로 키우는 거죠. 그 꿈을 위해서도 그 애는 제가 키우고 싶어요.」

그러나 법원에 준비 서면을 제출해야 하는 기한이 임박해질 때까지 그 여자는 한 자도 쓰지 못했다. 잘 써야겠다는 강박관념과 지난 일을 돌이켜볼수록 괘씸해지는 혁주에 대한 감정 때문에 붓끝이 헛되게 떨기만 하고 나가질 않았다. 고독감이 뼈에 사무쳤다. 자신이 살아온 방법을 지켜보고 따뜻하게 이해해줄 너그러운 친구, 공정한 증인은 없는 것일까. 동기간도 생각해보았고 임선생도 생각해보았다. 그들이 그동안 많이 힘이 돼준 건 사실이지만 본질적으로는 기존 도덕의 편이었다. 동기간이니까 친구니까 동정은 해주었는지 몰라도 이해해주진 않았다.

어디서부터 혁주와의 잘못이 비롯된 걸까. 첫날부터였다. 처음 혁주하고 자고 난 다음 그가 벽에 걸린 십자고상을 보고 버럭 화를 내던 생각이 났다. 그 여자는 혁주하고 자기 전에 십자고상이 내려다보고 있다는 걸 의식하지도 못했지만 설사 의식했다고 해도 그걸 안 보이게 감추고 그 짓을 해야 한다고 생각하진 않았을 것이다. 신의 눈길이 두렵기는커녕 신이 증인을 서주길 바랄 만큼 그 여자는 그 짓에 떳떳했었다. 그러나 혁주는 정반대였다. 그때부터 벌써 두 사람은 어긋나기 시작했다.

그 여자는 이사할 때 짐 속에다 챙기긴 했지만 다시 벽에 걸진 못한 십자고상을 창고 속에서 힘들여서 찾아냈다. 그리고 기도를 어떻게 하는지 잘 몰랐기 때문에 사람 대하듯 스스럼없이 말했다.

「주님. 당신은 다 보셨으니까 다 아시죠. 제 마음도 다 아시죠. 전 지금 그 사람과의 관계를 진술해야 하는데 미움에 사로잡혀 정직할 수 없을까 두렵습니다. 주님 제가 정직할 수 있도록 도와주시고 제가 앞으로 받을 심판이 주님의 뜻에 합당한 것이 되게 하소서.」

기도 덕분인지 신청인 쪽을 헐뜯지 않고도 진술서를 쓸 수가 있었다. 신청인이 아이의 복리에 얼마나 어긋나는 심성을 가졌다는 결정적인 증거가 생각났기 때문이다.

문혁이를 낳고 나서 마지막으로 보낸 애절한 편지에 대한 혁주의 답신을 그 여자는 아직도 간직하고 있었다.

그 당시 김혁주가 다니던 회사 마크가 들어 있는 타이프 용지는 그동안 누리끼하게 변색돼 있었지만 타이핑된 사연은 육필보다 훨씬 더 개성적이었다. 그건 어쩌면 육성에 가까웠다. 그 여자는 그 비인간적인 사연을 눈으로 읽은 게 아니라 혁주의 목소리로 들으면서 새삼스럽게 몸서리를 쳤다.

차문경 여사

여사가 본인의 아이를 낳았다구요?

여사의 말귀를 못 알아듣겠음을 용서하시기 바랍니다. 또한 여사로부터 그와 같은 협박을 당한 게 이번이 처음이 아니라는 걸 본인이 기억하고 있음을 상기시켜드리고자 합니다. 앞으로 다시 이런 허무맹랑한 협박으로 본인의 신성한 가정의 평화가 위협을 받을 시는 여사의 정신상태를 의심할 것이며 본인도 응분의 조치를 취할 것임을 경고합니다.

×년 ×월 ×일 김혁주

그 다음이 네모반듯하고 시뻘건 도장자국이었다. 편지를 받았을 당시는 하도 기가 막혀서 웃고 말았건만 지금은 사연보다 맨 끝의

164

도장자국이 왜 그렇게 가슴이 아린지 몰랐다. 그 편지를 찢어버리지 않고 간직하고 있는 지가 7년이 넘었건만 꺼내보긴 처음이었다. 생각하기도 싫었다. 마치 아물지 않은 상처 딱지를 뜯어보는 것처럼 혐오스러웠던 것이다. 혁주도 아마 자기가 무슨 일을 저질렀는지 모르고 있으리라. 그는 도장을 찍은 게 아니라 비수를 꽂은 거였다. 가슴속이 깊숙이 욱신거렸다. 그 여자는 그후 다시는 남자를 사랑한 일도 남자와 더불어 사는 생활을 꿈꾼 적도 없었다. 정조관념 때문이 아니라 일종의 불능(不能)이었다.

그 여자는 분노나 원한을 원색적으로 드러냄이 없이도 혁주가 아버지 자격 없음을 조리있게 주장하는 서면을 작성할 수가 있었다. 복사한 혁주의 편지를 첨부하는 것만으로 많은 말을 절약할 수가 있었기 때문에 그 여자는 오히려 자신의 어머니 자격을 증명하는 데 더 많이 고심했다. 방박사가 호감과 관심을 보여서인지 돈이 얼마 없다는 것도 숨기고 싶지 않았다. 떳떳하게 자랑하고 싶기조차 했다. 그러나 돈이 얼마 없다는 것이 아주 없다는 것하곤 다르다는 것만은 말하고 싶어 비록 전세를 준 거긴 하지만 자신의 명의로 된 아파트의 등기부 등본과 반찬가게의 납세증명까지 떼어다 붙였다.

재판날은 조정 때 미리 주눅들었던 생각을 하고 옷차림에 각별히 신경을 썼다. 화장도 야하지 않을 정도로 공들여서 처발랐다. 초라하지 않고 생기 있고 당당하게 보이고 싶었다. 그동안 얼마나 자신을 돌보지 않고 먹고 사는 데만 골몰했었나를 돌이켜보며 콧날이 시큰했다. 그러나 감상에 젖어선 안된다고 생각했다. 그 여자는 마치 이야기 속에 나오는 소년처럼 무작정 씩씩하게 법원으로 향했다.

그 여자는 자기 차례가 될 때까지 남들이 재판받는 걸 구경하면서 한꺼번에 그렇게 많은 사건을 재판하다니, 과연 판사가 공정한 재판을 할 수 있을 것인가 의심스러워지기 시작했다. 그 여자가 기도하는 마음으로 공들여 작성한 서면이 판사 눈에 띄지도 않고 넘어갔을지도 모른다는 생각도 들었다. 그런 생각이 들기가 잘못이었다. 정말 그랬을 것 같아서 판사의 그런 안일과 무성의를 사생결단 따지고 싶은 미친년 같은 열정이 치받쳤다.

다행히 그들의 차례가 되었다. 공식적인 몇 가지 질문을 하고 나서 판사가 그 편지를 읽었다. 전혀 감정이 섞이지 않은 목소리여서 문경이도 처음 듣는 것처럼 귀를 기울였다. 그런 지독한 사연을 저렇게 아무렇지도 않게 읽을 수도 있구나. 그 여자는 아득한 낭패감에 사로잡혔다.

「신청인이 ×년 ×월 ×일 이런 편지를 피신청인에게 한 게 사실입니까?」

판사는 역시 감정도 억양도 섞이지 않은 소리로 물었다.

문경이는 여직껏 눈길을 마주치는 걸 피해왔던 혁주를 똑바로 바라보았다. 혁주가 아니라고 대답해선 안된다고 생각했다. 그 입에서 그 소리를 듣느니 차라리 죽는 게 낫다고까지 생각했다. 그가 그 사실을 부정한다고 해도 다시 증명할 수 있는 방법이 없는 건 아니었다. 또 그 사실을 감쪽같이 부정한다고 해서 그가 승소할 수 있다는 보장이 있는 것도 아니었다. 그런 걸 예측할 수 있는 단서를 판사의 태도나 재판의 진행과정에서 찾으려 해봤댔자 헛수고였다. 실상 지금 그 여자는 결과에 대해선 거의 생각하고 있지 않았다. 시방 그 여자는 겁이 나서 간이 오그라붙는 것 같았지만 그가 부정하면 자신에게 불리해질까 봐 그렇게 겁이 나는 게 아니었다.

만일 그가 그 사실을 부정하면 그런 남자와 한때 살을 섞었다는 사실이 너무도 치욕스러울 것 같았다. 또한 아무리 소중한 아들이라지만 그 생명의 비롯됨에 있어서 반의 책임은 그런 남자에게 있다는 걸로 아들까지 뜨악해질 것 같았다. 그 여자는 그게 싫고 두려웠던 것이다.

그래서 제발 정직하라고 마음으로부터 그 못난 남자를 격려하고 있었다. 문경이의 강렬하던 시선이 슬프고 따뜻하게 풀렸다. 혁주가 내리깔고 있던 눈을 잠깐 치떴다. 두 사람의 눈길이 마주쳤다. 그 여자는 두 가닥의 한없이 가냘프고 초라한 떨림이 문득 서로 스친 것처럼 느꼈다. 남자가 떨리는 목소리로 「사실입니다」라고 말했다. 그후 몇 마디 더 묻고 대답했지만 그 여자는 건성으로 들어서 아무것도 못 알아들었다.

보름 후 언도 공판이 있기 전에 그 여자는 혁주가 고소를 취하했다는 걸 알았다.

한 말씀만 하소서

한 말씀만 하소서

이건 소설도 아니고 수필도 아니고 일기입니다. 훗날 활자가 될 것을 염두에 두거나 누가 읽게 될지도 모른다는 염려 같은 것을 할 만한 처지가 아닌 극한 상황에서 통곡 대신 쓴 것입니다.

88년 여름, 아들을 잃었습니다. 다섯 자식 중에 하나였지만 아들로서는 하나밖에 없는 자식이었습니다. 그 최초의 충격을 어떻게 넘기고 아직도 목숨을 부지하고 있는지 잘 모르겠습니다. 통곡하다 지치면 설마 이런 일이 나에게 정말 일어났을라구, 꿈이겠지 하는 희망으로 깜박깜박 잠이 들곤 했던 게 어렴풋이 생각납니다. 그런 경우에도 희망이 있다는 게 남보기엔 우스웠을지 모르지만 본인으로서는 참담의 극한이었습니다. 안 먹겠다는 의지 없이도 몸에서 저절로 음식을 받지 않았으니 몸도 필시 쇠약해 있었겠지요. 부산에 사는 큰딸이 와보고 강제로 자기 집으로 데려갔습니다. 아주 강제는 아니었을지도 모릅니다. 나도 억장이 무너지는 비통 외에는 매사가 몽롱한 중에도 서울을 떠나면 조문을 안 받아도 되겠구나 하는 생각을 구원처럼 떠올렸으니까요. 상을 당한 이에게 정중한 조문을 하는 건 인간만이 할 수 있는 아름다운 도덕입니다. 그러나 참척을 당한 에미에게 하는 조의는 그게 아무리 조심스럽고 진심에서 우러나온 위로일지라도 모진 고문이요, 견디기 어려운 수모였습니다. 자식이 내 상을 당해 조문을 받는 게 순리이거늘 그 복도 못타 역리(逆理)에 굴복해야 되는 비참한 처지에서 잠시나마 비켜나 있고 싶은 저의가 아주 없었다고는 못하겠습니다.

큰애는 맏이로서의 책임감과 극진한 애정으로 에미를 보살폈고, 에미의 숨은 마음까지 알아차리어 친구나 이웃의 방문까지 금해놓고 있었지만, 그래도 집만 못한 점이 있었습니다. 그건 울고 싶을 때 울 수가 없다는 거였습니다. 딸네 집만 해도 사위와 손자들의 생활이 있는, 이미 예전에 나로부터 분리된 남의 가정입니다. 수시로 짐승처럼 치받치는 통곡을 마음대로 할 수는 없는 일이었습니다. 통곡을 고스란히 참기가 너무 힘들어 통곡 대신 미친 듯이 끄적거린 게 이 글입니다.

이 자리가 만일 『생활성서』*지면이 아니었다면 그런 사적인 비탄의 기록에다 일기라고 이름붙여 감히 발표할 엄두를 내진 못했을 것입니다. 『생활성서』지면을 만만하게 보아서가 아닙니다. 저도 세례받고 나서 비로소 『생활성서』를 관심 있게 보아왔듯이 독자의 대부분이 교우이거나, 적어도 하느님이 계시다는 걸 막연하게나마 느끼고 있는 분이려니 하는 친밀감 때문입니다. 그렇다고 해서 이 글이 신앙고백이란 소리는 아닙니다. 오히려 그 반대로 받아들여질 여지 또한 충분하다 하겠습니다.

---

*편집자주 : 이 글은 『생활성서』지면에 1990년 9월부터 이듬해 9월까지 1년간 연재되었습니다.

저도 근래에 처음으로 그때 쓴 걸 다시 읽어보면서 적지 아니 놀라고 민망했습니다만 순전히 하느님에 대한 부정과 회의와 포악과 저주로 일관돼 있습니다. 그러나 가장 강한 부정은 가장 강한 긍정을 전제로 하지 않고는 불가능합니다. 만일 그때 나에게 포악을 부리고 질문을 던질 수 있는 그분조차 안 계셨더라면 나는 어떻게 되었을까, 가끔 생각해봅니다만 살긴 살았겠죠. 사람 목숨이란 참으로 모진 거니까요. 그러나 지금보다 훨씬 더 불쌍하게 살았으리라는 것만은 환히 보이는 듯합니다.

하느님은 제아무리 독한 저주에도 애타는 질문에도 대답이 없었고, 그리하여 저는 제 자신 속에서 해답을 구하지 않으면 안되었고, 그러기 위해선 아무한테나 응석부리고 싶은 감정을 억제하고 이성을 회복하지 않으면 안되었으니까요. 제 경우 고통은 극복되지 않았습니다. 그 대신 고통과 더불어 살 수 있게는 되었습니다.

우리집 안방 아랫목 제일 높은 자리엔 카톨릭 신자라면 누구나 가지고 있을 만한 작은 십자고상(十字苦像)이 걸려 있습니다. 세례받을 때 선물받은 거여서 비슷한 게 이방 저방에 더 있습니다만 제가 가장 자주 대하고 따라서 가장 많은 원망을 받고 언젠가는 내팽개쳐지는 행패까지 당한 이 못박힌 그리스도의 얼굴에서 표정을 읽은 건 최근의 일입니다.

〈오냐 실컷 욕하고 원망하고 죽이고 또 죽이려무나, 네가 그럴 수 있으라고 나 여기 있지 않으냐.〉 이렇게 말하고 있는 것처럼 그분의 표정은 생생하게 슬프고 너그러워보였습니다. 이 일기는 똑같이 찍어낸 주물에 지나지 않던 성물과 이렇게 아무하고도 똑같지 않은 특별한 관계를 맺기까지의 어리석고도 고통스러운 기록의 일부입니다.

정리하면서 활자화시키기엔 지나치다 싶을 만큼 무엄한 포악과,

비통의 지나친 반복만 빼고는 거의 고치지 않았습니다. 아들의 2주기까지 넘겼건만 아직도 제 회의와 비통은 달라지지 않았습니다. 하나 달라진 게 있다면 제 자아 속에 꼭꼭 숨겨놓았던 채송화씨보다도 작은 신앙심을 누구에게 떠다밀린 것처럼 마지못해이긴 해도 마침내 어디론가 던졌다는 사실입니다. 거기가 흙인지 양회 바닥인지조차 아직은 확실하지 않습니다. 싹이 틀 수 있는 좋은 땅이길 바라는 마음이 이 지면의 연재 요청에 응할 엄두를 내게 했는지도 모르겠습니다.

88년 9월 12일

눈을 뜨니 낯선 방이었다. 옆에서 손자가 곤히 자고 있었다. 꿈이었으면 하는 몽롱한 착각을 즐길 새도 없이 아들이 이 세상에 존재하지 않는다는 사실이 무서운 괴물처럼 가차없이 육박해왔다. 집에서 같으면 설마 꿈이겠지 하고 현실감을 피할 수 있는 시간이 꽤 길었으련만.

아쉬운 건 그뿐이 아니었다. 아들이 이 세상에 살아 있지 않다는 걸 인정하게 되면 그 다음은 가슴을 쥐어뜯으며 미친 듯이 몸을 솟구치면서 울부짖을 차례였다. 그 일이 나에게 얼마나 중요한 의식인지 아무도 모른다. 목청껏 아들의 이름을 부르면서 통곡하면 소리와 함께 고통이 발산되면서 곧 환장을 하거나 무당 같은 게 되어서 죽은 영혼과 교감할 수 있을 것 같은 예감에 사로잡히곤 했다. 그러나 한번도 실제로 그런 경지까지 도달한 적은 없다. 번번이 그 직전까지 갔다가 되돌아오곤 했다. 환장은 아무나 하는 게 아니었다. 나는 미치는 것조차 여의치 않은 내 강철 같은 신경이 싫고 창피스럽다. 그러나 미치기 위한 노력도 안하고 어떻게 맑은 정신으로 긴긴 하루를 보낼 수 있단 말인가. 그러나 여긴 평화롭고 화목

174

한 딸네 집이었다. 아마 나를 의식해서겠지, 낮은 소리로 주고받는 딸과 사위의 음성이 거실 쪽에서 들려왔다. 통곡을 삼켜야 한다는 게 너무도 고통스러워 나는 가슴을 움켜쥐고 한동안 신음하다가 벌떡 일어나 거실로 해서 베란다로 나갔다. 둘이 마주앉아 커피를 마시고 있던 딸 내외가 어쩔 줄을 모르고 엉거주춤했다. 나는 그들의 눈치볼 겨를 없이 베란다 난간에 매달려 더운 눈물을 쏟았다. 그러나 소리를 내진 않았다.

원태야, 원태야, 우리 원태야, 내 아들아. 이 세상에 네가 없다니 그게 정말이냐? 하느님도 너무하십니다. 그 아이는 이 세상에 태어난 지 25년 5개월밖에 안됐습니다. 병 한번 치른 적이 없고, 청동기처럼 단단한 다리와 매달리고 싶은 든든한 어깨와 짙은 눈썹과 우뚝한 코와 익살부리는 입을 가진 준수한 청년입니다. 걔는 또 앞으로 할일이 많은 젊은 의사였습니다. 그 아이를 데려가시다니요. 하느님 당신도 실수를 하는군요. 그럼 하느님도 아니지요.

딸이 뒤에서 잘 주무셨느냐고 물었다. 그것이 과연 안면이었을까. 어젯밤 사위하고 맥주를 여러 병 마신 생각이 났다. 비틀거리며 방으로 들어와 수면제를 털어넣고 자리에 들었었다. 오늘이 며칠이냐고 내가 물었다. 9월 12일이라고 딸이 대답했다. 아들이 이세상 사람이 아닌 지가 2주일이나 됐구나. 어떻게 그동안을 견디었는지 악몽을 꾼 것 같고, 지금 이러고 있는 것 또한 꿈 깬 후의 또꿈 같다.

어제 딸이 데리러 왔을 때, 싫다고 할 기력도 없었거니와 싫고 좋고 하는 마음도 우러나지 않아 물건처럼 순하게 따라왔다. 가을비가 제법 세차게 내려 공항으로 가려다 말고 서울역으로 가서 12시 새마을호를 아슬아슬하게 탄 생각도 나지만 화면을 통해 본 남의 일처럼 그때의 느낌은 공백상태다. 그러나 불과 2, 3분을 남겨놓고 지느러미처럼 휘청거리는 다리로 계단을 뛰어내릴 때의 느낌은 왜 그렇게 생생한 것일까. 딸의 도움으로 그렇게 급히 달릴 수 있었으련만 지금 남아 있는 느낌은 층층다리가 활처럼 휘면서 내 발 밑으로 맹렬한 속도로 달려드는 것 같은 공포감밖에 없다. 아마 발을 헛디딜 것 같은 위기의식 때문에 그때의 느낌이 그렇게 생생하다면 내가 죽고 싶다는 건 얼마나 새빨간 거짓말인가. 나는 지금까지 내 몸에 남아 있는 어제의 위기의식에 치욕감을 느꼈다. 그래도 내가 죽고 싶은 건 정말이다. 지난 10여 일 동안 거의 먹은 게 없다. 아이들 성화로 먹는 척한 유동식도 토하거나 설사 아니면 변비로 먹은 것 몇 배의 기운을 빼갔다. 몸이 음식을 받지 않는다는 건 죽을 징조가 아닌가. 나에게 지금 희망이 있다면 내가 죽어가고 있다는 것뿐이다.

아이들이 베란다로 의자를 내주어 편안히 앉았다. 뒤로는 장산이란 수려한 산을 등지고 앞으로는 수영만을 바라보고 있으니 아파트라기보다는 콘도같이 터가 좋은 딸네 집이다. 날씨는 쾌청하고 수영만에 떠 있는 요트가 그림 같다. 거기서 88올림픽 요트경기가 열릴 거란다. 오나가나 그놈의 88올림픽, 정말 미칠 것 같다. 서울 집도 잠실경기장과 올림픽공원 사이에 있어 그 들뜬 야단법석이 싫어도 들리고 보일 것 같더니만 여기까지 그 축제가 따라올 게 뭐람. 내 아들이 죽었는데도 기차가 달리고 계절이 바뀌고 아이들이 유치원 가려고 버스를 기다리고 있다는 것까지는 참아줬지만 88올림픽이 여전히 열리리라는 건 도저히 참을 수 없을 것 같다. 내 자식이 죽었는데도 고을마다 성화가 도착했다고 잔치를 벌이고 춤들을 추는 걸 어찌 견디랴. 아아, 만일 내가 독재자라면 88년 내내 아무도 웃지도 못하게 하련만. 미친년 같은 생각을 열정적으로 해본다.

변덕이 죽 끓듯 한다. 저녁땐 부산에 오기 잘했다 싶었다. 아무도 찾아오는 사람이 없었고, 전화 소리에도 깜짝깜짝 놀랄 필요가 없었다. 이 지경이 되고도 무슨 볼 체면이 남아 있다고 내 꼴을 남에게 보이기가 그리 싫은지. 뭐라고 위로의 말을 해야 할지 몰라 쩔쩔매는 상대방을 볼 때는 그 자리에서 당장 꺼지고 싶은 마음밖에 없었다. 그러다가 겨우 생각해낸 말이 잊으라는 소리다. 어쩌면 그렇게 한결같이 잊으라는지. 세월이 약이라는 소리를 들을 때처럼 격렬한 반감이 솟구칠 때도 없다.

그 애는 25년 5개월 동안이나 나를 행복하게 해주었다. 내 기쁨이요, 보람이요, 희망이요, 기둥이었다. 우리는 자식을 가르칠 때 남의 은혜를 잊지 말라고 가르친다. 배은망덕은 가장 타기할 부도덕으로 친다. 곤궁했을 때 받은 얼마 안되는 금전적인 도움이나 우울한 날 말동무 해준 친구의 우정도 잊지 않고 오래 기억하는 게 사람의 도리이거늘 어떻게 25년 5개월 동안이나 나를 그렇게 기쁘게 해준 아들을 잊는 게 수라고 말할 수가 있을까. 나에게 하루하루 목숨을 부지해야 하는 까닭이 남아 있다면 그 애를 기억하며 그 애가 이 세상에 없다는 사실로 인하여 고통받는 일뿐이거늘.

자기 전에 또 맥주, 오늘은 어제보다 더 많이 마셨다. 밥도 죽도 잘 안 넘어가는데 맥주는 얼마든지 마시겠고, 문어나 소라 같은 안주도 꽤 집어먹는데도 아직은 별 이상이 없다. 그러나 수면에는 별로 도움이 안돼 한밤중 수면제 복용.

9월 13일

텔레비전 소리에 눈을 떴다. 꿈자리가 뒤숭숭했지만 무슨 꿈인지 생각나지 않았다. 꿈에라도 아들을 보게 해달라고 그렇게 간절하게 기도하고 잤건만 또 허탕이었다. 진실한 기도는 반드시 들어주신다는 소리도 말짱 헛소리다. 인간의 애절한 소망을 일일이 이루어주진 못한다 해도 귀라도 기울여줄 초월적인 존재가 과연 있기나 있는지. 있다면 예서 더 어떻게 해야 당신과 통하리까. 눌은밥을 끓여놓고 조금 먹어보란다. 못 먹을 것 같았지만 소라와 문어도 먹은 주제에 멀건 눌은밥도 못 먹겠다면 응석을 부리는 것처럼 보일 것 같아 구수하다고 칭찬까지 해주면서 한 공기를 다 먹었다. 남은 자식들한테 내 슬픔을 빙자해 응석을 부리는 일 따위는 절대로 하지 말아야지 하는 게 내 마지막 자존심이다. 오 주여, 당신이 계시다면 저를 제발 이 마지막 자존심이나마 부지할 수 있을 때까지만 살게 하소서.

딸 몰래 눌은밥 한 공기를 다 토해냈다. 어제 먹은 문어와 소라는 아무렇지도 않은데 참 이상한 일이다. 그러나 변비 생각을 하면 속이 편한 것만은 아니었다. 좌약을 준비해왔지만 그 몸부림을 또 치르긴 정말 싫다. 사람이 단지 배설한다는 가장 원초적인 생리작용을 위하여 그렇게 치열하게 몸부림쳐야 하다니.

행복했을 때는 아침이 좋았는데 요샌 정반대다. 내 앞에 펼쳐진 긴긴 하루를 살아낼 생각이 지겹도록 아득하게 느껴진다. 시시때때로 탈진하도록 실컷 울면 그동안이라도 시간을 주름잡을 수가 있는데 그것도 용납 안되는 하룻동안이란 얼마나 가혹한 형벌인가.

손자들이 틀어논 텔레비전에서 오늘도 지치지도 않고 88올림픽 타령이다. 성화를 실은 대한항공이 부다페스트를 떠나 헬싱키에서 급유를 받고 소련 상공을 열한 시간이나 날아왔다는 흥분한 목소리와 함께 기체와 승무원까지 비춰주고 난리다. 손자 형제도 저희들끼리 금메달의 수를 점치며 희희낙락 들떠 있다. 딸이 뒷산으로 산책을 나가자고 해서 조금 망설이다 따라나섰다. 그 애는 내가 즈이 집에 와서 많이 좋아졌다고 믿고 싶은 눈치였다. 아닌게아니라 나는 꼿꼿하게 걸을 수가 있었다. 서울을 떠날 때만 해도 허리를 펼수가 없어서 보행이 어려웠다. 그러나 서울에서도 기운이 없어서 그렇게 허리를 못 편 게 아니라 너무 울어 배창자가 땡겼기 때문이다. 딸은 엄마가 한결 기운이 나보인다고 좋아했지만, 나는 겨우이틀 울지 않으니까 깨끗이 배의 통증이 가시는 내 건강이 혐오스러웠다. 절이 있는 데까지 올라갔다 내려왔다. 그닥 힘들지 않았다. 먹은 건 없는데 어디서 그런 기운이 나는 걸까. 정말 싫다. 예전 우리 시골에선 자식을 앞세운 에미한테 자식을 잡아먹었다고 말했었다. 어린 마음에도 그 소리가 끔찍해 소름이 끼쳤는데 지금 생각하니 나한테 해당하는 소리가 아닌가. 나야말로 자식을 잡아먹은 것이다. 그러지 않고서야 이렇게 줄창 먹지 않고도 배부를 수가 없고, 먹지 않았는데도 수족을 움직이는 데 지장이 없을 수가 없지 않은가.

산을 내려오다가 길가 풀섶에서 신기한 꽃 한 송이를 발견했다. 연분홍의 장미꽃 봉오리같이 생긴 꽃 한 송이가 풀 끝에 애처롭게 매달려 있었다. 꽃의 품위가 결코 잡초 따위에서 필 꽃이 아니었다. 나는 걸음을 멈추고 그 꽃의 줄기를 더듬어 내려간다는 게 그만 그 가냘픈 식물을 뿌리째 뽑아내는 결과가 되었다. 줄기에 달린 잎을 보니 봉숭아였다. 봉숭아 중에도 분홍 봉숭아는 흔치 않은데 어쩌다 씨가 하나 풀섶에 떨어져 싹이 나고 잎이 돋고 간신히 꽃까지 핀 모양이다. 뿌리째 뽑았으니 할 수 없이 집까지 가져왔다. 피곤해서 한동안 누웠다 일어나보니 무심히 뽑아온 한 포기의 봉숭아는 문갑 위에서 이미 형체도 알아볼 수 없게 시들어 있었다.

내 아들은 지금 어떤 모습으로 땅속에 누워 있는 것일까? 내 아들이 어두운 땅속에 누워 있다는 걸 내가 믿어야 하다니. 발작적인 설움이 복받쳤다. 나는 내 정신이 미치기 직전까지 곧장 돌진해 들어갔다가 어떤 강인한 저지선에 부딪혀 몸부림치는 걸 여실하게 느낀다. 그 저지선을 느낄 수 없어야 미칠 수 있는 건데 그게 안된다. 인간의 삶과 죽음을 관장하는 초월적인 존재가 정말 있다면 내 아들의 생명도 내가 봉숭아를 뽑았듯이 실수도 못되는 순간적인 호기심으로 장난처럼 거두어간 게 아니었을까? 하느님 당신의 장난이 인간에겐 얼마나 무서운 운명의 손길이 된다는 걸 왜 모르십니까. 당신의 거룩한 모상대로 창조된 인간을 이렇게 막 가지고 장난을 쳐도 되는 겁니까.

아이들이 불러서 베란다로 나가보니 저녁때인데도 대마도가 뚜렷이 보인다. 어제 쾌청한 날에도 안 보이던 대마도가 거짓말처럼 선명하게 나타나 보인다. 우리 눈에 안 보일 때도 대마도는 거기 있었을 게 아닌가. 그렇다면 보인다고 다 있는 건 아닐지도 모른다. 내가 감각할 수 있는 모든 것이 실제로 존재하는 게 아니라 환상일 것도 같다. 어쩔거나, 이 인생의 덧없음을.

〈인생은 풀과 같은 것, 들에 핀 꽃처럼 한번 피었다가도 스치는 바람결에도 이내 사라져 그 있던 자리조차 알 수 없는 것.〉(『시편』, 15~16)

주여, 그렇게 하찮은 존재에다 왜 이렇게 진한 사랑을 불어넣으셨습니까.

9월 14일

어젯밤에도 상당량의 맥주를 마셨고 잠자리에 들기 전에 수면제도 복용했건만 한잠도 이루지 못했다. 이렇게 꼬박 못 자보긴 처음이다. 집에서 실컷 울 수 있었을 때는 간간이 탈진 상태와 깊은 수면이 겹쳐 깨어나서도 한동안은 〈흉측한 꿈이었을 거야, 설마 나에게 그런 일이 정말 일어났을라구〉 하는 몽롱하고도 아슬아슬한 평화를 즐길 수가 있었다. 희망이 없을 땐 평화도 없다는 것은 무서운 일이다.

어떻게 할 수가 없었다. 간간이 일어나서 펄쩍펄쩍 뛰었다. 내 뜻과는 상관이 없었다. 뜨거운 철판 위에서 들볶이는 참깨처럼 온몸이 바삭바삭 타들어가는 느낌이었다. 탈진해서라도 잠들 수 있다는 건 고마운 일이었다. 매일 몇 병씩 마시는 맥주의 영양가 때문인가, 부산으로 오고 나서 왜 이렇게 기운이 나는지 모르겠다. 지치지도 않고 망상에 망상을 거듭한다.

나는 아들을 잃었다. 그 애는 이 세상에 존재하지 않는다. 그 사실을 알아듣는 걸 견딜 수가 없다. 그 애가 이 세상에 존재했었다는 증거는 이제 순전히 살아 있는 자들의 기억밖에 없다. 만약 내 수만 수억의 기억의 가닥 중 아들을 기억하는 가닥을 찾아내어 끊어버리는 수술이 가능하다면 이 고통에서 벗어나련만. 그러나 곧 아들의 기억이 지워진 내 존재의 무의미성에 진저리를 친다. 자아(自我)란 곧 기억인 것을. 나는 아들을 잃고도 나는 잃고 싶지 않은 내 명료한 의식에 놀란다. 고통을 살아야 할 까닭으로 삼아서라도 질기게 살아가게 될 내 앞으로의 모습이 눈에 선하다. 그런 늙은이 싫지만 어쩔 수가 없다.

아들이 내 속을 썩이거나 실망시킨 일을 생각해내려고 애쓴다. 물에 빠져 검부락지라도 잡으려는 노력처럼 처참하게 허위적댄다.

하다못해 남에게 흉을 잡힌 일이나 좋지 못한 버릇이라도 생각해낼 수 있다면 다소 숨통이 트일 것 같다. 이 비참한 자구노력도 허사가 되고 만다. 그 애는 완벽했다. 그 애가 한 짓 중 사랑스럽지 않은 것은 어쩌면 단 한 가지도 없단 말인가. 그 애가 완벽했다는 확신은 그 애를 잃은 상실감 또한 천벌처럼 완벽하게 한다. 바늘구멍만한 구원의 여지도 없다. 그 애 없이 사는 걸 견디어내야 하다니, 무시무시했다.

많이 마신 맥주와 불면 때문에 화장실에 자주 들락거렸다. 변기 위에서 문득 아들의 나쁜 버릇 하나가 생각났다. 그 애는 출근시간이 촉박한 아침시간에 화장실에 들렀다가 물을 안 내리고 그냥 뛰어나가는 버릇이 있었다. 건강한 청년이 변을 보고 그냥 나간 변기 속은 에미가 보기에도 질겁을 할 만했다. 그래서 「애야, 너 그 버릇 못 고치고 장가들면 색시가 도망간다」 이렇게 무안하지 않도록 우스갯소리로 야단치던 생각도 났다. 나는 그 생각을 하면서 빙긋이 웃었다. 가슴속에서 훈훈한 것이 꼼지락대는 것 같았다. 일껏 생각해낸 못된 버릇 하나가 가장 사랑스러운 버릇이 되어 잠시나마 내 상실감에 위안이 되다니. 못 말릴 노릇이었다.

나는 결코 남의 나쁜 버릇이나 약점에 관대한 편이 못된다. 특히 백화점이나 고속버스 휴게소 등 공공장소의 화장실에 들어갔다가 고장도 아닌 멀쩡한 변기에 물을 안 내려 변이 차 있는 걸 보았을 때의 내 울분은 곧장 우리 민족성을 들먹이는 거창한 비분강개로까지 치닫기 일쑤였다. 만일 나에게 남의 결점을, 우리 아들의 결점도 귀여운 사랑의 십분의 일만 되는 아량으로 봐줄 수 있다면 내 생애가 훨씬 편안하고 행복할 수 있으련만.

새벽엔 어렴풋하나마 잠이 올 것도 같은데 달걀인가 뭔가 사라는 장사꾼의 마이크 소리가 사정없이 시끄럽게 귀청을 때린다. 이 동네는 인심도 좋지, 서울의 아파트촌 같으면 어림도 없는 짓이다. 밤새 못 잤건만 꼭 그 소리 때문에 잠을 놓친 것처럼 짜증이 난다. 어쩌면 그 소리 때문에 졸음 비슷한 거라도 유발이 됐는지도 모르는데. 요컨대 나는 무엇엔가 끊임없이 핑계를 대고 싶어하고 있었다.

이른 아침부터 부엌에서 달그락대는 소리가 나더니 아침상이 푸짐했다. 딸 내외와 손자 형제가 큰절을 했다. 음력으로 내 생일이었다. 내 생애에서 가장 욕된 생일날이다. 〈내가 태어난 날이여, 차라리 사라져버려라〉라고 자기 생일을 저주한 욥 생각이 났다. 서울에서의 2주일간의 기억이 몽롱한 가운데서도 여러 사람이 『욥기』를 들어 나를 위로하고자 했던 게 생각났다. 구약 중 『욥기』를 제일로 치는 사람도 있었지만 나는 나에게 이런 불행이 닥치기 전에도 『욥기』를 좋아하지 않았다. 의인을 속여먹는 속임수 같았다. 『욥기』 속에 하느님은 욥에게서 빼앗은 걸 고스란히 또는 두 배로 돌려주셨지만 현실 속의 의인이 부당하게 빼앗긴 걸 돌려받는 걸 나는 본 적이 없다. 나는 물론 의인도 아니지만 의인이라 해도 내 아들이 살아올 리 없다. 그게 확실한데 『욥기』가 어떻게 위로가 될 수 있단 말인가.

아침부터 술을 마셨다. 서울서 딸 사위들로부터 각각 전화가 걸려왔다. 에미 생일을 기억한다는 표시이겠지만 서로 축하라는 말은 삼간다. 예절, 체면으로부터 자유롭고 싶다.

늘 아침을 걸렀건만 생일이라 그런지 딸은 그게 신경이 써지는 모양이었다. 점심은 나가 먹자고 했다. 뭐든지 구미가 당길만한 것을 생각해보라기에 우동을 먹고 싶다고 했다. 우동 국물을 마시고 싶었다. 광안리 해변가에 우동을 맛있게 하는 집을 알고 있다고 했다. 맛있게 먹으려고 좀 늦게 갔는데도 조그만 식당 안은 꽉차 있었다. 우동 국물을 달게 마셨다. 맛은 잘 모르겠는데 균열이 생긴 것처럼 메마른 위장에서 잘 받았다. 집에 가면 낮잠을 잘 수도 있을 것 같았다. 밤에 잘 욕심으로 산책을 하자고 했다. 해변가로 나갔다. 광안리 쪽은 해운대보다 유흥가는 더 발달한 것 같은데 해변은 그쪽만 못한 것 같았다.

모래사장에 앉아 요트를 타는 청년을 아슬아슬하게 지켜보았다.

해풍에 돛이 옆으로 기울면 청년의 몸도 파도에 휩싸여 보이지 않게 된다. 나는 청년의 몸이 다시 균형을 잡아 시야에 들어올 때까지 숨도 제대로 못 쉬게 긴장한다. 한참 동안이나 요트가 죽지 꺾인 큰 새처럼 옆으로 누워 흐르고 청년이 보이지 않자 큰소리로 구원을 청해야 할 것처럼 느낀다. 그러나 산책 나와 나처럼 바다를 보고 앉았는 어느 누구도 큰일났다는 얼굴을 하고 있지 않다. 그럼 아무일도 아닌가. 그래도 가슴이 울렁거려 눈을 감고 묵주기도를 한다. 나중에 뭍으로 오른 요트의 주인을 보니 청년이 아니라 60이 훨씬 넘었음직한 노인이었다. 나는 그동안 혼자서 애를 태운 게 화가 났다. 공연한 헛수고를 했다 싶었다. 마치 늙은이는 빠져죽어도 그만이라는 듯이. 「늙은이가 주책이야.」 내가 불쾌한 듯 중얼거리자 영문을 모르는 딸은 「어때요. 멋있잖아요」 하고 대답했다.

저만치서 노파가 앉아서 김을 매듯이 땅을 뒤지고 있다. 무엇을 하고 있나 궁금해서 가까이 가보니 자루에다 돌을 골라 담고 있다. 그쪽은 모래사장이 아니고 작고 매끄러운 돌이 깔려 있다. 자세히 보니 조개껍질 같기도 하고 아기 이빨 같기도 한 연분홍의 예쁜 돌이 그 일대에 쫙 깔려 있다. 화분 같은 데 깔면 보기 좋을 것 같다. 그러나 노파는 그런 용도에 쓰기에는 너무 많은 돌을 마대자루에 골라 담고도 한눈 한번을 안 팔고 그 일에 골몰하고 있었다. 하도 이상해서 그걸 다 무엇에 쓸 거냐고 물어보았다. 기념품을 만드는 공장에 갖다 팔 거라고 했다. 그렇게 말하는 노파는 앞니가 두 개밖에 없었고, 나이를 헤아릴 수 없을 만큼 주름이 깊었다. 아무리 없이 살아도 헐벗지는 않는 세상이라 그런지 노파의 입은 옷은 좀 너무하다 싶을 만큼 남루했다. 머리카락도 센 건지 바랜 건지 말총 빛깔로 헝클어져 있었다. 그런 노파의 노동을 보면서 기껏 자기 집 화분을 장식하려고 극성을 떤다고밖에 생각 못한 내 한심한 상상력에 나는 수치감을 느꼈다. 그러고 보니 해변에서 파는 싸구려 액자나 거울 틀에 그런 돌을 박은 걸 본 적이 있었다. 그런 걸 만드는 공장에서 노파의 수고비를 얼마나 박하게 쳐줄지는 물어볼 것도 없이 뻔했다. 그렇지만 밑천은 안 드는 돈벌이였다. 9월 중순의 한낮 햇볕은 사정없이 이글거렸다. 노파는 여름내 그 밑천 안 드는 돈벌이에 종사해온 듯 드러난 팔과 종아리는 새까맣고도 기름기라곤 없어 비듬이 희끗희끗했다. 나는 밑도끝도없이, 그러나 확신을 가지고 노파에게 몹쓸 병이 들거나 술주정뱅이 아들이 있을 거라고 생각했다. 같이 늙어가는 영감을 위해서라면, 또는 의지할 데라곤 없는 처지여서 자기 한 몸 입에 풀칠하기 위해서라면 양로원에 가고 말지 그 보잘것없고 영세한 돈벌이에 그렇게 전력으로 종사할 수는 없을 것 같았다. 오로지 아들을 위해서만 그 보잘것없는 일이 타당하고도 거룩하게까지 보였다.

왜 그런 생각이 들었는지 모를 일이었다. 나는 미친년처럼 화끈한 열정으로 그 생각에 탐닉했다. 조금도 거짓 없이 나는 그 노파가 부러웠다. 아들의 약값을 위해서든 아들에게 뜯기기 위해서든 아들을 위한 일 외엔 눈에 보이는 게 없는 노파가 부러웠다. 나는 나도 모르게 노파의 일을 돕기 시작했다. 그 일은 보기보다 수월하지 않았다. 분홍빛 예쁜 돌만 쫙 깔려 있는 것 같아도 역시 모래와 잡석 속에서 추려내지 않으면 안되었다. 노파는 내 서툴고 미미한 도움을 의식하는 것 같지도 않았다. 마대자루가 차차 질질 끌고 말없이 가버렸다. 나는 노파의 뒷모습을 하염없이 배웅했다. 어쩌면 나는 내 내부의 교만이 무너진 자리를 응시하고 있는지도 몰랐다. 에미 눈에 자랑스럽지 않은 자식이 어디 있을까마는 자식들마다 건강하고 공부 잘해 한번도 속 안 썩이고 일류 학교만 척척 들어가고 마음먹은 대로 풀릴 때, 그 에미의 자랑은 기고만장할 수밖에 없다. 나 역시 그랬었다. 기고만장 정도가 아니라 서슬 푸른 교만이었다. 그래서 남의 공부 못하는 자식, 방탕하거나 버르장머리 없는 자식을 속으로 은근히 깔보았었다. 그것도 학교라고 허리가 휘게 번 돈으로 등록금을 대야 하다니, 이런 마음으로 내 눈엔 도무지 차지 않는 대학에 보내고도 좋아하는 친구나 친척을 겉으론 축하해 주는 척하면서˚속으론 불쌍해한 적도 한두 번이 아니었다. 뇌성마비로 태어난 남의 자식을 보고 차라리 죽는 게 나았을 걸 하는 모진 생각을 한 적도 있었다. 그런 내가 노파를 부러워하고 있었다. 가장 못난 최악의 아들을 가정해도 역시 노파가 부러웠다. 가슴이 아리게 부러웠다.

내가 받은 벌은 내 그런 교만의 대가였을까. 하느님이 가장 싫어하시는 게 교만이라니 나는 엄중하지만 마땅한 벌을 받은 것이었다. 조금 마음이 가라앉는 듯했다. 나는 내 아들이 이 세상에 없다는 무서운 사실을 견디기 위해서 왜 그런 벌을 받아야 하는지 영문을 알아야만 했다. 아들을 잃은 것과 동시에 내 교만도 무너졌다. 재기할 수 없을 만큼 확실하게. 그러나 교만이 꺾인 자리는 겸손이 아니라 황폐였다. 내 죄목이 뭔지 알아냈다고 생각하자 조금 가라앉은 듯하던 마음이 다시 끓어오르기 시작했다. 내가 교만의 대가로 이렇듯 비참해지고 고통받는 것은 당연하다고 치자. 그럼 내 아들은 뭔가. 창창한 나이에 죽임을 당하는 건 가장 잔인한 최악의 벌이거늘 그애가 무슨 죄가 있다고 그런 벌을 받는단 말인가. 이 에미에게 죽음보다 무서운 벌을 주는 데 이용하려고 그 아이를 그토록 준수하고 사랑 깊은 아이로 점지하셨더란 말인가. 하느님이란 그럴 수도 있는 분인가. 사랑 그 자체란 하느님이 그것밖에 안되는 분이라니. 차라리 없는 게 낫다. 아니 없는 것과 마찬가지다. 다시금 맹렬한 포악이 치밀었다. 신은 죽여도 죽여도 가장 큰 문젯거리

로 되살아난다. 사생결단 죽이고 또 죽여 골백번 고쳐 죽여도 아직
다 죽일 여지가 남아 있는 신, 증오의 최대의 극치인 살의(殺意),
나의 살의를 위해서도 당신은 있어야 돼. 암 있어야 하구말구.

9월 15일

아침에 눈을 뜨자 잘 잤다는 느낌이 왔다. 그러나 그애를 잃은
게 꿈이기를 바라는 몽롱한 순간 없이 곧장 의식이 명료해지고 말
았다. 또 하루를 살아낼 일이 힘에 겨워 숨이 찼다. 이런 속도로 세
월이 가서야 언제 내 아들에게 이르를 거나. 밖에서 아이들이 자꾸
방안을 엿보는 눈치길래 죽지도 않고 또 이렇게 깨어났다는 심술
같은 기분으로 벌떡 털고 일어났다. 마루에 나가보니 어젯밤에 마
신 맥주병이 굉장했다. 저녁이면 으레 사위가 대작해주는 양으로는
모자라 더 마시겠다고 떼를 쓴 생각이 났다. 밤중에 배달시킨 한
상자의 맥주도 다 빈 병만 남아 있었다. 어제는 생일이 핑계였지만
무작정 양을 늘려갈 수는 없으리라. 질을 높이는 수밖에. 독한 술,
편한 잠, 그리고 노추(老醜)…… 나는 남의 운명을 점치듯이 담담
하게 내 앞날의 모습을 내다보며 쓸쓸하게 웃었다.

베란다에 나가보니 수영만의 바닷빛이 꼭 잉크를 풀어놓은 것
같다. 문인들하고 유럽을 여행하면서 탄성을 지른 지중해 빛깔도
저러했던가. 그때가 언제더라. 먼먼 옛날의 일 같았다. 내가 문인
이었던 것도.

딸네 아파트는 13층이다. 베란다엔 새시도 없다. 순간적으로 생
을 마감할 수 있는 기회는 당장 발 밑에도 있다. 그러나 나는 그럴
위인이 못된다는 걸 안다. 또한 그것만이 아직도 못 버리고 있는
내 나름의 경신(敬神)의 한 방법이다.

이해인 수녀의 방문을 받았다. 남편의 병중, 상중에도 기도와 위

로를 아끼지 않아 큰 힘이 되었는데 여기서 또 이런 꼴을 보이다
니, 부끄럽고 숨고 싶었다. 딸애가 있는 대로지만 정성껏 점심을
지어 대접했다. 식사 후 수녀님한테 눈물을 보이고부터는 걷잡을
수가 없었다. 나는 사진첩까지 꺼내놓고 아들자랑을 하기 시작했
다. 그 애가 얼마나 특별한 아인지, 나에게 꼭 있어야 할 아들일 뿐
아니라 직업인으로서도 이 사회에 얼마나 필요한 인물인지, 그리
고 동기간과 일가친척 사이에서 얼마나 사랑과 기대를 모았었는지,
눈에선 눈물을 쉴새없이 흘리며, 입에선 침이 마르게 늘어놓았다.
그동안 가족들 사이에선 상처를 피하듯이 조심스럽게 화제에 올리
기를 삼가던 아들 얘기를 그 애를 전혀 알지 못하는 수녀님을 상대
로 마치 걸신들린 것처럼 지칠 줄 모르고 해댔다. 특히 우리가 얼
마나 특별하고도 완전한 모자(母子) 사이였다는 걸 강조할 때 내
허망한 열정은 극에 달했다. 막연한 불안과 함께 예전에 본 미국
영화 속의 사이코 엄마 생각이 났다. 나도 이러다 사이코가 되는
게 아닐까.

　수녀님도 내 정신의 불균형을 감지한 듯 얼마 동안 부산의 분도
수녀원에 들어가 있으면 어떻겠느냐고 했다. 번거로운 인간관계도
피할 수 있고, 공기 좋고 조용해 심신의 안정을 취할 수 있을 것 같
다고 했다. 신앙이나 기도생활에 도움이 될 것 같다는 소리가 안
들어간 권고여서 마음에 들었지만 그럴 엄두가 날 것 같지는 않았
다. 부산 분도수녀원은 수녀님이 쭈욱 몸담고 있는 데지만 성체대
회 준비 관계로 올해는 서울에서 일을 보고 있었다. 수녀님을 알게
된 것도 서울에서 내는 홍보용 책자에 원고 청탁을 받은 게 기회가
되었었다.

　수녀원에 쉬러 들어가는 문제는 확답을 못하고, 수녀님을 떠나
보냈다. 틈틈이 읽으면 위로가 될 거라며 얇은 책자 세 권을 놓고

가셨다.

9월 16일

엉망으로 취한 속에 수면제를 털어넣었는데도 깊이 잠들지 못했다. 새벽엔 뒤척이기도 지겨워 베란다로 나가 앉아 날이 밝아오는 걸 지켜보았다. 엷은 어둠이 지워져가는 동안의 바다 빛깔의 변화가 말할 수 없이 미묘했다.

어느 순간 수영만의 빛깔이 정신이 아찔하도록 새파란 속살을 드러내면서 눈높이까지 차올랐다. 아아, 나는 무엇에 찔린 것처럼 신음했다. 먼먼 옛날, 어느 행복했던 날, 정다운 이와 분위기 있는 스카이라운지에 마주앉아 뭔가 작은 축복을 주고받으며 눈높이까지 쳐든 페퍼민트의 빛깔이 저러했던가? 햇빛이 빛나자 눈높이까지 부풀어오르던 한 잔의 페퍼민트는 자취도 없이 사라지고, 바다는 거대한 물고기처럼 은빛 비늘을 번득이며 완만하게 출렁이기 시작했다.

저 바다는 정말 저기 있는 것일까. 내 아들은 이 세상에 정말 존재했던 것일까? 내 기억력말고는 아들이 존재했었다는 아무런 흔적도 남아 있지 않은 이 세상이 도무지 낯설고 싫다. 그런 세상과는 생전 화해할 수 있을 것 같지가 않다.

부산 사람들이 죽어가는 걸 걱정하면서 살려내기운동까지 벌였던 더러운 수영만이 진짜 수영만일까, 작은 술잔 속에 이상한 푸르름으로 농축됐던 수영만이 진짜 수영만일까. 보이는 것이라고 다 존재하는 것이 아니라면 기억하는 것이라고 다 존재했던 것이 아닐지도 모르지 않나. 연일의 불면 때문인가, 기억과 보임, 실재와 감수성이 걷잡을 수 없이 헝클어진다. 갈피를 잡을 수 없는 혼란은 다행히 몽롱하다.

아침엔 눌은밥을 폭 끓인 걸 한 공기나 먹었다. 균열이 생긴 것처럼 메마른 혀와 식도에 상쾌한 통증을 느꼈다. 구수한 냄새도 좋았다. 딸이 눈을 빛내면서 좋아했다.

이렇게 해서 차츰 먹고 살게 되려나 보다, 이런 생각이 들자마자 이내 그럴 수 없다는 강한 반발이 치밀었다. 자식을 앞세우고도 살겠다고 꾸역꾸역 음식을 처넣는 에미를 생각하니 징그러워서 토할 것 같았다. 격렬한 토악질이 치밀어 아침에 먹은 걸 깨끗이 토해냈다. 그러면 그렇지 안심이 되면서 마음이 평온해졌다. 정신과 육체의 생각이 일치할 때의 안도감 때문인지 낮잠을 좀 잘 수가 있었다.

점심엔 커피만 마시고 책을 읽었다. 『잠깐 보고 온 사후의 세계』라는 책을 다 읽고 나서 『연옥실화』를 읽었다. 육체라는 물질 없이도 의식이 존재할 수 있다는 증거를 찾아내고 싶었다. 『연옥실화』를 읽으면서는 왠지 망자와 만나 회포도 풀고, 한풀이도 할 수 있는 기회가 되는 무속의 지노귀굿 생각을 했다.

남의 지노귀굿을 구경한 적도 몇 번 있고, 어릴 때 돌아가신 할아버지의 지노귀굿 땐 할아버지 혼이 든 무당이 나를 알아보고 얼싸안더니 엉엉 울면서 생전에 있었던 일을 영락없이 그려낸 경험도 있다. 그런데도 나는 그게 할아버지의 진짜 혼령이라는 걸 믿지 않았다. 아무리 영한 무당의 지노귀굿에서도 마찬가지였다.

무속의 많은 부분을 긍정하면서도 몰입은 할 수 없도록 가로막던 벽은 종교를 갖고 나서 신앙의 문제에 있어서도 마찬가지였다. 내 딴에 이성이나 지성이라고 생각했던 것에 절망적인 내 정신의 한계를 느낀다. 눈 딱 감고 부수든지 뛰어넘어야 하는데 그게 잘 안된다. 못 그러도록 나를 강하게 옭아매고 있는 또 하나의 나를 느낀다.

『잠깐 보고 온 사후의 세계』는 오래 전에 읽은 적이 있는 낡은 책인데 부산 오면서 챙긴 몇 권 안되는 책 중에 들어 있다. 직접적인 해답을 찾아낼 수 있을 것 같은 제목 때문이었으리라. 흥미 본위로 대강 읽은 걸 다시 꼼꼼히 꼭 뭔가 찾아내고 말 기세로 들이덤볐다. 번역한 사람이 믿을 만한 분이고, 의학박사가 임상학적으로 사망이 확인된 후 다시 소생한 이들의 진술에 근거하여 썼다는 서문도 이 책을 썩 믿을 만하게 했다.

과연 그들의 진술의 공통점에 대해선 의심할 여지가 없었지만 그들이 정말 죽었었다는 증거는 아무데서도 찾아볼 수 없었다. 다들 육신이 부식하기 전에 깨어났으니까. 의사가 아무리 사망진단을 해도 신이 사망진단을 내리지 않는 한 육신은 썩지를 않는다. 신의 사망진단이 내리고 나서 살아난 사람은 아직 없고 따라서 사후세계를 보고 온 이도 있을 수 없다. 아들이 가 있는 세계와의 무한한 거리, 완벽한 무지에 대해 그 책은 도움이 됐다기보다는 그것들을 더욱 확인시켜준 데 불과했다. 그러나 그런 책들 때문에 하루를 훨씬 수월하게 보낼 수는 있었다.

나는 왜 이렇게 죽자꾸나 고통스러운 하루를 낱낱이 반추하려드는가? 차라리 미쳐버리고 싶다고 수시로 미친 상태를 동경하면서도 실상은 미치는 게 두려워서 하루하루의 정신상태를 점검하려는 게 아닐까? 체면도 생의 의욕 중의 일부분이 아닐까? 나를 남처럼 바라보면서 끔찍한 여자라고 생각한다. 시시각각 추락해가는 비행기 속에서 그 마지막 순간의 기록을 남긴 어느 일본사람 생각도 났다.

9월 17일
어젯밤엔 맥주 대신 소주를 마셨더니 좀 잔 것 같다. 꿈을 꾸었으니까. 난리가 나서 허둥거리며 피난을 가고, 사람들이 죽고, 거리가 삼엄하고, 양식이 동이 나는 꿈이었다. 꿈속에서도 올림픽 첫날에 난리가 나서 다 중단됐다고 했다. 내란 같기도 하고 천재지변 같기도 한 묘한 공포 분위기였건만 깨어나니까 좋은 꿈을 놓치고 난 것처럼 허전했다.

내 아들이 없는데도 온 세상이 살판난 것처럼 들떠 있는 올림픽의 축제 분위기가 참을 수 없더니, 내 아들이 없는 세상 차라리 망해버리길 바란 거나 아니었을까. 내 무의식을 엿본 것 같아 섬뜩했다. 아아, 천박한 정신의 천박한 꿈이여. 내 아들아, 어쩌면 에미를 이렇게까지 비참하게 만드니.

그러거나 말거나 오늘은 88서울올림픽의 개막식 날이다. 날씨는 쾌청하고 개막식도 잘돼가는 모양이다. 딸, 사위, 손자들이 텔레비전으로 그 광경을 시청하면서 연방 탄성을 지르며 즐거워하고 있다. 그런 분위기를 훼방놓지 않을 만큼 대범해야 된다는 건 인내가 아니라 고투다.

그저 만만한 건 신(神)이었다. 온종일 신을 죽였다. 죽이고 또 죽이고 일백 번 고쳐 죽여도 죽일 여지가 남아 있는 신, 증오의 마지막 극치인 살의(殺意), 내 살의를 위해서도 당신은 있어야 돼.

오후 3시경에 서울에서 둘째와 셋째와 손자가 내려왔다. 딸들을 다시 만난 게 조금도 반갑지 않았다. 그 애들의 지극한 염려도 그저 귀찮고 시들했다. 나는 그동안 그 애들을 생각하지 않았다. 오로지 아들 생각만 했다.

문득 내가 아들 대신 딸 중의 하나를 잃었더라면 이보다는 조금 덜 애통하고, 덜 억울했을지도 모른다는 생각이 들었다. 처음 해보는 생각이었다. 그런 생각이 떠오른 것 자체가 두려워 나는 황급히 성호를 그었다. 행여 또 그런 생각이 떠오를까 봐 속으로 주모경을 외웠다. 그래도 두려워 화장실에 가서 울며 용서를 비는 기도를 했다. 오랜만에 해보는 기도였다. 그래도 두려움과 가슴의 울렁거림은 가라앉지 않았다.

나는 신이 생사를 관장하는 방법에 도저히 동의할 수가 없고, 특히 그 종잡을 수 없음과 순서 없음에 대해선 아무리 분노하고 비웃어도 성이 차지 않지만 또한 그러고도 그분을 덧들이고 싶지 않았다. 나는 오직 그분만이 생사를 관장하고 있다고 신의 권위를 믿고 있었고, 불쌍하게도 깊이 공구(恐懼)하고 있었다.

저녁때는 여럿이 해운대로 나갔다. 수영만이 올림픽 요트 경기장이라 외국사람들이 많이 눈에 띄었다. 우리가 느끼는 기온은 긴 소매도 썰렁한데 털이 노란 거구의 남녀가 비키니 비슷한 차림으로 거침없이 활보하는 게 괜히 꼴보기 싫었다.

손자들이 환성을 지르며 바다를 향해 질주하다가 큰 파도가 몰려오면 더 크게 악을 쓰며 도망을 쳐서 모래사장으로 되돌아오는 놀이를 지치지도 않고 되풀이했다. 특히 서울서 온 네 살짜리는 목이 쉬고 옷이 다 젖는 것도 아랑곳하지 않고 그 놀이에 광분하고 있었다.

손자 중 제일 나이 어린 그 녀석은 자주 제 키의 몇 배나 되는 물벼락을 맞느라 모습이 보이지 않다가 나타나곤 했다. 그때마다 나는 바다가 그 녀석을 아주 삼켜버릴 것만 같아 간이 오그라붙는 것 같았다. 나란히 앉은 개들 에미들은 태연히 담소를 즐기는데 나 홀로 그 모양이었다.

아들의 죽음을 기정사실로 받아들이고 나서 한 생각 중 꽤 괜찮은 생각은 앞으로 나에겐 기쁨도 없겠지만 근심도 없으리라는 거였다. 그런데 이게 무슨 꼴이람. 남이 안하는 걱정까지도 도맡아 하고 있었다. 내 걱정을 요약하면 또다시 사랑하는 이가 죽는 것을

볼까 봐였다. 아직도 나에게 걱정거리가 많은 것은 아직도 사랑이
안 끝났음인가. 병적인 걱정 때문에 지칠 대로 지쳐 돌아왔다.

큰애가 내 과음에 대해 동생들에게 일러바쳐서 세 아이가 합세
를 해서 걱정을 하고 법석을 떠는 바람에 목을 축이는 정도로만 마
시고 일찍 혼자서 방으로 돌아왔다. 술 대신 책으로 잠을 청할 궁
리를 한다.

법정 스님이 쉬운 말로 옮긴 『법구경』을 읽었다. 짧은 운문을
집대성한 사화집 같은 거여서 쉽게 다 읽을 수가 있었다. 다 옳은
말씀이고 또 여러 사람들에 의해 자주 인용된 구절도 많아 친근감
을 느꼈지만 내가 원하는 걸 찾아내진 못했다. 내가 원하는 건 육
신이 죽은 후에도 영혼은 남아 있다는 확답이었다. 그밖의 문제에
대한 관심은 다 건성이었다.

다 읽고 나서 옮긴이의 해설을 보니 이 시는 후딱후딱 건성으로
넘기지 말고 한편 한편 마음의 바다에 비추어보면서 차분히 음미하
듯이 읽는다면, 맑은 거울이 되어 그 속에서 자기 얼굴을 들여다볼
수 있을 것이라는 당부의 말이 실려 있었다. 내 속을 들여다보고
한 말 같았다. 이 세상에 진리의 말씀이 사람 수효보다 많다고 해
도 내 마음의 껍질을 뚫고 들어와 속마음을 울리는 한마디 외에는
다 부질없는 빈말일 뿐인 것을. 세상이 아무리 많은 사람과 좋은
것으로 충만해 있어도 내 아들 없는 세상은 무의미한 것처럼.

남편이 별세한 후 『반야심경』을 해설한 카세트테이프를 마냥
반복해 들으며 위로받은 생각이 났다. 그때만 해도 내 마음이 열려
있었기 때문에 좋은 말에서 마음의 자세를 바로잡아주는 힘을 얻
을 수가 있었다. 그러나 지금은 아니었다. 너무도 큰 슬픔이 내 마
음을 돌처럼 딱딱하게 만들어버렸다.

이해인 수녀로부터 받은 세 권의 책 중 『샘』과 『종교박람회』도

『법구경』처럼 단숨에 읽었다. 두 권 다 안소니 드 멜로라는 처음 들어보는 신부님이 쓴 짧고 재미있는 이야기 모음이었다. 쉽고 단순한 글들이었지만 조급하게 읽어도 되는 글은 결코 아니었다.

그러나 나는 『법구경』때와 마찬가지로 느릿느릿 음미할 마음이 되어 있지 않았다. 지금 내게 필요한 건 어떻게 사느냐가 아니라 사후의 생명을 믿을 수 있는 확실한 보증이었다. 내가 왜 이런 고통을 받아야 하는지 납득할 수 있는 신의 명확한 계산서였다. 이런 나에게 나 자신도 도무지 속수무책이었다.

나머지 한 권은 『죽음이 마지막 말은 아니다』(G. 로핑크 지음)라는 50쪽 정도의 얇은 소책자였지만 그 속에서 발견한 아름다운 한 편의 시 때문에 날이 샐 때까지 한잠도 이루지 못하고 말았다.

사람은 누구나 자기 고유의
비밀에 싸인 개인적인 세계를 지닌다
이 세계 안에는 가장 좋은 순간이 존재하고
이 세계 안에는 가장 처절한 시간이 존재하기도 한다
하지만 이 모든 것이 우리에게는 숨겨진 것

한 인간이 죽을 때에는
그와 함께 그의 첫눈[初雪]도 녹아 사라지고
그의 첫 입맞춤, 그의 첫 말다툼도……
이 모두를 그는 자신과 더불어 가지고 간다
벗들과 형제들에 대하여 우리는
무엇을 알고 있으며,

우리가 가장 사랑하는 이에 대하여

우리는 과연 무엇을 알고 있는가?
그리고 우리의 참 아버지에 대하여
우리가 알고 있는 그 모든 것은
우리가 아무것도 모른다는 것

사람들은 끊임없이 사라져가고⋯⋯
또다시 이 세계로 되돌아오는 법이 없다
그들의 숨은 세계는 다시 나타나지 않는다
아하 매번 나는 새롭게
그 유일회성(唯一回性)을 외치고 싶다.

베개가 젖도록 흐느껴 울었다. 죽음이 왜 무시무시한지, 아들의 죽음이 왜 이렇게 견디기 어려운지 정연한 논리로서가 아니라 폭풍 같은 느낌으로 엄습해왔다. 하나의 죽음은 그에게 속한 모든 것, 사랑과 기쁨, 고통과 슬픔, 체험과 인식 등, 아무하고도 닮지 않은 따라서 아무하고도 뒤바뀔 수 없는 그만의 소중하고도 고유한 세계의 소멸을 뜻한다.

그러나 그 시 속에 묘사된 한 인간의 죽음과 더불어 소멸되는 세계 속엔 그의 고유하고 신비에 싸인 체험만 있지 미래는 포함되어 있지 않다. 젊은 죽음과 함께 사라지는 세계 속엔 그 자신과 그의 부모형제가 걸던 얼마나 다채롭고 풍부한 미래가 포함돼 있는가. 특히 자식이 부모의 소망은 물론 허영심까지 충족시켜줄 만큼 잘 자라 부모가 한참 우쭐해 있을 때, 부모는 어리석게도 자식이 성취한 것을 자신의 것으로 착각하게 된다.

나 역시 그랬었다. 아들의 세계와 나의 세계는 동일한 축(軸)을 가지고 마냥 팽배해가고 있었다. 그 나름의 독립, 혹은 연애나 결혼 등으로 에미로부터 분화(分化)해나가기 직전, 모든 가능성과 희망을 공유하던 에미로서는 가장 행복한 착각의 시절에 아들은 홀연 자취도 없이 사라져버렸다. 그러니까 그의 죽음은 하나의 세계의 소멸이 아니라 두 개의 세계의 소멸을 뜻했다.

그러나 우리는 우리가 가장 사랑하는 이에 대해 과연 무엇을 알고 있다고 할 수 있는가? 아들이 인턴과정을 끝마치고 전문의는 무슨 과를 택할까 의논해왔을 때 생각이 났다. 그 애는 나만 반대하지 않는다면 마취과를 하고 싶다고 했다. 뜻밖이었다.

나는 아들로 인하여 자랑스럽고 우쭐해하는 데 익숙해져 있었다. 누가 시키거나 애써서가 아니라 그 애 스스로가 선택한 학교나 학과가 에미의 자긍심을 충분히 채워주었기 때문에 이번에도 으레 그러려니 했다. 내 무지의 탓도 있었지만 마취과는 어째 내 허영심에 흡족지가 못했다. 나는 왜 하필 마취과냐고 물었다. 그 애는 그 과의 중요성을 자세히 설명했다.

「그런 식으로 말해서 중요하지 않은 과가 어디 있겠니? 이왕 임상을 하려면 남보기에 좀더 그럴듯한 과를 했으면 싶구나.」

나는 내 허영심을 숨기지 않고 실토했다. 그때 아들의 대답은 이러했다. 「어머니, 마취과 의사는 주로 수술장에서 환자의 의식과 감각이 없는 동안 환자의 생명줄을 쥐고 있다가 무사히 수술이 끝나고 의식이 돌아오면 별볼일이 없어지기 때문에 환자나 환자 가족으로부터 고맙다든가 애썼다는 치하를 받는 일이 거의 없지요. 자기가 애를 태우며 생명줄을 붙들어준 환자가 살아나서 자기를 전혀 기억해주지 않는다는 건 얼마나 쓸쓸한 일이겠어요. 전 그 쓸쓸함에 왠지 마음이 끌려요.」

그 아들에 그 에미랄까, 나 또한 아들의 마음이 끌린 쓸쓸함에 무조건 마음이 끌려 그 애가 원하는 것을 쾌히 승낙했다. 늘 사랑과 칭찬만 받으면서 자라 명랑하고 거침이 없고 남을 웃기기 잘하고 농담 따먹기에 능하던 아들의 전혀 새로운 면이었다.

나는 그때 아들에 대해 새롭게 알았다. 품안의 자식인 줄로만 알았던 아들이, 알아버렸다가 아니라 알아야 할 무진장한 걸 가진 대상으로 우뚝 섰을 때 얼마나 대견했던지, 그리고 그때의 그 앎의 시작에 대한 설렘까지 꼬박이 밝힌 새벽 빛 속에 생생하게 되살아났다.

9월 ××일

해가 벌써 이렇게 짧아졌는지 날이 흐렸는지 7시까지도 방안이 침침하다. 며칠째 시간 감각이 마비가 된 건지 착란을 일으킨 건지 시시각각이 여삼추 같다가도, 지내놓고 보면 몇 시간이고 몇 날이고 건너뛴 것처럼 기억이 지워지곤 한다. 죽음이란 숨쉬지 않음인가, 기억 없음인가.

요 며칠 동안 술을 줄이고 책만 읽었다. 밤낮을 가리지 않고 깨어 있는 동안은 읽다가 잠이 오면 또 밤이건 낮이건 따지지 않고 깜박깜박 졸곤 했다. 주로 신과 내세(來世)에 관한 책이었지만 지금 머리에 남아 있는 건 아무것도 없다. 다 부질없는 짓이다. 그런 독서로 시간을 죽이는 것 외에 조금이라도 얻은 것이 있다면 신과 내세의 문제야말로 죽어보지 않고는 알 수 없다는 걸 깨달은 정도다.

그런 종류의 책말고 『여자란 무엇인가』를 비롯해서 김용옥의 책도 세 권이나 읽었는데 아무것도 생각나지 않기는 마찬가지이다. 그러나 딸의 서가에서 그의 저서를 골라낸 내 의식의 흐름은 역시 신의 문제와 무관하지 않았다.

무심히 책장을 펄럭이다가 신부놈들이란 낱말이 눈에 띄길래 신부님의 오자인 줄 알고 그 앞뒤의 문맥을 더듬어보니 그게 아니었다. 신에 대한 지칠 줄 모르는 앙분 때문이었을까, 신부를 욕하는 소리가 그렇게 상쾌하고 고소하게 들릴 수가 없어서 이끌린 책이었다.

베란다까지 걸어나가는 것도 버거워 안방 창틀에 걸터앉아 버릇처럼 수영만 쪽을 바라본다. 요트 경기장의 성화가 아주 잘 보여 아직도 올림픽 기간이라는 것을 일깨워준다. 하루중 아마 이맘때가 제일 잘 보이는 시간이 아닌가 싶다. 밤엔 주위의 휘황한 불빛 때문에 낮엔 햇빛 때문에 거의 거기서 타오르는 성화를 보지 못했다.

오늘의 바다 빛깔은 오염이 심할 때의 한강의 해빙기 같다. 해변 가까이는 얼음판 같은 빛깔이고 먼 바다는 탁한 회색이다. 그리고 그 두 빛깔 사이의 경계 또한 강의 얼음장이 수심이 얕은 데만 남아 있을 때처럼 부드럽고 모호하다. 수평선도 다른 날보다 훨씬 다가와 보이건만 대마도는 지워진 듯 안 보인다. 나는 이런 풍경을 망막에 새기듯이 무턱대고 마냥 주시한다.

내 아들은 이 모든 것을 보지 못하게 되었다. 내가 열심히 보고 있는 것의 무의미성에 그만 진저리를 친다.

잡다하게 읽은 책 중 어떤 목사님이 죽었다 깨어나서 보고 왔다는 천당 생각이 났다. 그가 보고 온 천당은 바닥은 온통 황금이고 궁정 같은 집은 화려한 보석으로 되어 있더라고 했다. 내가 상상한 천당하고 너무 달라서 더 읽을 마음이 나지 않았다. 내가 그랬으면 하고 그려보는 천당은 내 고향 마을과 별로 다르지 않다. 풀밭, 풀꽃, 논, 밭, 맑은 시냇물, 과히 험하지도 수려하지도 않지만 새들이 많이 사는 산, 부드러운 흙의 감촉이 좋아 맨발로 걷고 싶은 들길, 초가집 등이 정답게 어울린 곳이다. 내 고향 마을에서 천당으로 옮겨놓고 싶지 않은 건 터무니없이 크고 과히 깨끗지 못한 뒷간뿐이

다. 그러나 천당 바닥이 풀밭이 아니면 또 어떠랴. 황금이나 양탄
자라 해도 사후에도 뭔가 보이는 것만 있다면 말이다.

　오후엔 딸의 친구가 먹을 걸 해가지고 나를 보러 왔다. 아들의
조문을 받아야 하는 고통과 수치를 피하고 싶은 것도 부산으로 내
려온 까닭 중의 하나였다. 딸도 에미의 이런 심정을 빤히 아는지라
제집에 아무도 찾아오지 못하게 세심하게 신경을 쓰는 눈치였는데
그 친구는 좀 무례하다 싶을 정도로 예고 없이 들이닥쳤다.
　나는 딸 또래의 젊은이로부터 듣게 될 어색한 위로의 말이 지레
겁이 나 숨고 싶었지만 그것도 여의치 않았다. 그러나 그 젊은이는
내 아픈 곳은 한번도 안 건드리고 자기가 해온 음식의 맛과 영양가
에 대해서만 얘기했다. 그 태도가 티없이 맑으면서도 공손해서 은
연중 제대로 된 가정교육을 받은 좋은 품성을 풍겼다. 나는 세상물
정 모르는 철부지가 내 고통을 함부로 건드릴까 봐 잔뜩 도사려 먹
은 마음을 풀고 편안해질 수가 있었다.
　그리고 그이가 가자 나는 딸에게 참 좋은 사람이더라고 그이 칭
찬을 했다. 딸도 제 친구가 엄마 마음에 든 게 기쁜지 묻지도 않은
그의 가정환경까지 들려주었다.
　그는 양친이 구존해 계시고 형제자매도 여럿인데 하나같이 좋은
학교 나와 출세하고 경제적으로도 유복하게 산다고 했다. 또 그 여
러 형제자매들이 낳은 손자녀까지 합치면 그의 양친이 퍼뜨린 직계
가족이 50명 가까운데 여직껏 한번도 참척을 겪은 일이 없다고 했
다.
　거기까지는 듣기가 좋았는데, 그 집안이 그렇게 잘되는 것은 그
어머니의 독실한 신앙과 끊임없는 기도생활 덕분이라는 것을 자손
들이 느끼고 늘 감사하며 산다는 대목에서 나는 그만 마음이 몹시

상하고 말았다. 상한 정도가 아니라 가슴에 못이 되어 박히는 기분이었다. 딸도 들은 대로 말했을 뿐 그 한 마디가 에미를 그토록 아프게 한 줄은 미처 몰랐으리라.

나는 그럼 기도가 모자라서 아들을 잃었단 말인가. 꼭 그렇게 들려서 고깝고 야속했다. 세상에 자식을 위해서 기도하지 않은 에미가 어디 있단 말인가. 카톨릭에 입교한 지가 4년밖에 안되니까 예수 그리스도를 통해 기도한 지는 그밖에 안될지도 모른다. 그렇다고 그전에 기도가 없었을까. 영세 받고 성당이나 집에서 격식에 맞게 올리는 기도보다, 그전에 마음에서 우러날 때마다 자연 발생적으로 바친 기도, 기도하듯 삼가는 마음가짐이 훨씬 더 순수하고 간절했었다.

다섯 아이를 다 젖먹여 기를 때, 어린것을 가슴에 안고 내 몸 안에서 가장 좋은 것뿐 아니라, 내 심성 속에서 가장 좋은 것만이 자식에게 아낌없이 주어지길 비는 마음은 거의 접신(接神)의 경지였다. 그럴 때 나는 내 자식이 커서 무엇이 될지는 감히 예측할 수 없었지만 적어도 악(惡)하게 되지는 않을 것만은 확실하게 믿을 수 있었으니까.

그걸 믿고 의지하기 위해 자식을 놀러 내보낼 때나, 학교에 보낼 때나, 잠 재울 때나, 도시락을 쌀 때나 기도하듯 삼가는 게 보통 에미들의 공통적인 마음가짐이다. 영세를 받고 나서 틀에 박힌 기도의 격식과, 믿고 기도하면 못 이룰 것이 없다는 열렬한 신자의 간증 때문에 되레 기도하는 심성은 주눅이 들어버린 느낌이 들 정도였다. 그게 죄였을까. 오직 예수 그리스도 당신의 이름만 부르며 매달리지 않아서? 그건 말도 안돼.

남색 프레스토 생각이 났다. 아들이 의과대학을 졸업하던 해 사준 소형차가 남색 프레스토였다. 그때만 해도 고루한 내 상식으로는 인턴 주제에 제 차는 사치였다. 그러나 꼭두새벽에 나가 오밤중에 들어오는 고되고도 고된 인턴 생활에서 출퇴근에 소모하는 시간과 체력을 조금이라도 덜어주고 싶어 그 차를 사도록 했다. 집에서 병원까지는 너무 멀고 교통편도 불편한지라 그 애의 자가용만은 사치품에서 제외시켜주고 싶었다.

그러나 나로서는 크나큰 걱정거리를 떠맡은 셈이었다. 첫새벽에 단잠이 덜 깬 부수수한 얼굴로 커피도 마시는 둥 마는 둥 그 차를 끌고 출근을 하고 나면 꼭 졸면서 운전하다 큰 사고를 낼 것만 같은 방정맞은 생각을 떨칠 수가 없었다. 퇴근 때는 그런 방정맞은 생각이 아침보다 더했다. 들어올 시간이 지나고부터 온갖 망상에 시달려야 했다. 지칠 대로 지친 몸으로 차를 몰고 오다가 깜빡 졸면서 교각이나 가드레일을 들이받는 끔찍한 망상을 물리치는 길은 그래도 기도밖에 없었다.

그때만 해도 영세를 받은 후였으니까 주로 묵주기도를 바쳤다. 아파트 진입로가 보이는 뒷베란다로 나가 남색 프레스토를 목 빠지게 기다리며 나는 얼마나 수도 없이 손가락의 묵주반지를 돌렸던가. 그놈의 프레스토가 웬수다 싶다가도 막상 아들의 상체가 보이는 프레스토가 나타나면 모든 근심은 사라지고 아들과 함께 남색 차까지도 그렇게 예뻐보일 수가 없었다.

당직이라 안 들어올 때는 내가 직접 먹을 것과 잠자리를 챙겨주지 못하는 허전감을 기도로써 대신하려 했고, 그 애를 위해 기도할 때처럼 내 정성이 하늘에 닿는 것처럼 느낀 적도 없었다. 그러나 내 정성은 결코 하늘에 닿지 않았다. 그러니까 하느님 같은 건 있지도 않다. 나는 억지를 부리듯 이렇게 결론을 내린다. 그래도 신의 문제는 나를 쉽사리 해방시켜주지 않는다.

신앙 깊은 어머니 덕에 자손이 다 잘된 얘기가 나에게 그렇게 뼈

아프게 와닿았음에도 내가 당한 고통의 의미를 내가 저지른 죄를 통해 찾아내려는 종교적 심성이 내 안에 있기 때문이 아니었을까. 지금 현재 신의 문제는 나에게 늪과 같다. 집요하고 수렁 깊은 늪, 벗어나려고 몸부림칠수록 점점 더 끌려들어가는 느낌이다. 아무리 깊이 빨려들어가 그 밑바닥까지 도달한다 해도 신을 만나지는 못하리라. 적어도 이 늪에서 해방되지 않는 한 신의 얼굴은 요원할 뿐이다. 끔찍스러운 모순이다.

서울서 심 신부님이 전화하셨길래 반갑기도 하고 설움도 복받쳐 서울 가서 혼자 있고 싶다고 하소연했다. 다들 앞으로 내가 내 아파트에 다시 들어가 혼자 사는 것은 말도 안된다고 생각하는데 신부님은 참 좋은 생각이라고 동의해주셨다. 조금 희망이 생기는 것 같았다. 그러나 딸한테는 입 밖에 내서 말하지 않았다. 아직은 가망 없는 일이었다. 그 애는 나를 중환자 취급하고 있었다.

9월 ××일

어젯밤에 다시 많은 술을 마셨더니 아침까지 골치는 좀 욱신거렸지만 늦잠을 잘 수가 있었다. 습관처럼 제일 먼저 베란다로 나갔다. 올림픽이 개막되기 전엔 되레 요트가 떼지어 먼 바다로 나가는 게 종이배처럼 보이더니만 막상 요트경기가 시작된 수영만엔 햇빛의 농도에 따라 성화가 보였다 안 보였다 할 뿐 요트는 보이지 않았다. 벌써 나갔나. 나갔으면 돌아올 때가 있겠지. 나는 요트가 눈에 뜨일 때까지 지켜보기로 했다. 그것도 시간을 주름잡는 한 방법이었다.

「엄마가 시방 소리개 고개까지 왔으면 내 엄지손가락이 가운뎃손가락에 척척 붙어라.」 이러면서 읍내 장에 가신 엄마를 기다리는 지루한 시간을 주름잡던 어린 시절부터 나는 지금 얼마나 멀리 와 있는 것일까. 삶의 노독인 양 가슴과 뼈마디가 둔하고 깊게 욱신거렸다.

도대체 이 무의미한 항해는 언제 끝날 것인가. 남편이 꼭 남자의 평균수명을 살고 갔으니 나도 여자의 평균수명만 산다고 가정해도 아직 13, 4년은 더 살아야 한다. 아직도 13, 4년을 더 살아내야 하다니. 태어난 게 잘못이다. 또 서울 가서 혼자 사는 문제를 생각해본다. 생활의 변화에 대한 꿈이 있어서는 아니다.

나는 나를 남처럼 저만치 떼어놓고 그 속을 빤히 들여다본다. 나는 여기 딸네 집 베란다에서 수영만을 목적 없이 바라다보는 것보다 우리집 뒷베란다에서 남색 프레스토를 하염없이 기다리고 싶은 거였다. 마냥 기다리고 있으면 반드시 우리 아파트 진입로로 운전대를 꺾는 아들의 준수한 얼굴을 볼 수 있을 것 같다. 미쳐서라도 좋으니 그렇게 되고 싶다.

부연 안개가 걷히면서 수영만에 푸른 기가 돌기 시작했다. 그러나 아직은 분청사기처럼 불투명하고 고르지 못하다. 커피도 베란다에서 마시면서 기다린 보람으로 마침내 요트들이 나가는 것을 볼 수가 있었다. 10시경이었다. 너무 느리고 한유로워보여 조금도 경쟁이나 승리를 위한 출범 같지가 않았다. 텔레비전을 볼 때마다 손자들이 환호하며 외치는 금메달이나 신기록이니 하는 올림픽 열기와는 동떨어진 별세계의 풍경화처럼 보인다.

돛단배들이 아물아물 먼 바다로 작아져가는 걸 지켜보는 사이에 몽롱한 조으름이 왔다. 어렴풋한 희망이 조으름을 더욱 감미롭게 했다. 아아, 꿈이었으면, 그 모든 일들이 한바탕의 꿈이었으면. 그리하여 퍼뜩 일어나보니 내 악몽을 근심스럽게 흔들어 깨워준 게 내 아들이었으면. 그러나 그런 희망으로 가슴이 울렁거려 곧 눈이 말뚱말뚱해지고 말았다.

한낮의 수영만은 좀더 밝아져서 평평한 사막 같다. 그러나 구름 낀 하늘과의 사이의 수평선이 자를 대고 푸른 물감으로 그은 것처럼 선명한 게 좀 기이해보인다. 이렇게 불투명한 날에 대마도가 보이는 것도 이상하고, 마치 아지랑이가 가물댈 때의 봄동산처럼 몽롱하고 푸르게, 그러나 꽤 가까이 보인다.

마침 배달을 온 청년이 「이 집 참 전망 좋다」며 베란다를 기웃대다가 대마도를 보더니 「내일 비 오겠군」하면서 일기예보를 한다. 대마도가 보이면 다음날 영락없이 비가 온다는 것이었다. 내가 안 믿는 눈치를 보이자 청년은 나더러 내기를 하잔다. 여간 자신만만하지가 않다. 순전히 경험에 의한 지혜도 젊은이에게 못 미치는 내 나이가 더욱 초라하게 느껴져 나는 열없이 그냥 웃기만 했다.

저녁 무렵에 노순자 씨로부터 전화를 받았다. 아들 잃고 나서 처음 듣는 그의 목소리에 나는 울음부터 치밀었다. 내 아들 자라는 걸 어려서부터 지켜보았고 그 또한 외아들을 기르고 있으니 내 비통을 헤아리는 마음도 남다르리라는 걸 알기 때문에 더욱 복받치는 통곡을 참을 수가 없었다. 몇 마디 하다가 그냥 끊었다. 울음과 함께 온종일 살얼음판을 밟듯이 참아내던 포악과 물음이 복받쳤다.

내 아들의 죽음의 의미는 뭘까? 죽음 후에도 만남이 있을까? 그 애의 죽음은 과연 피할 수 없는 운명이었을까? 신이 있기나 있는 것일까? 인간의 기도나 선행과는 상관없이 인간으로 하여금 한치 앞도 못 내다보게 눈을 가려놓고 그 운명을 마음대로 희롱하는 신이라면 있으나마나가 아닐까?

여직껏 지녀온 신의 개념 중에서 자비로움, 공정성 같은 걸 빼버리면 신 또한 시체만 남게 된다. 성경에는 예수께서 십자가에 못 박혀 운명하시기 직전에 큰소리로 남기신 말은 「엘리 엘리 레마 사박타니?」라고 기록하고 있고 그 뜻은 「나의 하느님, 나의 하느님, 어찌하여 나를 버리시나이까?」라고 밝히고 있다. 그러나 정작 숨은 뜻은 「하느님, 하느님, 결국 당신은 안 계셨군요?」가 아닐까.

지치도록 울다가 옷을 갈아입으려고 서울서 가져온 가방을 뒤지는데 묵주가 만져졌다. 남편의 투병중 문병을 와준 친구가 특별한 의미를 부여하면서 주고 간 묵주였다. 친구가 몇 년 전 성지순례하면서 성모님이 몇 번씩이나 기적을 보이셨다는 유럽의 어떤 성당에서 산 건데 어려운 일이 있을 때마다 그 묵주로 기도를 바치면 영락없이 잘 들어주시더라는 것이었다. 그런 연유로 자기에겐 마음의 든든한 지주 같은 특별한 묵주니 아주 줄 수는 없고 빌려주는 거니 나도 열심히 기도를 바쳐 그런 은총을 받도록 하라고 했다.

나는 그 묵주로 9일기도도 바쳐보고 단식기도도 바쳐봤지만 남편의 생명을 붙들지는 못했다. 그 묵주가 어떻게 짐 속에 들어 있었을까? 아마 둘째가 짐을 싸면서 에미가 너무 힘들 때 혹시 위로가 될까 해서 챙겨넣은 모양이다.

나는 그 묵주가 특별히 영검하다는 걸 믿지 않는다. 처음부터 믿지 않았었다. 내가 그걸 굳게 믿을 수 있었다면 아마 그 묵주로 남편의 병을 고칠 수 있었을지도 모른다. 그럼에도 불구하고 나는 묵주를 보자 덜컥 가슴이 내려앉아 얼른 주모경을 바치고 나서 작은 주머니 속에다 넣어두었다. 그리고 나서 「주님, 당신을 사랑해서가 아닙니다. 믿어서도 아닙니다. 만에 하나라도 당신이 계실까 봐, 계셔서 남은 내 식구 중 누군가를 또 탐내실까 봐 무서워서 바치는 기도입니다」라고 내 기도에다 주석을 달았다.

주를 믿어서도 사랑해서도 아닌, 단지 공포 때문에 올리는 기도란 얼마나 참담한가. 참담 그 자체, 그건 바로 나 자신이었다. 예수는 당신이나 십자가에 매달리고 말지, 왜 수많은 예수쟁이들까지 줄줄이 그의 못박히고 피맺힌 팔다리에 매달리게 하는가. 그래서 그의 몸을 갈기갈기 찢어 손톱 발톱까지 나눠 갖게 하는가.

올림픽에서 우리나라가 메달을 많이 따나 보다. 밤늦도록 손자들이 텔레비전 앞에서 환호하는 소리가 들린다. 내 아들이 없는데도 축제가 있고 환호와 열광이 있는 세상과 내가 어찌 화해할 수 있을 것인가. 혼자가 될 수 있는 방법에 대해 골똘히 생각해본다.

9월 ××일

추석날이다. 딸애가 추석상을 잘 차렸다. 사위, 손자들까지 둘러앉아 서울식으로 차린 추석상을 받았다. 원은 어제부터 시골 큰댁으로 갔어야 할 아이들이 나한테 마음을 쓰느라고 안 가고 있는 것이다. 딸의 시댁 어른들이 그 애들을 못 오도록 극구 말렸다니 그 인품의 너그러움과 자상함이 고마우나, 사돈댁의 동정까지 받고 있단 생각은 심히 처량하고 민망하다.

또 추석 명절날 하루만이라도 혼자 있을 수 있으려니 기대했던 게 어긋난 것도 속이 상한다. 혼자서 뭘 어째보겠다는 요량이 있는 것도 아니면서 때때로 혼자 있고 싶어 미칠 것 같을 때가 있다. 좋은 딸들을 둔 것도 복에 겨워 저런다고 흉잡힐 만한 청승인지라 될 수 있는 대로 겉으로 드러내진 않는다. 이런저런 부자유가 사람을 지치게 한다.

오후에 사위하고 손자들은 친가 쪽 시골로 성묘 떠나고 딸하고 단둘이 남는다. 슬픔과 외로움에 처했을 때, 명절이 얼마나 힘들다는 걸 딸도 모르지는 않는지라 조심스럽게 서울서도 오늘 모두 성묘를 가기로 돼 있다고 알려준다. 둘째, 셋째네 그리고 장조카네 식구 모두에다 그 애의 친구들까지 간다고 했으니 버스 한 대쯤 대절해야 했을지도 모른다고 불필요한 혼잣말까지 덧붙인다. 그런 소리까지도 동기간들이 번족한데 명절날 그 애가 홀로 쓸쓸하게 누워 있도록 내버려둘까 봐 그렇게 청승맞은 얼굴을 하고 있느냐고 나무라는 말로 들린다.

온몸의 살갗이 다 까진 것처럼 그저 닿는 데마다 쓰리고 아프다. 이런 내가 스스로도 부담스러우니 자식들은 또 얼마나 짐스러울까. 이곳 해운대 성당에 연미사를 신청했으니 미사 참예하러 가자고 했다. 그 애가 죽고 나서 처음 가보는 성당이다. 생전 처음 많은 사람들 사이에 섞여보는 것처럼 쭈볏쭈볏 몸둘 바를 모르겠다. 아무도 나를 알아보는 사람이 없건만도 모두 나를 알아보고 손가락질을 하는 것 같다. 「저 여편네가 아들 잡아먹은 여편네래」 하고.

어렸을 때, 우리 시골에선 일찍 과부가 되거나 참척을 본 팔자 사나운 여자를 가리켜 남편 잡아먹은 ×, 혹은 새끼 잡아먹은 ×라는 심한 말로 손가락질했었다. 어린 마음에도 참 끔찍한 말버릇이라고 생각했건만 그 애를 잃고 나서 자주 그 말이 떠오르곤 한다. 그건 결코 심한 말이 아니라 생생한 실감이었다. 가슴에 꽉 가로막힌 이 무겁고도 생전 삭아 없어질 리 없는 응어리와 수치감에 그 이상 들어맞는 비유가 어디 있을까.

미사 보는 동안도 내내 자식 잡아먹은 내 모성의 독함에 대해서 생각하고 또 생각했다. 나는 아직도 그 애가 누워 있는 산에도 못 가봤다. 즈이 아버지 발치에 누워 있다니 내 발길이 여러 번 미친 산이건만, 그 애가 묻힐 때도, 묻힌 후에도 못 가봤으니 그 산은 나에게 미지의 산일 수밖에 없다. 에미가 눈뜨고 살아 있으면서 그 애가 어떻게 묻히고 어떤 모양으로 누워 있는지 확인도 안해봤으니 세상에 그런 못된 에미가 어디 있을까.

나는 주위의 만류와 부끄러움을 무릅쓰고 아들의 장례에 달려갔었다. 못할 노릇인 줄은 남이 말해주기 전에 이미 온몸으로 느끼고 있었다. 자식 잡아먹은 죄로 어떡하든 그 벌을 받아내지 못하면 따라 죽게 되든지 하다못해 까무러치기라도 할 줄 알았다. 정신의 고통이 어느 한계까지 차올랐을 때, 기절할 수 있는 장치가 돼 있는 몸을 가진 사람은 축복받은 사람이다. 내 몸과 마음에는 불행히도 그런 장치가 빠져 있었다. 내가 자신을 독종이라고 저주하는 까닭도 바로 거기에 있다.

나는 그때 분명히 기절하지 않았는데도 누군가 주사로 일부러 기절을 시켜 장례에서 빼돌려버렸다. 당해야 할 고통은 아무리 못할 노릇이라도 그 자리를 피하지 않는 게 옳다. 일생 피할 수가 없게 되고 만다. 추석날이라 그런지 그애의 산소도 떠올릴 수 없는 게 몹시 고통스러웠다.

연미사도 위로가 되지 못했다. 미사 후 딸이 나를 신부님에게 인사시키려고 했다. 나는 그분이 뭔가 위로의 말을 찾으려고 머뭇대는 걸 보자 얼른 인사도 하는 둥 마는 둥 그 자리를 피했다. 내가나 자신에게도 남에게도 애물덩어리란 생각을 지울 수가 없다. 막연한 듯하면서도 확실한 돌파구로 다시 한번 혼자가 되는 방법을 궁리해본다. 그렇게 수시로 눈물을 짰건만 생전 울어보지 못한 것처럼 정말로 순수하게 혼자가 됐을 때 제일 먼저 하고 싶은 것은 실컷 울어보는 거다.

미사 보고 나서 딸은 어디 좋은 데 가서 점심을 먹자고 했다. 추석날이니까 딸은 아마 살아 있는 조상을 기쁘게 해주기로 작정을 한 모양이다. 그러나 어떻게 기쁜 척해야 하나는 이 몸의 고달픈 업이다. 파라다이스호텔 3층 화식부로 따라갔다. 경치가 좋았다. 창 밖에선 파도가 부서지고 산책 나온 젊은이나 어린이들 중엔 고운 한복을 입은 이도 많이 눈에 띄었다. 오른쪽으로 바라보이는 게 동백섬이라는데 조선비치호텔이 그 경관을 가로막고 있는 게 옥의 티였다. 그러나 그건 어디까지나 내가 앉은 자리를 본위로 한 관점이리라. 너무 좋은 식당에서 미안하지만 나는 우동 국물만 훌쩍였다.

집에 오는 동안 비가 오기 시작했다. 처음엔 자욱한 안개비더니 조금씩 빗발이 굵어지면서 밤까지 그치지 않았다. 딸은 아이들을 태우고 시골길로 차를 몰고 간 제 남편 걱정을 하는 눈치고 나는 아들의 무덤이 비에 젖을 생각을 한다.

학교 갔다 비 맞고 돌아왔을 때의 그애 생각이 났다. 국민학교 때도 과보호가 될까 봐 웬만한 비에는 우산을 가지고 학교까지 마중가지 않았었다. 그 애도 으레 그러려니 기다리지 않고 비 맞는 걸 오히려 즐긴 듯 흠빡 젖어서 씩씩하게 돌아오곤 했다. 비에 젖을수록 체온이 뜨거운 건강한 사내아이한테서는 흙과 식물과 동물을 합친 것 같은 강렬하고도 싱그러운 생명의 냄새가 풍겼었다. 그 애에게서 생명이 없어지다니. 들꽃으로라도 풀로라도 다시 한번 피어나렴.

나는 그 애에 대한 갈증을 참을 수가 없어 집에서 가져온 그 애의 사진첩을 꺼냈다. 너무 힘들어 스스로 자제해온 일이건만 오늘은 정말 어쩔 수가 없다. 생전에 무심히 그저 잘 나왔다, 못 나왔다 정도의 평을 하며 보던 사진들이 한장 한장 생전의 모습 그대로 생생하게 살아나 에미의 살갗을 으스러뜨리며 에미 안으로 스민다. 친구들과 개나리꽃이 흐드러지게 핀 교정에서 찍은 사진은 그 애의 설레는 행복감은 물론, 대기중에 충만한 봄내음, 친구들과의 악의 없는 농지거리, 벌들의 잉잉거림까지 현장에 있는 것과 다름없이 느끼게 해준다. 그 애의 졸업식 날은 왜 그렇게 추웠던지, 졸업식 때 찍은 사진에선 얼굴에 살짝 돋은 소름, 분주하게 돌아다니느라 가빠진 숨결, 빨리 맛있는 거나 먹으러 가고 싶은 왕성한 식욕, 추위와 가족들의 만족감이 자아내는 묘한 축제 분위기를 눈앞에 또렷이 보고 느낀다.

사진 중엔 며칠 전 딸애가 찾아온 것도 있다. 딸은 제 카메라의 필름을 빼다 맡긴 걸 찾아오더니 「어머」하면서 탄성을 삼켰다. 거의가 다 요새 즈이 아이들을 찍은 거였는데 그중엔 여름방학 때 서울 와서 찍은 것도 몇 장 있었다. 그중 한 장이 아들의 독사진이었다. 날짜를 보니 그 애가 죽기 바로 며칠 전에 밤의 한강 유람선에서 찍은 거였다.

그날 그 애의 귀가가 다른 날보다 조금 일렀던지, 아무튼 나는 그 애에게 부산서 올라온 손자들한테 한강 유람선을 태워주라고 부탁을 했다. 「촌스럽게 유람선은요」하면서도 그 애는 마다하지 않았다. 차 가진 죄였다. 결국 우리는 촌스럽게도 어른들까지 따라나서서 유람선을 타고 밤바람에 더위를 식히며 오징어 다리를 씹었던가? 강변의 야경이 환상적이었다. 그때 배의 난간에 기대 선 그 애의 모습은 여간 피곤해보이지 않는다. 손자들을 즐겁게 해준답시고 주책을 떠느라 그땐 미처 보지 못한 그 애의 피곤을 카메라는 여실히 드러내 보여주고 있었다. 그게 그 애의 마지막 사진이 되었다.

그러나 내가 놀란 건, 그 애의 피곤보다도 그 크림통보다도 작은 필름통 속에 유명(幽明)이 함께 들어 있었다는 사실이었다. 그 유람선 사진 몇 장만 빼고는 다 그 애가 죽은 후의 날짜로 돼 있었다. 인간이 만들어낸 거리의 단위나 감각으로는 도저히 헤아릴 길 없이 멀고 먼 이승과 저승이 어쩌면 그 작은 필름통 안에 그리도 친근하게 밀착돼 있었더란 말인가. 나에겐 그 필름통이 마치 한치 앞도 못 내다보는 가련한 인간의 운명처럼 느껴졌다.

밤이 깊어가는데도 성묘 간 사위와 손자는 안 돌아온다. 나에게 걱정이 남아 있다는 게 싫지만 걱정이 된다. 베란다로 나가본다. 13층이다. 뛰어내릴 용기가 없다는 걸 번연히 알면서도 뛰어내리기를 꿈꾼다. 베란다에 새시가 없어 더욱 발 밑이 가깝게 느껴진다.

필름통 속에서나 다름없이 삶과 죽음은 도처에 분명한 잇잠도 없이 그냥 이어져 있구나. 그러나 보이지 않는 손길이 떠다밀지 않는 한 아무도 임의로 그걸 뛰어넘지 못하고, 일단 뛰어만 넘으면 그 거리는 무한대로 멀어지고 만다.

발 밑이 짜릿짜릿해져서 조금 뒤로 물러선다. 아무리 물에 빠져 죽고 싶어도 물귀신이 잡아당기지 않으면 못 빠져죽는다는, 들은 풍월이 생각난다. 자유의사로 삶과 죽음의 경계를 뛰어넘을 수 있는 이가 있다면 사람도 아니다. 초인이다. 수영만의 성화가 빗속에서 아주 잘 보인다. 촛불만한 크기와 흔들림으로.

성묘 간 아이들이 한밤중에 돌아왔다. 할아버지댁에서 텔레비전으로 유도가 금메달 따는 것까지 보느라고 그렇게 늦었다고 했다. 금메달이 그렇게 좋은지 아이의 표정이 함박꽃 같다. 꽤나 악을 쓰고 응원을 했나 보다. 산에서 신나게 논 얘기를 하는 아이의 목소리가 쉬어 있다. 아이는 할머니한테 선물이라며 주머니에서 산에서 주웠다는 알밤을 주섬주섬 꺼내놓는다. 고맙다, 고마워. 나는 선물도 고맙고 아이들이 무사히 돌아온 건 더 고마웠다.

9월 ××일

공휴일이다. 어제부터 오늘 경주로 놀러 간다고 벼르더니 아이들이 일찍 깨서 와아, 날 좋다고 떠드는 소리가 들린다. 아닌게아니라 수영만의 빛깔이 내가 부산 와서 관찰한 바다 빛깔 중에서 가장 투명하다. 에메랄드가 빛을 반사할 때 같다. 아이들의 올림픽 열기가 왜 바로 눈앞에서 펼쳐지는 요트경기에 있어서는 그렇게 시들한지 모르겠다.

서울 아이들로부터 전화로 산에 갔다 온 얘기를 들었다. 떼도 잘
자랐거니와 산에 가는 길이 그리 좋더라고 했다. 서울을 벗어나서
산까지 줄창 코스모스가 어찌나 청초하고 화사하게 피었던지 꿈길
같기도 하고 천국 가는 길 같기도 하더라나. 너무 좋아서 너는 참
좋겠다고 먼저 간 동생을 부러워했단 얘기도 했다. 밝고 약간 들뜬
것 같은 목소리로 그런 소리를 하는 걸 들으니 짐짓 나를 위로하려
고 저런다 싶으면서도 역시 자식하고 동기간은 다르다고 어른스럽
지 못하게 고까운 생각이 들었다.

경주 가는데 안 따라갈 수는 없을 것 같았다. 딸애가 그 일을 꾸
민 건 에미에게 기분전환을 시켜주는 게 목적인 듯했다. 벌써 며칠
전부터 아이들이 말썽을 부릴 때면 너 그 따위로 말 안 들으면 이
번 공일날 할머니하고 경주로 드라이브 갈 때 너만 떼놓고 갈 거라
고 위협을 하곤 했었다. 나를 위주로 한 드라이브같이 말하면서도
내 의견은 한번도 묻지 않았기 때문에 나 역시 가기 싫다고 말할
기회를 얻지 못하고 말았다. 〈혼자 있고 싶어, 제발 날 좀 내버려
둬줘〉 소리가 목구멍까지 치미는 걸 자제하고 우쭐우쭐 좋아하는
아이들과 어울려 차에 올랐다.

청명한 가을날의 드라이브는 쾌적했고, 아이들은 또 어찌나 좋
아하는지. 이곳 역시 길가의 코스모스는 색색가지 무수한 호접이
춤추듯 미묘하게 하늘대고 만산홍엽은 꽃보다 요요했다. 딸네 식구
들은 마냥 행복해보였다. 나 역시 내 새끼, 내 손자들의 행복이 보
기 싫을 까닭이 없다. 내가 복받치는 분심으로 신을 원망하고 저주
하다가도 문득 두려워지면서 기도하는 마음이 될 수 있는 것도 남
은 딸자식들 내외와 손자들 때문이다. 그럼에도 불구하고 좋은 경
치와 좋은 구경과 딸과 사위의 극진한 보살핌과 손자들의 즐거운
환성이 견디기 힘들었다면 딸은 섭섭하겠지.

그러나 딸아, 그건 네 잘못도 내 잘못도 아니란다. 아무리 좋은 일도 그걸 못이 박힌 가슴으로 느껴야 할 때 어떠하다는 걸 네가 알 리가 없지, 또 알아서도 안되고, 그러나 너도 손가락에 가시 같은 게 박혀본 적은 아마 있을 것이다. 가시 박힌 손가락은 건드리지 않는 게 수잖니? 이물질이 닿기만 하면 통증이 더해지니까. 에미에게 너무 잘해주려고 애쓰지 말아라. 만약 손가락 끝에 가시라도 박힌 경험이 있다면 그 손가락으로는 아무리 좋은 거라도, 설사 아기의 보드라운 뺨이라도 아픔을 통하지 않고는 결코 만져볼 수 없다는 걸 알 테지. 그런 손가락은 안 다치려고 할수록 더욱 걸치적거린다는 것도. 못박힌 가슴도 마찬가지란다. 오오, 제발 무관심해다오. 스스로 견딜 수 있을 때까지.

오래간만에 와보는 경주는 많이 변해 있다. 도처에서 아련한 비애와 감동을 자아내던 천년의 고도는 전형적인 관광지가 돼 있다. 천마총 관광중 소나기가 왔다. 소나기치고는 꽤 오래 와서 아이들은 비를 긋다 말고 뛰어다녀 흠뻑 젖고 말았다.

경주 시내에서 식사를 하려 했으나 추석 끝이라 문 연 집이 거의 없어 한참 돌아다녔다. 사대부집이라는 한식집이 영업을 하는 걸 사위가 간신히 찾아냈다. 그러나 불고기밖에 안된다고 해서 모두 그걸 시켰다. 그 애를 잃고 나서 아직 고기를 입에 넣은 적이 없다. 소화가 안된다는 핑계였지만, 그 애가 죽던 날 밤, 집에서 아무것도 모르고 유난히 맛있게 등심구이를 아귀아귀 먹은 생각을 하면 진저리가 쳐져서 생전 고기를 먹을 것 같지가 않다. 집에서처럼 따로 눌은밥을 좀 끓여달래서 먹었지만 누린내를 견디기가 힘들었다.

9월 ××일
작은손자가 학교 갔다 오자마자 해운대 나가자고 졸라 다들 같이 나갔다. 바다가 목적이 아니라 일전에 호텔에서 먹어본 샤베트가 목적인 걸 나중에야 알게 됐다. 즈이 에미가 그런 비싼 건 이번이 마지막이라고 몇 번씩 다짐을 하고 나서 사주었다. 나는 마지막이란 소리가 듣기 싫어 얼굴을 찡그렸다.

날씨가 좋아 사람들이 많다. 그러나 수영복을 입은 건 외국 사람들뿐이다. 북구라파 쪽 사람에겐 이 좋은 날 옷을 잔뜩 껴입고 바다를 구경만 하는 우리나라 사람이 이상해보일 법도 하다. 파도와 장난을 치다가 신발을 적신 김에 입은 채로 물에 뛰어들어 즐기는 건 역시 아이들뿐이다. 그런 모습을 열심히 카메라에 담는 외국인을 보면서 혹시 수영복도 없는 한국 아이라고 즈이 나라에다 왜곡 보도나 하지 않을까, 60년대 식의 궁상맞은 근심을 해본다.

하늘을 지나는 구름과 햇빛의 농도에 따라 바다 빛깔은 시시각각 요변을 한다. 어느 땐가는 수평선 쪽이 초록색 띠를 두른 것처럼 선명하게 바다의 남색과 경계를 이루면서 그쪽에 떠 있는 양식장의 흰 스티로폼이 초원에 노니는 양떼처럼 보였다. 이 환상의 초원은 순식간에 사라졌지만 그쪽에 초원이 있고 없음이 뭐 그리 중요한가. 이 세상의 수많은 사물 중 다만 보였다는 것 이상의 관계를 맺은 게 몇이나 된다고.

백사장의 사람들은 모두 즐거워보인다. 특히 아이들을 데리고 나와 연방 귀여운 모습을 찍어대는 젊은 부부가 보기 좋다. 지나간 시간을 가정 않기 위해서라도 딴생각을 해야겠다. 아주 초라하고 더러운 소년이 내 곁에 누워 있다.

처음엔 눈을 감고 생각에 잠겨 있으려니 했는데 자는 것 같았다. 백사장을 거니는 사람들 발길에 채여도 꼼짝을 안했다. 나는 그 소년을 열심히 관찰했다. 슬리퍼만 꿴 맨발에도 얼굴에도 땟국이 얼룩져 있다. 소년에게 몰입하기 위해 땟국을 벗긴다. 코가 우뚝하고 준수한 얼굴이 된다. 저 모습에다가 내 아들의 영혼을 불어넣을 수는 없는 것일까, 내 망령된 생각에 스스로 놀라 일어섰다. 밑도끝도없이, 미치는 것도 한 방법이라고 생각한다. 그러나 임의로 되는 것은 아무것도 없다.

저녁 무렵 분도수녀원의 수녀님으로부터 전화를 받았다. 이해인 수녀님으로부터 내 얘기 들었다고 하면서 찾아오고 싶다고 했다. 마침 집에 나 혼자 있을 때였다. 나는 마침내 어떤 기회가 온 것처럼 느꼈고, 그 기회를 놓쳐선 안된다고 생각했다.

그 기회란 혼자될 수 있는 기회인 동시에 홀로 설 수 있는 기회이기도 했다. 나는 오실 것 없다고 내가 가겠다고 했다. 일방적으로 갈 날짜까지 예약을 하면서 있을 만한 방을 하나 비워달라고 부탁을 했다. 분도수녀원은 같은 부산일 뿐 아니라 수영 쪽하곤 지척인 광안리에 있었다. 딸도 마다고는 못하리라.

10월 ×일

수녀님과 약속한 날이 되었다. 딸한테는 아직 말하지 않았다. 그러나 짐까지 다 싸놓았다. 변비약을 끊어보려고 애쓰고 있는 중이라 속이 가슴까지 차오른 느낌이지만 아침엔 처음으로 된밥을 달라고 해서 딸 보는 앞에서 여봐란듯이 반 공기 가량 거뜬히 먹어치웠다. 그 애가 에미를 자기만 돌볼 수 있다고 생각하는 중요한 까닭은 바로 식사문제였기 때문이다. 이제 무엇이든지 먹을 수 있다는 것을 보여주고 나서 오늘 수녀원에 들어가겠노라고 단호하게 말했다.

그리고 나서 몰래 화장실에서 아침에 먹은 걸 다 토해내고 말았다. 생생하게 살아 있는 밥풀이 섬뜩했다. 자식의 보호를 벗어나려는 게 객쩍은 오기가 아닐까 하는 생각이 들었다. 아주 벗어나겠다는 게 아니라 벗어나면 내가 어떻게 되나 자신을 시험해보고 싶은 생각 또한 걷잡을 수가 없다. 뭔가 내 정신이 아니다.

딸애는 그동안 그렇게 지성껏 봉양을 했건만 뭐가 부족해서 저러나 싶은 얼굴로 쳐다봤지만 나는 그 애에게 딴소리할 틈을 주지 않았다. 어디서 뭔가 강력한 힘이 끌어당기는 것처럼 도무지 지접을 못하는 에미를 딸은 딱한 듯, 슬픈 듯 바라보더니 말없이 짐을 들고 따라나섰다. 「모셔다나 드릴게요.」 딸의 지친 듯한 목소리를 듣고 나는 문득 나를 그 애의 에미가 아니라 자식처럼 느꼈다. 자식 중에서도 에미 속이나 썩이는 못된 자식처럼. 어리광이라도 부리고 싶은 마음과 〈아직은 안돼〉라는 오기가 속에서 싸움질하듯 보겠다. 늙은이의 어리광이야 망령밖에 더되나. 딸네서 분도수녀원까지는 차로 10분 가량밖에 안 걸렸다.

초면의 마리로사 수녀님은 야생의 과실 같은 인상이었다. 수녀복 속에서도 사람이 저렇게 싱싱하고 활기찰 수 있다니, 나는 신기하다 못해 조금은 질려서 바쁘고 거침없이 행동하는 수녀님을 물끄러미 바라보았다. 마침 수녀원에 행사가 있는 날이었다. 몸이 자유롭지 못한 노인들을 모셔다가 대접한 후 막 떠나보내려는 시간인 듯했다. 마당에 대기하고 있는 버스까지 모셔다가 부축해서 태워드리기도 하고 작별을 아쉬워하기도 하는 여러 수녀님들 중에도 그수녀님은 유난히 민첩하고 발랄해보였다. 나이도 짐작할 수가 없었다.

모든 것이 내가 기대하고 상상하던 것과 판이했다. 나는 긴긴 회랑(廻廊)이나 연도(羨道)의 끝처럼 어둑시근하고 적막한, 속세와 절연된 고장에서 오로지 나만을 기다리고 있을, 손이 마더 테레사를 닮은 수녀님을 상상했었다. 얼굴은 그닥 중요하지 않았다. 나에겐 잡아줄 손이 필요했다. 죽는 날까지 이 고통에서 벗어날 수 없으리라는 건 각오하고 있었다. 그러나 이 원통(冤痛)함에서만은 놓여나고 싶었다.

　손님들을 배웅하고 난 수녀님이 우리를 언덕방으로 안내해주었다. 수녀원을 방문하는 수녀님들의 가족이나 일반 내방객들을 접대도 하고 묵어가게도 하는 곳인 듯했다. 2인용 침실이 두 개, 여럿이 잘 수 있는 방이 한 개, 독립된 두 개의 응접실, 차를 끓여 마시거나 물을 데워 쓸 수 있는 주방, 화장실, 응접실을 겸한 넓은 복도, 수부(受付) 등으로 되어 있었다.

　속된 말로 방방 뜬다는 표현이 그대로 들어맞는 걸음걸이로 우리를 안내해준 마리로사 수녀님과 언덕방에서 정식으로 인사를 했다. 수녀님은 나하고보다 딸하고 더 많이 얘기를 했다. 나를 위로하는 말도 별로 안했고, 안됐다는 표정을 지어 보이지도 않았다. 수녀님의 음성은 명랑하고 리드미컬했다. 음악을 듣는 것 같았다.

　이상도 해라. 수녀님이 그렇게 말할 수 있다는 것도 이상했고, 내가 여기 무작정 이끌린 것도 이상했다. 여기 오기 위해 나는 며칠 동안 거의 음모를 꾸미듯이 몰래 계획을 짜고 가슴을 조이고 했었다. 내가 앞으로 있을 방에 짐을 풀었다. 딸하고 단둘이 되자 딸이 말했다. 「마리로사 수녀님을 뵈니까 엄마를 여기 떼어놓고 가도 될 것 같아. 계시고 싶은 만큼 계시다 오세요. 매일 한번씩 뵈러 올게요.」 나는 그럴 거 없다고 극구 말리면서 어서 가라고 재촉했다.

　이곳의 분위기는 내가 상상한 것하고는 너무도 달랐지만 딸이 마리로사 수녀님을 대번에 믿음직스러워한 것은 뜻밖의 성과였다. 언덕방 침실은 전망이 좋고 청결하고 검소했다. 불편한 것도 불필요한 군더더기도 없었다. 딸은 책상 서랍까지 열어보고 봉투, 우표, 편지지 등을 일일이 확인했다. 딸은 특히 달력 종이를 오려서 만든 메모지를 보고 감탄을 했다.

　그러나 떠나갈 땐 주제넘게도 어린 자식을 험한 고장에 떼어놓고 가는 에미 같은 얼굴을 하더니, 기어코 눈물을 보였다.

그 애가 떠나고 나서 잠깐 혼자가 되었다. 나는 비로소 내가 어떤 고비를 맞고 있다는 걸 실감했다. 내가 스스로 선택한 고비였지만 두려웠다. 창 밖으로 수녀님들이 왔다갔다하는 모습이 보였다. 다들 바빠보였다. 멀리 밭에서 일하는 수녀님도 바라보였다. 복장과 머릿수건이 조금씩 달랐다. 하는 일에 따라 옷을 다르게 입는 건지 이 안에도 계급이 있는지 알 수 없었다.

마리로사 수녀님만 특별히 명랑하고 발랄한 게 아니었다. 다들 그늘이라곤 없이 빛나는 얼굴을 하고 있었다. 눈부시게 아름다운 수녀님도 있었다. 이상도 하지, 저 젊음과 저 미모로 무얼 못해서 하필 수녀가 되었을까. 나는 누가 부른 것처럼 이곳에 이끌렸고, 지금 여기 당도해 있건만 왜 이런 곳이 있어야 하는지, 어떻게 세속의 한가운데 이런 곳이 있을 수가 있는지 그저 이상하기만 했다.

곧 마리로사 수녀님이 와주었다. 바쁜 틈을 내서 와준 것 같았다. 늘 바쁘고 자기 일로 인하여 충분히 충만된 사람 특유의 가쁜 숨을 쉬고 있었다. 뒷산으로 산책을 가자고 했다. 고마웠지만 이 수녀님이 나에게 계속해서 이렇게 관심을 가져주면 어쩌나 걱정이 되기도 했다. 이 안에서만은 완벽하게 혼자이고 싶었다. 누구에게 짐이 되기는 더군다나 싫었다. 그래도 안 가겠다고는 못하고 따라나섰다.

수녀원에 속한 뒷산은 가꾼 티 안 나게 잘 가꿔져 있었다. 명상의 길이라는 산책로는 십사처를 소박하게 조각한 돌이 적당한 거리를 두고 안배되어 있었으나 예수의 열네 자리의 고난은 행인을 압도하지 않고 적당히 숨어 있어서 편한 마음으로 산책을 할 수가 있었다. 명상의 길에서 조금만 빗나가면 바다가 보이는 근사한 자리가 있다는 것도 수녀님은 가르쳐주었다. 낡은 벤치까지 놓여 있는 그 자리에서 바라다본 바다는 정말 기가 막혔다. 딸네 집 베란다에서 매일매일 색칠할 물감을 고르듯이 감각적인 시선으로 바라다본 바다하곤 영 딴 바다였다.

내가 발을 딛고 선 입지적 조건 때문이었을까, 뭔가 영적이었다. 유난히 잔잔하여 꼭 호수 같으면서도 한없이 너그러워보였다. 나는 한번도 본 적이 없는 갈릴레아 바다를 연상했다. 괜히 한숨이 나왔다.

다시 오솔길로 앞장선 수녀님은 느릿느릿 걸으면서 이야기를 시작했다. 나는 이제부터 수녀님이 정식으로 나에게 조의를 표하고, 하느님이 내 아들을 데려간 까닭을 설명하여 하늘나라에서 만날 수 있다고 보증을 서줄 줄 알았다. 천주교도건 개신교도건 예수를 믿는 사람이 즐겨쓰는 이런 판에 박은 위로의 말을 또 들을 생각을 하니 여기 들어온 게 슬그머니 후회가 되었다.

특히 하느님께서는 의인을 먼저 데려가신다는, 예수쟁이들의 상투적인 위로는 딱 질색이었다. 내 아들은 물론 의인도 아니었지만, 만약 그런 소리를 조금이라도 믿어야 한다면 세상의 어느 에미가 자식에게 정의나 도덕을 가르칠 수가 있단 말인가. 하기야 그런 말 잘하는 사람일수록 돌아서선 저 여편네는 무슨 죄를 얼마나 많이 지었길래 외아들을 앞세웠을까 하고 에미의 죄를 묻기에 급급하리라.

참척의 쓰라림으로 내 마음은 비뚤어질 대로 비뚤어져 있었다. 그러나 수녀님은 딴소리만 했다. 어떻게 해서 화제가 거기 이르렀는지는 모르지만 수녀님은 아주 열렬하게 감동적인 어조로 교황 요한 23세 얘기를 했다. 명색이 카톨릭신자지만 카톨릭의 역사에 무지한 나로서는 처음 들어보는 교황님이었다.

하긴 내가 안다고 감히 말할 수 있는 교황은 현 교황님밖에 없었다. 한국 성인 성녀 시성식 때 내한하신 교황님은 특히 손이 인상적이었다. 천상의 손처럼 아름답고 손놀림의 유연함과 거룩함은 환상적이었다. 고작 그 정도가 현재의 교황님에 대해 안다고 할 수 있는 것의 전부였지만, 또한 은연중 내 속에서 관념화된 교황님의 최소한의 자격 요건이기도 했다.

그러나 수녀님은 전혀 파격적인 교황님 얘기를 하고 있었다. 요한 23세는 키가 작고 얼굴이 잘생기지 않았고, 소박하고 털털하기가 평범한 농사꾼과 다르지 않았다. 재위기간도 5년도 채 안되는 짧은 동안이었지만 그동안에 교황은 역대 어떤 교황보다도 위대한 일을 했다. 그건 제2차 바티칸 공의회를 열어 카톨릭 교계뿐 아니라 전세계에 위대한 새바람을 일으킬 만한 대회칙을 선포한 일이라는 요지의 얘기를 수녀님은 일화 중심으로 어찌나 재미있게 하는지 나도 모르게 빨려들고 말았다.

수녀님이 요한 23세를 얼마나 경애하고 있는지는 수녀님의 표정만 봐도 알 수가 있었다. 가뜩이나 혈색 좋은 얼굴이 소녀처럼 상기하고 눈이 빛났다. 좋아하는 사람 얘기를 할 적에 말이 유창하고 재미있어진다는 것은 수녀님도 속인과 다르지 않았다. 수녀님은 굉장한 이야기꾼이었다.

그냥 재미있으라고 요한 23세 얘기를 꺼낸 게 아니라 제2차 바티칸 공의회가 한국의 카톨릭 교회에 끼친 영향에 대해 얘기하고 싶은 거였다. 수도원 하면 우선 속세와 단절된 신성한 분위기와 엄한 규칙만 생각하고 있을 나의 속된 고정관념을 깨고 싶은 거였다. 그리하여 수도의 목적이 인간적인 고뇌나 불행으로부터의 초월이 아니라 얼싸안음이라는 것을, 자기 혼자만의 평화가 아니라 지상의 평화라는 것을 말해줌으로써 나를 안심시키려는 것이었다.

수녀님은 어린애한테 위인전 얘기를 해주듯이 재미있고 신바람

나게 요한 23세 얘기를 다 해주고 나서 비로소 나더러 이곳에 잘 왔다고, 마음 편히 지내길 바란다는 뜻의 인사말을 했다. 연민이 섞이지 않은 담담한 말투여서 고마운 한편 조금은 서러웠다. 그동 안 나는 싫어하는 것처럼 굴면서도 실은 얼마나 남이 나를 불쌍히 여기면서 비위 맞추고 위해주는 데 길들여졌던가.

오솔길이 인도하는 대로만 따라가면 수녀님들의 묘지가 나왔다. 북한 연변 등지에서 돌아가신 수녀님들을 위한 위령비도 있었지만 무덤이 여남은 기(基)밖에 안되는 묘지는 여염집 정원처럼 아담하 고 아늑했다.

나는 비명 중에서 낳고 죽은 날만 하나하나 읽으면서 재빠르게 수명을 계산했다. 거의 천수를 다했다 싶은데 딱 한 분 30대에 돌 아간 분이 있었다. 수녀님이 오지 항아리에 준비된 성수를 묘지에 다 뿌리면서 잠깐 기도를 했다. 나도 덩달아 성수를 뿌렸지만 젊은 죽음 위에만 뿌렸다. 그의 유족이 된 듯 애절한 슬픔이 복받쳤다. 속으로 이곳에 머무는 동안은 이 젊은 무덤만을 사랑하고 마음을 붙이리라 다짐했다. 잔뜩 꼬인 마음 때문인지 무슨 앙심처럼 걷잡 을 수 없이 편애(偏愛)의 욕구가 치밀었다.

이래저래 심신이 고단했지만 당분간 여기 식구가 돼보기로 마음 먹은 게 누가 시켜서가 아니라 순전한 자유의사인 바에야 여기 법 도를 따르는 게 마땅할 듯싶었다. 저녁식사 전에 올리는 저녁기도 에 참석하고 나서 이곳에서의 처음 저녁상을 받았다. 마리로사 수 녀님이 겸상을 해주어 혼자 먹진 않았지만 손님은 수녀님들과 따로 식사를 하도록 되어 있었다.

시중드는 수녀님은 친정어머니처럼 인자한 눈길을 하고 있었다. 반찬도 검약한 중류가정 정도는 되었고 기명이 깔끔하여 수녀님들 도 먹는 즐거움을 아주 외면하고 살고 있는 건 아니구나 싶어 마음

222

이 놓였다. 그러나 유동식만 억지로 먹던 끝이라 밥이 잘 넘어가지 않았다. 수녀님들한테 걱정만 끼쳤다.

언덕방으로 돌아왔더니 수부에서 일보는 수녀님이 차랑 과자랑 방까지 갖다 주면서 권했다. 쉬어도 된다고 했지만 밤기도까지 참석하고 돌아왔더니 마리로사 수녀님이 따라와 읽을 거리도 갖다 주고 얘기도 좀 하다가 문단속하는 법을 가르쳐주고 돌아갔다. 손님이 나 혼자라 그 넓은 언덕방 건물에 나 홀로 남게 되었다. 현관 옆에 있는 화장실까지의 거리가 아득한 큰 건물이었다. 외부로 난 현관 열쇠는 내 손 안에 있었지만 수녀님들의 숙소로 통하는 보도 쪽 문은 저쪽으로부터 잠겨 있었다.

이제야말로 혼자가 된 것이다. 나는 그동안 왜 그렇게 혼자 있고 싶어했는지 생각도 안 나고 이해도 안되어 우두망찰을 했다. 그리고 누가 떠다민 것처럼 비실비실 방구석으로 가서 찰싹 붙어섰다. 인기척 없는 언덕방의 공기가 사방에서 화살처럼 내 몸에 꽂혀오는 것 같았다. 누가 시킨 일이 아니잖아. 자업자득이야. 이렇게 자신을 윽박질러보았지만 완벽한 고립감은 고약했다.

워낙 정신적이지 못한 나는 고립감도 감각적이었다. 무서움증만 해도 상상의 소산이니 정신적이라 하겠다. 나는 하나도 무섭지 않았고 다만 등더리에 누가 자꾸자꾸 눈덩이를 한 움큼씩 집어넣는 것처럼 차가운 전율이 간단없이 지나갔다.

마침 침대머리 높은 곳에 걸린 십자가가 눈에 들어왔다. 성당이나 카톨릭신자 집에서 흔히 볼 수 있는 십자고상이 아니라 그냥 십자가였다. 수난당하는 예수님의 모습은 물론 대패질도 니스칠도 생략한 채 목공소에서 주운 것 같은 나무막대기 두 조각으로 만들어 놓은 십자 모양엔 나무껍질도 남아 있고 옹이 자국도 남아 있었다. 그 간결 소박한 십자가가 벼락치듯 나에게 거기 온 까닭을 일깨워주었다.

그래, 나는 주님과 한번 맞붙어보려고 이곳에 이끌렸고, 혼자돼보기를 갈망했던 것이다. 주님, 당신은 과연 계신지, 계시다면 내 아들은 왜 죽어야 했는지, 내가 이렇게까지 고통받아야 하는 건 도대체 무슨 영문인지, 더도 말고 덜도 말고 한 말씀만 해보라고 애걸하리라.

애걸해서 안되면 따지고 덤비고 쥐어뜯고 사생결단을 하리라. 나는 방바닥으로 무너져내렸고 몸부림을 쳤다. 방안을 헤매며 데굴데굴 굴렀다. 나는 마침내 하나의 작은 돌멩이가 되었다. 돌멩이처럼 보잘것없었고, 돌멩이처럼 무감각해졌다.

그리고 돌멩이가 말랑말랑해지려고 기를 쓰듯이 한 말씀을 얻어내려고 기를 썼다. 돌멩이가 말랑말랑해질 리 없듯이 한 말씀은 새벽미사를 알리는 종소리가 울릴 때까지도 들려오지 않았다. 처절한 밤이었다.

10월 ×일

내리 사흘 밤을 그렇게 보냈다. 그러나 신의 한 말씀은 들려오지 않았다. 나는 비록 이 세상 소리를 듣는 데는 귀밝으나, 영적인 소리를 듣는 데는 절벽이나 다름없는 귀머거리였다. 그래도 날이 새면 수녀님들의 일과를 따라 새벽미사부터 낮 저녁 밤 기도시간을 지키고 나머지 시간은 산책도 하고, 방에서 울거나, 깜빡깜빡 낮잠도 자면서 아무의 간섭도 안 받고 자유롭게 지낼 수가 있어서 좋았다.

특히 명상의 길을 따라 걷는 아침 산책은 뜬눈으로 몸부림치고 난 후의 지치고 암울한 정신에 찬물을 끼얹듯이 상쾌한 자극이 되었다. 산책길의 나무와 풀과 공기가 하루하루 조금씩 가을빛을 더

해가는 것도 바다 빛깔의 변덕보다는 위안이 되었다. 녹슨 빛깔로 물들어가는 갈잎나무들 사이에서 옻나무는 어떤 꽃도 흉내 못 낼 선연한 붉은빛을 자랑하는가 하면, 서울 같으면 겨울엔 실내에서나 자랄 팔손이나무가 야성인 채로 크게 자라 양산만한 이파리를 청청하게 너울대는 그늘에서 마타리꽃이 샛노랗게 고개를 내밀고 있었다.

공기는 또 어찌나 청량한지 체내에 침체했던 피돌기가 화들짝 깨어나는 걸 느낄 정도였다. 그리고 밝아오는 아침 햇살. 이 모든 것들은 너무도 생생하여 절망과 비통에 몰입했던 나에게는 오히려 비현실적이었다. 그렇다고 어젯밤의 내 꼴에 실감이 나는 것도 아니었다. 막다른 골목에 이르른 정신이 육체와 경험을 벗어나 붕 뜨는 느낌이었다.

산책길엔 다리도 있었다. 그러나 다리 밑 계곡엔 물이 흐르고 있지 않았다. 깊지 않은 계곡이지만 여름엔 필시 물이 흘렀으려니 싶은 질펀한 곳에 지금은 보랏빛 잘다란 꽃이 쫙 깔려 있었다. 종갈이 생긴 잔 꽃이 모여 원추형의 꽃 한 송이를 이루고 있는 그 꽃의 이름을 알 수는 없었지만 서울의 꽃집에선 돈 받고 파는 매우 우아하고 세련된 꽃이었다. 무리지어 지천으로 깔려 있는 걸 보면 혼자 보기 아까워 저절로 탄성이 나왔다.

계곡으로 내려가긴 어렵지 않았다. 나는 그 꽃을 따서 두 개의 꽃다발을 만들었다. 다리를 지나 조금만 더 가면 수녀님 묘지가 나왔다. 꽃다발 하나는 젊어서 죽은 수녀님 묘 앞에 바치고 나머지 한 개는 언덕방 책상 위 내 아들의 사진틀 앞에 바칠 거였다. 성수도 젊은 죽음한테만 뿌리고 기도도 거기다만 바쳤다. 젊은 죽음에 대한 이런 편애야말로 내 산책길의 하이라이트였다.

나는 그 산책길을 〈시인의 길〉이라고 이름붙였다. 〈명상의 길〉

이라는 원이름이 있었지만 나는 그리스도의 고난 같은 건 명상하고 싶지 않았다. 내 고난도 벅찼다. 행복에 겨운 자들이나 실컷 명상을 하든지 감동을 할 일이라고 생각했다. 시인의 길이라고 생각한 건 이해인 수녀 때문이었다. 지금 그 수녀님은 여기 없지만 여기가 본원이니 이 길을 무수히 산책했으리라. 신과 자연을 그지없이 원만하고 행복스럽게 일치시킨 수녀님의 시세계와 이곳의 자연과의 불가분의 관계를 생각하며 나는 그 길에 깊은 친화감을 느꼈다.

산책길을 돌아 내려오다 보면 수녀님들의 빨래터가 보였다. 수녀원 건물에 가려진 뒷마당이어서 방문객들에겐 잘 안 보이는 곳이지만 꽤 넓었다. 검소하나 정결한 옷차림을 유지하려면 빨래도 보통 일이 아니다 싶었다. 평행선으로 맨 빨래걸이엔 늘 많은 빨래가 널려 있었고 앳된 수녀님들이 빨래를 하고 너는 것을 볼 수가 있었다.

빨래터뿐 아니라 밭에서 일하는 수녀님, 이른 아침에 병원이나 유치원, 학교 등으로 출근하는 수녀님, 수녀원 내에 있는 유치원, 무의탁 노인들을 돌보는 〈어버이의 집〉에서 일하는 수녀님 등 모든 수녀님들이 하루 벌어 하루 먹는 일용노동자처럼 한시 반시 쉬지 않고 바쁘게 움직이고 있었다.

일용노동자와 다른 점이 있다면 그 이상하리만치 꾸밈없는 명랑함이었다. 세상에, 참 이상도 하지. 나는 여기 들어온 후 하루에도 몇 번씩 그 소리를 속으로 뇌까렸는지 모른다. 한창 예쁜 옷과 재미난 일을 탐하고 이성에 이끌리고 행복한 가정을 꿈꿀 나이였다. 좀 특별한 능력이나 야망이 있다고 해도 이 세상이 정해놓은 성공의 기준 안에서 노력을 하든지 팔짝팔짝 뛰는 걸 정상으로 보는 게 내 상식의 한계였다.

어제는 어린이들이 귀가한 후 텅 빈 교실을 유리창 너머로 들여다보다가 발길 닿는 대로 걷는다는 게 〈어버이의 집〉 안을 엿보게 되었다. 깨끗하고 정정해보이는 노인들이 서너 명 모여앉아 부침질로 간식을 들고 있는 방도 있었고, 미닫이문이 닫힌 방도 있었고, 반쯤 열린 문으로 자리보전하고 누워 있는 노인이 보이는 방도 있었다.

부엌에선 수녀님 둘이서 부침질을 하고 있는데 닫힌 방이 열리면서 복스럽게 생긴 젊은 수녀님이 변기를 들고 나왔다. 방금 받아낸 것 같은 질펀한 다량의 똥오줌이었다. 세상에, 이상도 하지. 저 나이에 어떻게 저런 얼굴로 남의 똥을 칠 수 있을까. 꼭 꽃병이라도 들고 나오는 얼굴을 하고 있었다. 한 버림받은 노인으로 하여금 이 집에서 한 송이 꽃을 피우듯이 똥을 쌀 수 있는 황홀한 말년을 누리도록 저 수녀님은 여기 있는가?

나는 괜히 무안해서 얼른 그 자리를 피했었다. 나는 왜 여기 있는가? 불과 두 달 전까지만 해도 내가 이런 곳에 있을 줄을 어찌 상상이나 했겠는가. 세상에 이런 곳이 있다는 것조차 알려 하지 않았다.

그러나 분명히 나는 지금 여기 있다. 왜? 누가 부른 것처럼 여기 이끌렸기 때문이고 나에게 여기가 필요했기 때문이다. 나는 처음으로 부르심의 힘에 대해서 생각했다. 여기 수녀님들도 부르심에 순종하여 여기 모여 사는 게 아닐까 하고. 왜 부르셨을까. 세상만물 중 하나도 필요하지 않은 건 만드시지 않은 분이 아닌가. 이런 곳이 필요한 사람들이 있으니까 이런 곳을 만드실 수밖에 없지 않았을까. 이런 곳이 필요한 데 있어서, 나와 지금 방안에서 똥을 싸지르는 노인과 무엇이 다른가.

여기 이렇게 의탁해 있으면서도 여기가 전혀 딴 세상처럼 보이는 것은 여기에는 내가 여직껏 생각해본 적이 없는 전혀 새로운 사랑의 방법이 있기 때문이다. 나는 핏줄로 연결된 부모형제나 친족간의 사랑, 본능적이면서도 신비한 이성간의 사랑, 오랜 상호이해와 노력 끝에 도달한 우정 외의, 인간끼리는 마땅히 서로 사랑하고 도와야 한다는 박애정신을 믿지 않았다. 그건 인류의 이상일 뿐 실행은 불가능한 일이라고 생각했다. 그걸 실행하고 있다고 말하는 사람처럼 아니꼬운 위선자도 없었다.

그러나 이 세상엔 가족애로부터 버림받고 친구로부터 소외된 사람도 수없이 많은 걸 어찌하랴. 박애에 의탁할 수밖에 없는 사람이 있으므로 가족을 떠나 보다 넓은 사랑을 실천하려는 사람을 따로 부르실 수밖에 없지 않았을까. 나는 느릿느릿 그리고 골고루 수녀원의 이곳저곳을 싸질러다니면서 보이지 않는 분의 부르심이랄까 안배(按排)의 신비에 대해 곰곰이 생각하고 또 생각했다.

산책의 마지막 쉼터는 유치원 마당이 된다. 마당에는 아이들 놀이기구들이 많다. 내 엉덩이에는 빠듯한 그네도 타고 말도 타면서 마당에서 노는 아이들을 바라본다. 아이들은 마당에서 놀기도 하고 교실에서 노래를 부르기도 한다. 아이들을 보고 있으면 손자 생각이 난다. 이미 태어난 손자는 물론 태어나지 않은 손자까지. 놀이기구 중 미끄럼틀이 제일 재미있게 생겼다. 코끼리처럼 생겼는데 꼬리 부분으로 올라가서 코로 내려오게 돼 있다. 코를 땅에 대고 있는 코끼리는 실물 크기에 가깝다. 다 타 봤지만 그것만은 안 타봤다. 그 앞에서 손자들하고 사진을 찍으면 재미있는 사진이 될 거라고 생각했다. 그리고 나서 작은 일이지만 미래를 설계한 자신에게 깜짝 놀라고 말았다.

나는 살고 싶은가? 불안했다. 방으로 돌아와 산에서 만든 꽃다발을 물컵에 꽂아 아들의 사진 앞에 바쳤다. 접을 수 있는 사진틀

이어서 사진이 두 장 꽂혀 있는데 둘 다 강가에서 찍은 사진이다. 하나는 강을 배경으로 하고 있고, 하나는 강을 굽어보고 있어서 뒷모습에 가깝다. 아들의 사진 중 그닥 잘된 사진은 아니나 나는 그 사진들이 좋다. 흐르는 강을 보고 무엇을 생각했을까. 아들의 생각과 내 생각과 닿는 느낌 때문이다. 사진을 보고 또 보면서 그 애가 없는 세상을 살고 싶지 않다는 것을 확인했다. 비로소 안심이 되었다.

10월 ×일

어젯밤엔 여기 온 후 처음으로 깜박 잠을 잘 수가 있었다. 깜박 잤다고 하지만 새벽미사를 알리는 종소리에 깨어났으니 몇 시간은 잔 셈이었다. 그동안 아들을 꿈에 보았다. 생각하는 대로 꿈을 꿀수 있는 거라면 매일 아들 꿈을 꾸련만 그 애를 꿈에라도 본 것은 처음이었다. 그 애를 왜 데려갔는지 한 말씀만 하시라고 처절하게 기도하고 몸부림친 끝에 꾼 꿈이었다. 뭔가 내 인식의 한계를 초월한 신의 계시 같은 게 있어 마땅했다.

꿈에 나는 둘째딸과 함께 서울역으로 친정 숙모를 배웅 나갔다. 2년 전에 돌아가신 숙모였다. 숙모는 아주 무겁고 큰 네모난 짐과 올망졸망한 작은 보따리들을 가지고 있었다. 거기까지 그것들을 어떻게 가져왔는지 분명치 않았지만 숙모는 그중 큰 짐을 머리에 여달라고 했다. 그러나 내 힘으로는 들 수가 없었다. 뭐가 들었는지 요지부동이었다. 나는 딸에게 입장권을 사오라고 시켰다. 여럿이 같이 들어다 드려야 할 것 같았다. 역구내는 아무도 없이 괴괴했다.

입장권을 사러 어디론지 사라진 딸이 돌아오기도 전에 숙모는 기차시간이 다됐다고 조바심을 치더니 별안간 그 무거운 짐을 혼자 힘으로 거뜬히 이고 개찰구를 횡하니 빠져나가는 것이었다. 나는 조금만 더 기다리시라고 뒤에서 부르면서 숙모 뒤를 따라 달음질을 쳤다. 그때였다. 어디서 나타났는지 아들이 내 치마꼬리를 선뜻한 느낌으로 스치면서 앞지르는 게 아닌가. 여남은 살 적의 아들이었다. 볼이 붉은 동안에 그때 내가 떠준 곤색 스웨터를 입고 있었다.

아들은 쏜살같이 앞의 숙모까지 앞질러 층층다리를 내려가고 있었다. 나는 이미 숙모가 문제가 아니었다. 아니, 쟤가, 저 녀석이 무슨 짓이야. 나는 애타게 아들의 이름을 부르면서 허위적거렸다. 아들은 명랑하고 장난스러운 얼굴로 흘금흘금 뒤를 돌아다볼 뿐 달음질을 멈추지 않았다. 층층다리 밑에는 기차가 기다리고 있었다. 아들이 냉큼 기차를 타는 게 보였다. 아니 저 녀석이, 나는 아들의 장난기에 화도 나고, 뭐라고 말할 수 없이 불안해서 목메어 아들의 이름을 부르면서 허둥지둥 뛰었다. 그러나 숙모도 앞지르지 못하고 숙모가 먼저 기차 꽁무니에 올라타는 게 보였다.

드디어 나도 기차 옆까지 갔으나 올라타지는 않고 밖에서 아들을 불러 내리려고만 했다. 기차는 칸마다 안에 환하게 불을 켜고 있어서 타고 있는 사람들이 밝게 비쳐 보였다. 아들은 나를 놀리는 것처럼 기차칸에서도 가만히 머물러 있지 않고 연방 나에게 장난스러운 미소를 보내면서 앞칸으로 앞칸으로 달려가고 있었다. 나는 밖에서 어서 내리라고 손짓하면서 그 애를 따라 그 애와 평행선으로 앞으로 앞으로 달렸다. 만약 그 애가 내리기 전에 기차가 움직이면 그때 얼른 올라타도 늦지 않다는 속셈이었다.

아무튼 그 애를 거기서 놓쳐서는 안된다는 생각은 꿈속에서도 매우 절박했다. 그러나 웬걸, 기차는 서서히 움직이기 시작한 게 아니라, 어느 순간 로켓처럼 사라져버렸다. 허망하고 기가 막혔다. 기차가 빠져나가고 난 후의 플랫폼은 원통형의 기나긴 동굴처럼 어둑시근하고 나 홀로였다.

그 애가 걱정이 되고, 진작 기차에 올라타지 못한 게 미칠 듯 후회스러웠다. 무엇보다도 적막과 고독감이 뼈에 스몄다. 자아, 이제부터 어떡한다지? 그 애를 붙잡기 위해서 다음 기차를 기다렸다 타는 수밖에 없다고 생각했다. 그렇지만 다음 기차를 타고 가면 그 애를 만날 수 있을까? 회의와 불안이 엇갈렸지만, 그 수밖에 없는데 다음 기차를 안 기다리고 어쩔거나. 그러다가 다음 기차가 오기도 전에 깨어나고 만 것이다.

그러나 꿈속의 플랫폼에 회의와 불안에 떨며 서 있는 내 모습은 현실의 나 자신 그대로일 뿐 거기엔 아무런 신의 계시도 들어 있지 않았다. 며칠밤 한잠도 안 자고 신에게 사생결단 대들기도 하고 애걸복걸 사정도 해서 얻어낸 꿈이 고작 내 이성의 인식의 한계를 못 벗어난 데 대해 나는 심한 배신감을 느꼈다. 역시 당신은 안 계셨군요. 그를 부정하는 것만이 내가 할 수 있는 앙갚음의 한 방법이었다.

낮엔 마리로사 수녀님이 방까지 찾아와서 바닷가로 산책을 나가자고 했다. 가까운 광안리 바닷가는 가을 해수욕장답게 한산하고 쓸쓸했다. 수녀님하고 나란히 앉자 눈물이 걷잡을 수 없이 복받쳤다. 위로받고 싶었다. 요한 23세 얘기를 들려줄 때처럼 명랑하고 자신 있는 목소리로 그가 체험한 하느님 얘기를 해주길 바랐다. 수녀님을 통한 간접 체험이라도 좋으니 신으로부터 계시받은 영적 체험이 목말랐다.

내 집요한 물음에 수녀님은 조심스럽게 그가 살아오면서 부딪힌 개인적 혹은 가족적 어려움의 고비를 어떻게 받아들이고 어떻게 넘겼는가를 얘기해주었지만 흡족한 것은 아니었다. 그런 건 신의 개입 없이 인간의 능력만으로도 능히 해결할 수 있는 사소한 일로

밖에 안 보였다. 수녀님도 힘든 고비마다 하느님을 찾고 매달렸다고만 했지 어떤 계시나 신령한 도움을 얻어냈다고는 말하지 않았다. 하긴 수녀님이 겪었다는 어려움이 죽음의 문제가 아니었으니까. 죽음의 문제야말로 신이 개입하지 않으면 풀 수 없는 문제건만 나는 그 문제에 얼마나 아둔한가. 신을 느끼고 깨닫는 능력에도 지능지수라는 게 있다면 나는 저능도 못되는 백치 수준이었다. 그런 주제에 어떻게 그걸 답답해할 줄은 아는지.

나는 울며불며 내 미칠 듯한 고통을 하소연하기 시작했다. 내 방에서 혼자 뒹굴며 신에게 퍼붓던 포악과 별로 다르지 않은 푸념이었다. 나는 열심히 단란한 가정을 이루며 살아왔다. 아이들을 건강하고 바르게 잘 길렀고 깊이 사랑했다. 남에게 해를 끼친 일도 없고 마음의 상처가 될 짓도 안하려고 노력하며 살아왔다. 나는 아무리 생각해도 이런 벌을 받을 까닭이 없다. 고약하고 못된 사람도 자식을 앞세우는 벌은 좀처럼 안 받던데 이게 무슨 처사냐? 억울하고 원통하다. 요약하면 그런 얘기였다.

나는 마치 귀중품을 훔쳐간 소매치기를 고발하듯이 열렬하게 악다구니를 치며 수녀님에게 하느님을 고발하고 있었다. 부당하게 빼앗긴 건 감쪽같이 돌려받는 것 외에 달리 위로의 여지가 있을 수 없었다. 얼마나 어처구니가 없었을까마는 수녀님은 참을성 있게 내가 제풀에 지쳐서 그 집요한 행복의 반추를 그만둘 때까지 다 들어주고 나서 말했다. 세상만물 중 단 한 가지라도 불완전하게 만든 것이 없는 창조주가 어떻게 당신을 닮게 존엄하게 만든 인간의 문제를 불완전하게 내버려두겠는가. 불공평하다고 생각하는 것은 복잡한 삶의 방정식이 아직 풀리지 않았기 때문이다. 풀리지 않은 방정식은 불완전한 거고 반드시 해답이 있을 것이다. 방정식을 풀기 위해서라도 내세는 있지 않겠느냐는 것이 수녀님의 대답의 요지였다.

내가 극도로 감정적일 때 될 수 있는 대로 이성적인 방법으로 신을 제시해보려는 게 역시 수녀님다웠다. 그러나 보이지 않는 분을 믿기 위해서 한번 크게 건너뛰는 일은 내 소관이지 누가 도와줘서 될 수 있는 일이 아니었다.

저녁식사는 뜻밖에도 여러 젊은이들과 함께 들 수가 있었다. 수녀님을 만나러 온 여성들인데 언덕방에서 묵어갈 작정이라고 했다. 혼자 자던 그 휑한 건물 안에 왁자지껄 인기척이 날 생각을 하니 기뻤고 식탁에 웃음꽃이 만발하니 또한 즐거웠다. 어른에게 예의바를 뿐 아니라 저희들끼리 하는 대화엔 유머가 넘치면서도 경박하지 않고 깊은 심지를 느끼게 하는 것도 마음에 들었다. 그중 서울서 온 한 여학생은 알고 보니 나하고 같은 신천동 본당 교우였다. 반갑고도 세상은 참 좁단 생각이 들었다.

10월 ×일

가을이 깊다. 밤이 어찌나 길어졌는지 새벽미사를 드리러 성당으로 올라가는 언덕길도 사람을 식별할 수 없을 정도로 어둡다. 신체의 장애가 있는 이들이 모여사는 고리의 집 식구들은 이제 어둠 속에서도 알아볼 수 있을 만큼 낯이 익다. 아니, 낯은 정확하지 않다. 정상인과 조금씩 다른 신체적 특징 때문이다.

허리가 직각으로 휜 노인 한 분은 지팡이에 의지해 참으로 어렵게 언덕길을 오른다. 앞질러가기도 미안하고, 보조를 맞추자니 답답하고, 부축을 하자니 그의 몸과 지팡이와의 균형 사이엔 도무지 남의 도움이 파고들 만한 허점이 느껴지지 않아 그것도 단념한다. 인사만 하고 앞지르면서 저렇게 힘들게 꼭 미사 참예를 해야 되는 것일까? 딱한 생각이 든다. 그러나 성당에서 그 노인을 유심히 관찰하면서 내 생각을 고쳐먹는다. 순하고 고운 표정 때문이다. 매일 아침 주님을 만나는 일이, 매일 아침 거울을 보는 것처럼 자신을 저렇게 곱게 가꿀 수 있는 거라면 나쁠 것도 없다고 생각했다.

잡념에 빠져 있다가 포근하고 따사로운 느낌 때문에 퍼뜩 정신이 들었다. 딸들 사위들이 주른히 내 옆에 앉아 미사를 드리고 있었다. 둘째 내외가 어젯밤에 내려와 맏이네서 자고 새벽에 미사 참예도 하고 에미도 만나러 온 것이었다. 피정의 집에 단체로 피정 온 이들이 묵고 있어 외부 사람이 뒷좌석을 가득 메운 미사여서 미처 알아보지 못한 것이었다. 내 식구란 왜 이렇게 가슴이 뭉클하면서도 아리는 것일까.

그레고리안 성가를 부르는 수녀님들의 목소리는 귓전이나 감정에 남은 찌꺼기가 전혀 없이 다만 투명하다. 영혼을 울리는 영혼의 소리라고나 할까. 그레고리안 성가를 듣고 있으면 내 안에 감정과 이성을 포함한 마음이라는 것과는 따로 영혼이라는 것이 있다는 것을, 그것이 미묘하게 떨고 있음을 느낀다. 성가가 현(絃)이고 영혼이 악기인 양.

미사 후엔 수녀님들이 우리 식구들이 다 먹을 수 있게 식탁을 차려주어 같이 아침을 먹었다. 그리고 나서 내가 있는 방도 보여주고 산책로도 안내했다. 이곳이 나에게 얼마나 좋은 곳이고 부족함이 없다는 것을 그 애들에게 보여주고 싶었다. 점심은 맏이네서 먹자고 해서 나도 그 애들과 함께 외출을 했다. 큰딸네를 떠난 지 며칠이나 됐다고, 견딜 수 없을 때마다 나가앉아 수영만의 바다 빛깔을 헤아리던 베란다 쪽을 왠지 바라보기가 싫었다. 견딜 수 없는 느낌이 도질 것 같았다. 그럼 지금은 견딜 만한가? 적어도 내 몸이 곧 죽어져 이 고통을 벗어날 수 있으리라고 믿지는 않게 되었다. 따라 죽을 수 있으리라는 것도 교만이요, 환상이라는 걸 받아들일 채비를 하고 있었다. 결국은 살 궁리인가? 역겹고 비참하지만 자신 속에서 조금씩 조금씩 그런 변화가 일어나고 있는 걸 어쩌랴.

점심을 먹고 나서 손자들까지 온 식구가 해운대로 나갔다. 파라다이스호텔에서 손자들한테는 샤베트를 먹이고 우리는 커피를 마셨다. 요상하게 생기고 비싼 케이크도 먹고 싶다고 해서 막 사주었다. 서울서 온 아이들한테 사우나를 하겠느냐고 물었더니 예매한 기차시간이 얼마 안 남았다고 했다. 오래간만에, 실로 오래간만에 내 지갑을 열고 그런 짓을 하면서도 나는 내 생활습관이 정상으로 돌아갈 조짐 같은 걸 느꼈다. 나는 어려서부터 검약이 몸에 뱄기 때문에 오히려 가끔 가다가는 주책스러운 낭비를 해야만 직성이 풀리는 버릇이 있었다.

둘째 내외하고는 해운대에서 바로 작별을 하고, 큰딸네 식구들은 수녀원까지 다시 따라왔다. 나를 배웅한다는 게 그렇게 됐는데 손자들이 놀이터에 재미를 붙여 가려고 하지를 않았다. 코끼리 미끄럼틀을 배경으로 손자들하고 사진도 찍었다. 거기서 아이들하고 사진을 찍으면 재미있을 거라고 문득 생각한 게 바로 엊그저께였다. 아아, 작은 꿈의 이루어지기 쉬움이여.

오늘 저녁 식탁도 푸짐하고 왁자지껄했다. 언덕방에 유하고 있는 아가씨들 때문이었다. 내일이면 떠난다고 했다. 그들의 왕성한 식욕은 내 위장까지 자극하는 듯했다. 아무것도 모르는 그 아가씨들은 날더러 식사를 그렇게 조금 하고 어떻게 사느냐고 했지만 나는 내심 요 2, 3일 사이에 늘어난 내 먹는 양에 놀라고 있었다. 매끼 된밥을 먹고도 토하거나 부대끼지 않았다. 그 무서운 변비의 고통을 안 겪은 지도 한참 된다.

아가씨들 중 서울서 온 루시아는 한 성당 교우라 그런지 특히 하는 짓마다 곱게 보인다. 아직 고등학생이니 나이도 제일 어리고 얼굴도 제일 수수하게 생겼는데도, 나뿐 아니라 모두에게 인기가 있다. 오늘 저녁도 루시아 때문에 밥이 어디로 들어가는지도 모르게 웃고 떠들었다. 내가 억지로 꾸미지 않고 저절로 웃을 수 있다는 게 계면쩍고도 신기했다. 남이 옮기면 별로 우습지도 않은 소리를 그애는 시침 딱 떼고 그렇게 우습게 한다. 그렇지만 개그맨적인 소질하고는 다른 훨씬 세련되고 품위 있는 유머감각이다. 말끝에 자연스럽게 내비치는 부모님에 대한 깊은 경애와 올림픽 등 시국과 현실을 보는 예리하고 신중한 시각이 그녀가 점잖은 가정교육을 받았음을 은연중 느끼게 해준다.

저녁 후에도 혼자 내 방에 틀어박히지 않고 그 아가씨들과 어울렸다. 아가씨들은 내일 떠난다고 했다. 아가씨들과 친구인 예비 수녀님들 몇 명이서 잠시 짬을 내어 주전부리거리를 마련해 가지고 언덕방으로 와서 큰방에 모여 텔레비전을 보며 회포를 풀었다. 나는 여기 와서 텔레비전을 처음 본다. 그동안에도 바깥 세상은 올림픽의 열광으로 날이 새고 지는 듯 들뜬 소리가 처음부터 끝까지 그 소리뿐이어서 보는 둥 마는 둥했다.

그중 어린 수녀님이 속세의 친구에게 하는 소리가 문득 내 관심을 끌었다. 수녀원에 들어오기 전 얘기였다. 남동생이 어찌나 고약하게 구는지 집안이 편할 날이 없었다고 한다. 왜 하필 내 동생이 저래야 되나? 비관도 되고 원망스럽기도 하다가 어느 날 문득 〈세상엔 속썩이는 젊은이가 얼마든지 있다, 내 동생이라고 해서 그래서는 안되란 법이 어디 있나?〉〈내가 뭐관대……〉라고 생각을 고쳐먹고 그 사실을 받아들이니 한결 마음이 가벼워지고 동생과의 관계도 호전이 되더라고 했다.

〈왜 내 동생이 저래야 되나?〉와 〈왜 내 동생이라고 저러면 안되나?〉는 간발의 차이 같지만 실은 사고(思考)의 대전환이 아닌가.

나는 신선한 놀라움으로 그 예비 수녀님을 다시 바라보았다. 내 막내딸보다도 앳돼보이는 수녀님이었다. 저 나이에 어쩌면 그런 유연한 사고를 할 수가 있었을까? 내가 만약 〈왜 하필 내 아들을 데려갔을까?〉라는 집요한 질문과 원한을 〈내 아들이라고 해서 데려가지 말란 법이 어디 있나〉로 고쳐먹을 수만 있다면, 아아 그럴 수만 있다면. 구원의 실마리가 바로 거기 있을 것 같았다.

어려서 무서운 꿈을 꾸다가 흐느끼며 깨어난 적이 있었다. 꿈이었다는 걸 알고 안심하고 다시 잠들려면 옆에서 어머니가 부드러운 소리로 말씀하셨다.

「애야 돌아눕거라, 그래야 다시 못된 꿈을 안 꾼단다.」돌아누움, 뒤집어 생각하기, 사고의 전환, 바로 그거였어. 앞으로 노력하고 힘써야 할 지표가 생긴 기분이었다. 나는 내 속에 생긴 희미한 희망 같은 것을 보듬어안고 그들이 헤어지기 전에 먼저 내 방으로 돌아왔다.

그러나 막상 혼자가 되고 나니 그게 아니었다. 바로 거기서 거기 같던 사고의 차이가 나로서는 절벽 끝에서 다른 절벽 끝을 향해 심연을 건너뛰는 거나 마찬가지였다.

10월 ×일

루시아가 오늘 떠난다면서 나에게 예쁜 그림엽서를 주었다. 따뜻한 사연과 함께, 나에게뿐 아니라 그동안 여기서 사귄 모두와 친해지고 신세진 수녀님들에게 드릴 그런 잔다란 걸 미리 준비한 루시아에게 새삼 자신이 부끄럽다. 명색이 어른이 그에게 줄 아무것도 없을 뿐 아니라, 이곳을 떠나는 날 역시 나눌 거라곤 통곡 보따리밖에 없을 테니 말이다.

루시아와 또 한 아가씨가 먼저 떠나자 수녀원이 텅 빈 것 같다.

그동안 젊고 건강한 아가씨들의 왕성한 식욕과 발랄한 재기 때문에 밥도 많이 먹고, 한번도 식탁에서 눈물로 목이 메인 적도 없었는데. 인간을 피해 수녀원까지 들어왔건만 이 안에서조차 나는 보이지 않는 분으로부터는 위로받지 못한다. 그저 인간으로부터의 위로가 제일이다.

남은 아가씨들 중 대전서 왔다는 이는 오후에 떠난다면서 그동안 나더러 같이 다락방에 가보지 않겠느냐고 했다. 여기선 그 아가씨보다 내가 고참이건만 나는 거기가 뭐 하는 덴지 또 어디 가 붙었는지 알지 못했다. 그러나 다락방이라니까 열두 제자들이 모여 있는데 성령이 혀의 모양으로 내려왔다는 다락방 생각이 나서 어쩌면 신비한 방법으로 영적인 위로를 받을지도 모른다는 생각이 들었다. 거기 가자고 말한 아가씨의 표정 또한 나에 대해 다 알고 있으며 바로 그런 도움을 주고 싶어하는 것처럼 어른스러운 연민에 차 있었다.

나는 순순히 그의 뒤를 따랐다. 성체를 모신 방이었다. 간소한 방에 두 분의 수녀님이 지키고 있었고, 기도인지 명상인지 마치고 나가는 수녀님도 있었다. 같이 간 이의 눈치를 봐가며 그가 하는 대로 하려고 했다. 그러나 곧 통곡이 치받쳤다. 며칠 동안 주리 참듯 참던 울음이었다. 도무지 어떻게 할 수가 없었다.

짐승 같은 울음소리를 참으려니 온몸이 격렬하게 요동을 쳤다. 엄숙하고 고즈넉한 분위기 때문에 차마 소리내어 울 수가 없었고 그게 그렇게 고통스러울 수가 없었다. 나중엔 명치의 근육이 땡기면서 찢어질 것 같았다. 뭔가 안에서 엄청난 힘으로 파열할 것 같아서 먼저 다락방을 뛰쳐나왔다. 내 방도 대낮에 엉엉 울 만한 곳은 아니어서 허둥지둥 산으로 올라갔다. 평소의 산책길을 벗어나 숲속으로 들어가 나무둥치에 몸을 내던지면서 소리내어 울기 시작했다. 추하고 외롭고 서러운 짐승이 된 느낌이었다.

내가 이 나이까지 겪어본 울음에는, 그 울음이 설사 일생의 반려를 잃은 울음이라 할지라도, 지내놓고 보면 약간이나마 감미로움이 섞여 있게 마련이었다. 응석이라 해도 좋았다. 아무리 미량이라 해도 그 감미로움에는 고통을 견딜 만하게 해주는 진통제 같은 게 들어 있었다. 오직 참척의 고통에만 전혀 감미로움이 섞여 있지 않았다. 구원의 가망이 없는 극형이었다. 끔찍한 일이었다.

이럴 수는 없는 일이었다. 누구라도 이런 끔찍한 극형에 당해서는 그 영문을 물을 권리가 있다. 신의 권위가 장난질칠 권리가 아닌 바에야 의당 그 극형이 무슨 잘못에서 연유했는지 밝혀줘야 한다. 신, 당신의 존재의 가장 참을 수 없음은 그 대답 없음이다. 한 번도 목소리나 모습을 드러내지 않고도 인간으로 하여금 당신을 있는 것처럼 느끼고, 부르고, 매달리게 하는 그 이상하고 음흉한 힘이다. 영원히 순화될 것 같지 않은 원색적인 포악이 거침없이 치밀었다. 언제나 그렇듯이 신의 문제는 나는 무엇일까 하는 나의 내면 응시로 귀착되고 만다. 실컷 울고 나서 한결 개운해진 정신으로 『법구경』의 한 구절을 떠올렸다.

어리석은 이는 한평생을 두고
어진 이를 가까이 섬길지라도 참다운 진리를 깨닫지 못한다
마치 숟가락이 국맛을 모르듯이.
지혜로운 사람은 잠깐이라도
어진 이를 가까이 섬기면 곧 진리를 깨닫는다
혀가 국맛을 알듯이.

신을 느끼는 감수성에 있어서 나는 철두철미 숟가락일 뿐이다.

대전서 온 아가씨까지 떠나보내고 나서도 나는 방으로 돌아오지 않고 산책길을 몇 바퀴 더 돌았다. 미사보를 쓰고 기도서를 들고 경건한 기도를 바치며 명상의 길을 도는 40대 초반의 점잖은 부인과 그의 딸인 듯싶은 여고생과도 몇 번씩 엇갈렸다. 저 부인은 참척의 고통이 뭔지 모르리라. 그러니까 저렇게 평화롭고 거룩한 얼굴로 성호를 그으면서 기도를 할 수가 있지 나 같으면 어림도 없다고 생각했다.

내가 왜 서른다섯도 안된 청청한 나이에 십자가에 못박혀 죽음으로써 어머니 가슴에 못을 박은 예수를 명상한단 말인가. 나는 아들의 죽음이 뭔지를 모를 것 같은 평범한 부인에게 공연한 심술이 나면서 마음이 한없이 꼬였다.

모두 떠나버려 오늘밤엔 그 넓은 언덕방 건물 안에 다시 혼자 있게 될 줄 알았는데 저녁식탁엔 또 새로운 손님이 와 있었다. 나보다 몇 살 아래로 보이는 부인은 여간 침울해보이지 않았다. 수녀가 되기 위해 여기 들어와 있는 따님을 면회 왔다는 것밖에는 더는 물어보거나 알아내지 못했다. 근심이 가득 찬 말투와 표정에 짓눌리는 것 같았다. 저녁식사는 자연히 젊은 아가씨들이 있을 때와는 딴판의 가라앉은 분위기가 되었다.

만약 내 딸 중에 하나라도 수녀가 되겠다고 했다면 내 마음이 어떠했을까. 한번도 상상을 해본 적이 없는 일이고, 또 상상도 할 수 없는 일이었다. 굉장한 충격이 되었으리라. 사생결단 말렸을 게 뻔하다. 여기 와서 비로소 인정하게 된 안배의 신비함과 부르심의 힘에 맞서 미련하게 싸웠을 자신을 상상하기는 어렵지 않았다.

수녀님들의 생활과 하는 일을 아름답고 긍정적으로 보게 되었다고 해서 내 딸에게 시키고 싶은 건 아니었다. 그동안 딸들에 대해서는 너무 생각을 안했다. 딸을 아들만 못하게 여겨서가 아니라 근심을 안 시켰기 때문에 생각할 필요가 없었던 게 아닐까. 자식 낳은 기쁨 뒤에 치러야 하는 어머니들의 몸고생, 마음고생의 다양함과 끝간데 없음을 새삼스럽게 엿본 느낌이었다.

그 부인은 바로 내 옆방에 묵었다. 남편까지 왔는지 남자 소리도 나고 밤새도록 두런거리는 소리가 그치지 않았다. 기도 소리 같기도 하고 흐느낌 같기도 한 소리도 들렸다. 옆방에서 잠들지 못하는 모정 때문에 나도 덩달아 잠을 설치며 그럭저럭 날이 샌 듯했다. 그러나 아직도 새벽미사까지는 먼 시간에 내 방문을 가만가만 노크하는 소리가 났다. 열어보니 옆방 부인이었다.

깨었었기에 망정이지 남을 깨우기에는 무례한 시간이었다. 나는 들어오라고 하지 않고 복도의 불을 켜고 거기 설치된 소파로 나갔다. 부인은 3남 2녀의 자녀를 두었다고 했다. 수녀원에 들어온 딸은 막내인데 혼기를 앞두고 신병을 얻어 애간장을 태우더니 극진한 치료의 보람으로 건강을 회복하자마자 수녀가 되겠다고 해서 또 한번 부모 마음을 아프게 했지만 한번 잃을 뻔했던 자식이라 기쁘게 하느님께 바칠 생각을 했노라고 했다.

그러나 1년도 안돼 다시 신병이 도졌다는 소식을 받고 와보니 암만해도 집으로 데려가야 할 것 같은데 보낼 때 서운하던 것과는 댈 것도 아니게 속이 상해 밤새 지접을 못하다가 견딜 수가 없어 이렇게 말동무라도 하려고 나를 깨웠노라고 했다.

쪼들쪼들 마른 입술과 충혈된 눈으로 그 부인은 나로부터 위안을 얻어내려고 갈망하고 있었다. 나는 그 정도의 자식 걱정으로 그렇게 초췌하고 약하게 구는 부인에게 화가 났다. 나는 거두절미하고 말했다. 「나는 외아들을 잃었답니다. 그래도 이렇게 밥 잘 먹고, 잠 잘 자고 살아 있습니다.」 내가 듣기에는 감정이 섞이지 않은 드라이한 목소리였다. 내 입으로 그 말을 하다니, 차마 어떻게 그 말을 입에 담을 수가 있었을까.

나는 처음으로 타인에게 내 입으로 그 말을 하고 그 말을 내 귀로 들었음에 경악했다. 무엇보다도 내가 그 사실에 승복하고 만 것이 소름끼쳤다. 앞으로 세상을 살아가려면 「몇 남매나 두셨습니까?」라는 예사로운 대화 끝에, 그 말을 해야 할 경우에 수도 없이 부딪히리라.

부인이 어쩔 줄을 몰라 하면서 황망히 자기 방으로 가버렸다. 몇 마디 사과의 말도 한 것 같았다. 그러나 나는 부인의 얼굴에 생기가 돈 것을 분명히 보았다. 부인도 아마 순식간에 자기의 근심이 가벼워진 것에 놀라고 있겠지. 세상엔 남의 불행이 위안이 되는 고통이 얼마든지 있다. 세상사람들이 예서 제서 자기들의 근심이나 걱정을 위로받으려고 내 불행을 예로 들어가며 쑥덕대는 소리가 들리는 듯했다. 남의 고통에 쓸 약으로서의 내 고통, 생각만 해도 끔찍한 치욕이었다.

주여, 어찌하여 나를 이다지도 미천하게 만드시나이까. 나는 마음으로 무릎을 꺾으며 이렇게 탄식했다.

10월 ×일

옆방 부인이 돌아가자 비로소 창 밖에서 새벽이 밝아오기 시작했다. 그러나 내 마음은 말할 수 없이 어둡고 혼란스러워졌다. 아들을 잃은 후 몸부림쳐 애통해하기도 수없이 했고, 애도와 위로의 말도 수없이 들었지만 피차 묵계에 의한 인정일 뿐, 아무도 그 애가 죽었다는 직접적인 표현을 입에 올린 적이 없었다. 스물여섯 살이란 나이는 죽음과 함께 입에 올리기에는 너무도 싱그럽고 빛나는 나이가 아닌가. 아아, 스물여섯 살…… 어찌 에미가 그 말을 그렇게 태연히 입에 담을 수가 있었을까.

온몸이 으스러지는 것 같았다. 그러나 이상하게도 눈물이 나진 않았다. 내가 그 말을 했을 때, 순간적으로 밝게 빛나던 부인의 얼굴이 집요하게 내 마음에 늘어붙어 지워지지 않았다. 나는 마치 사수(死守)해야 할 비밀을 누설한 것처럼 허탈하고 처량했다. 새벽 미사를 올리는 동안도 스스로에 대한 이런 참담한 느낌은 가셔지지 않았다. 아침은 커피로 입만 축이고 뒷동산에 올랐다. 묘지까지 오를 기운도 없어서 바다가 보이는 벤치에 앉아서 오랜 시간을 보냈다.

그 애를 잃고도 죽지 못하고 살아가야 할 앞날이 얼마나 치욕스러우리라는 게 눈에 보이는 듯했다. 나는 거지만도 못하게 헐벗은 마음으로 오래도록 바다가 보이는 벤치에 앉아 있었다. 그 애가 이 세상에서 없어진 후 이렇게까지 수치스럽고 피폐한 심정이 되어보긴 처음인 것 같았다. 이곳을 떠나기로 속으로 정해놓고 있는 날도 얼마 남지 않았다. 수녀가 될 수 없는 바에야 세속으로 돌아갈 준비를 할 수밖에 없는 것은 내 최소한의 염치였다.

그러나 지금 같아서는 도무지 그럴 엄두가 날 것 같지 않았다. 세상사람들이 다 내 고통을 입초사에 올림으로써 자신의 고통을 위로받고, 내 불행을 양념삼아 자신의 행복을 더욱 맛있게 음미하고자 대기하고 있을 것 같은 망상에 망상이 꼬리를 물었다. 나 또한 더할 나위 없이 행복했을 적에도 남의 불행에 접했을 때, 마음 아파하기에 앞서 내 행복을 재확인하며 대견해하기에 급급하지 않았던가. 어쩌다 내가 이렇게 되었을까. 세상으로 돌아갈 일은 두려웠고, 나에겐 죽음보다 무서운 고통이 타인에겐 단지 흥미나 위안거리밖에 안되는 인간관계가 무서워서 떨고 있었다.

하느님이 인간을 당신 모상대로 지어내셨다는 말씀이 믿기지 않았다. 그런 인간이 어떻게 그다지도 잔인하고 천박할 수가 있단 말인가. 낮 기도시간까지 그 자리에서 움직이지 않았다. 마지못해 낮 기도에 참여했다. 점심은 카레라이스였다. 그리고 옆방 부인과 겸상이었다. 내가 그 부인에게 결정적인 위안거리가 되었다고 여긴 건 착각이었나? 그 부인은 여전히 수심에 싸인 어두운 얼굴을 하고 있었다. 단둘이의 식사는 괴로웠다. 부인은 거의 식사를 하지 않았다. 나 같은 사람도 사는데 그 정도의 자식 걱정으로 저다지도 상심을 하다니.

나는 슬그머니 아니꼬운 생각이 들었다. 그래서 여봐란듯이 카레라이스를 아귀아귀 먹었다. 수녀원에 온 후 그렇게 많이 먹기는 처음이었다. 나는 왜 이럴까? 그 부인의 하소연을 처음 들었을 때만 해도 위로해주고 싶은 마음에 거짓이 없었다. 그래서 그런 말도 할 수가 있었는데 지금은 아니었다. 심통이 났고, 내 고통에다 대면 당신 고통은 아무것도 아니라고 깔보는 마음까지 생겼다. 나는 정말 왜 이 모양일까? 어쩌자고 고통에 있어서조차 교만하고 싶어 하는가? 내가 왜 주님을 느낄 수가 없는지 알 것 같았다. 주는 나를 사랑하지 않으신다. 나는 주의 눈 밖에 날 밉상만 고루 갖추고 있으니까.

점심에 과식한 게 속에서 보깨기 시작하더니 점점 더 심해졌다. 속이 뒤틀리면서 식은땀이 나고 목구멍에서 카레 냄새가 치밀었다. 소화제를 먹었지만 가라앉지 않았고, 주방에서 더운물을 갖다가 녹차를 만들어 마셔봐도 카레 냄새를 가라앉힐 수가 없었다. 진땀에서도 카레 냄새가 나는 것 같았다. 몸을 어떻게 할 수가 없었다. 화장실에 가서 목구멍에 손가락을 넣고 토해보려고 했지만 그것도 여의치 않았다. 물만 먹고도 잘만 토하던 버릇이 불과 10여 일 만에 이렇게 달라져 있었다. 가슴에 완강한 빗장이 잠긴 것처럼 배에서 왈칵 치밀다가도 가슴에서 막히곤 했다. 가슴까지 빠개지는 것 같았다. 지난 일이라 그런지 모르지만 진통도 이렇게 괴롭지는 않았던 것 같다.

언덕방에서 화장실에 가려면 수부를 통과해야 한다. 수부에서 일보시는 인자한 수녀님이 눈치챌까 봐 전전긍긍했다. 내가 통 식사를 못한다고 수녀님마다 걱정을 해주시는데 과식하고 체해서 쩔쩔매는 꼴을 보여줄 순 없었다. 그중에도 그런 체면을 차리려 들었다.

마침내 가슴에 걸린 빗장이 부러지는 것처럼 격렬한 통증이 오면서 점심 먹은 걸 고스란히 토해냈다. 복통이 없어지자 내 존재도 소멸한 것 같았다. 완벽한 평화였다. 고통도 남아 있지 않았지만 기운도 남아 있지 않았다. 나는 변기의 가장자리를 양손으로 짚고 무릎 꿇은 자세로 꼼짝도 할 수가 없었고 아무 생각도 할 수가 없었다. 얼마만이었을까, 한 생각이 떠올랐다. 텅 빈 머리에 갑자기 떠오른 생각이어서인지 그건 내 머리에서 나온 생각이라기보다는 계시 같은 느낌이 들 정도였다. 미사시간에도 기도시간에도 산책하면서도 긴긴 밤 잠 못 이루면서도 신에 대한 내 물음은 딱 한 가지였다. 도대체 내가 무엇을 그렇게 크게 잘못했기에 이런 무서운 벌을 받아야 하느냐는, 질문이라기보다는 포악이요 항의였다. 그러니까 내가 신의 부당함을 항의하고 내가 억울하다고 주장할 수 있는 유일한 근거는 나는 그닥 죄가 없다는 것이었다. 내가 죄가 있다면 어디 말해보시지 하는 신에 대한 일종의 시험이었다. 십자가 밑에서 밤새도록 몸부림치며 구해도 얻어낼 수 없었던 응답이 하필 변기 앞에 무릎 꿇고 앉았을 때 들려올 게 뭐였을까? 그때 계시처럼 떠오른 나의 죄는 이러했다.

나는 남에게 뭘 준 적이 없었다. 물질도 사랑도. 내가 아낌없이 물질과 사랑을 나눈 범위는 가족과 친척 중의 극히 일부와 소수의 친구에 국한돼 있었다. 그밖에 이웃이라 부를 수 있는 타인에게 나는 철저하게 무관심했다. 위선으로 사랑한 척한 적조차 없었다. 물론 남을 해친 적도 없다고 여기고 있었다. 모르고 잘못한 적은 있을지도 모르지만 의식하고 남에게 악을 행한 적이 없다는 자신감이 내가 신에게도 겁먹지 않고 당당하게 대들 수 있는 유일한 도덕적 근거였다. 주지도 않고 받지도 않은, 타인에 대한 철저한 무관심이야말로 크나큰 죄라는 것을, 그리하여 그 벌로 나누어도 나누어도 다함이 없는 태산 같은 고통을 받았음을, 나는 명료하게 깨달았다. 하필 변기 앞에 무릎 꿇은 자세로, 나는 그 정답에 머리숙여 승복했다. 나중에 나의 간지(奸智)가 또다시 빠져나갈 구멍을 찾게 될지도 모르지만 적어도 그 순간만은 그건 옴짝달싹도 할 수 없는 정답이었다. 그리고 구원이었다. 고통도 나눌 가치가 있는 거라면 나누리라.

주여, 나를 받으소서. 나의 모든 자유와 나의 기억력과 지력과 모든 의지와 내게 있는 것과 내가 소유한 모든 것을 받아들이소서. 나의 고통까지도. 당신이 내게 이 모든 것을 주셨나이다. 주여, 이 모든 것을 당신께 도로 드리나이다. 모든 것이 당신의 것이오니, 온전히 당신 의향대로 그것들을 처리하소서. 내게는 당신의 사랑과 은총을 주소서. 이것이 내게 족하나이다.

이윽고 기운을 차리고 화장실을 나왔다. 침대에 누우니 극심한 고통에서 벗어난 육신이 그렇게 편안할 수가 없었다. 몸이 아무데도 불편하거나 아프지 않다는 사실 하나만으로도 감사해야 마땅할 것 같았다. 세상 모든 즐거움에 뜻이 없다고 여겼는데 몸에 아픈 데가 없다는 사실에 거의 행복감에 가까운 기쁨을 느끼고 있었다.

감미로운 잠이 엄습했다.

얼마만인지 바람소리에 놀라 깨어났다. 창 밖에서 나무들의 검은 그림자가 극렬하게 나부끼고 있었다. 내가 묵고 있던 언덕방과 수녀님들의 숙소는 네모 반듯한 정원을 끼고 디근자 모양을 하고 있는데, 그 한쪽이 열린 네모꼴 속을 회오리치는 바람소리가 꼭 사람의 애곡소리 같으면서도 육성보다 훨씬 만감이 서려 있었다. 나는 어린애처럼 경망스럽게 두근대는 가슴을 베개로 누르며 엎드렸다. 무서움증 때문에 정신이 말뚱말뚱해졌다. 마리로사 수녀님이 갖다 준 『사목(司牧)』지에서 특집으로 다룬 현대 신비사상 체험을 통독했다. 잡념이 하나도 안 생기고 머리에 쏙쏙 들어왔다. 재미가 없어서 읽다 만 『십자가의 성 요한』에 대해서도 새로운 지식이랄까, 관점을 얻은 것처럼 느껴졌다.

10월 ×일

좋은 날이다. 며칠 날이 궂은 뒤라 그런지 공기가 닦아놓은 유리처럼 다만 투명하게 반짝거린다. 그러나 투명한 것, 보이지 않는 것의 며칠 사이의 역사는 얼마나 엄청난가. 산의 빛깔이 어제의 빛깔이 아니다. 나무에 따라서는 그 노랑 빨강 주황이 꽃보다 곱건만 그 찬란한 빛깔 사이를 지나는 바람은 소슬하여 마음까지 시리게 한다. 우리 방에서 내다보이는 디근자 모양의 마당 한가운데 구심점처럼 서 있는 이름 모를 나무도 어제까지도 청청한 줄 알았는데 어찌나 곱게 물들었는지 「어머나!」 소리가 저절로 나왔다. 이파리 하나하나에 광활하고 처절한 노을빛을 구현하고 있었다. 그날 밤 저 빛깔을 짜내느라 그리도 슬피 애곡한 것일까? 가슴이 찡하여 역설적으로 〈최후의 발악〉이란 별명을 붙여주고 혼자서 쓸쓸하게 웃었다.

새벽미사 후 버릇처럼 산에 오르려고 했지만 기운이 빠져 다리가 후들댔다. 하루 빼먹기로 하고 유치원 마당 그네에서 흔들대며 아이들이 오기를 기다렸다. 버스에서 내리는 아이, 저만치서 장난치며 걸어오는 아이, 늦지도 않았는데 뛰어오는 아이, 강아지처럼 엉겨붙은 아이, 외톨이인 아이, 귀여운 것들. 조회시간에 선생님은 우리나라가 올림픽에서 금메달을 열네 개나 따고 종합 4위를 했단 얘기를 또 했다. 아이들 또한 아무리 들어도 싫증이 안 나는 모양이었다. 아이들 마음의 우쭐댐이 나한테까지 기분좋게 밀려온다. 올림픽의 축제 분위기가 그렇게도 싫더니만 그 축제가 아이들에게 남기고 간 긍지를 생각하니 잘한 일이다 싶기도 했다. 앞으로는 그 애들 세상이다. 긍지를 물려받지 못한 세대와 긍지를 물려받은 세대와의 세대차이는 결코 쓸쓸하지만은 않으리라. 아이들이 교실로 들어간 후 무밭이 있는 쪽으로 슬슬 걸어가봤더니 수녀님 몇 분이서 앞치마를 두르고 일을 하고 있었다. 그중엔 원장 수녀님도 계셔서 나는 얼른 되돌아섰다. 나는 앞치마 두르고 일하는 수녀님은 급이 낮고, 정장을 한 수녀님은 급이 높으려니 했었다. 어디서건 눈치껏 사람에게 계급을 매기고 싶어하는 내 천박한 버릇에 부끄러움을 느꼈다. 그러나 무밭의 청청함만큼이나 내 부끄러움도 오랜만의 상투적이 아닌 싱그러운 것이었다.

방에서 소화 테레사의 자서전을 읽었다. 읽다 만 『십자가의 성 요한』때문에 성인에 대한 이야기라면 읽기도 전에 뜨악하여 경원하는 마음이 앞섰는데 이 성녀의 자서전엔 깊이 빠져들었다. 놀라운 기적을 보여주거나 초인적인 고행으로 자신을 단련하지 않고도 성녀가 된 소화 테레사의 천진난만은 얼마나 유쾌한가. 고행은 흉내라도 낼 수 있지만, 성녀가 죽는 날까지 잃지 않은 어린애 같은 투명한 직관력과, 무지하지 않은 천진난만은 아무도 함부로 꾸며서

할 수 없는 성녀만의 것이었다. 하느님이 아무리 그를 특별하게 어여삐 여기신다 해도 하느님다움에 흠이 되지는 않으리라고 여겨질 만큼 그 성녀의 품성엔 만인을 끄는 매력이 있었다. 어린애다움과 거룩함의 행복한 조화라고나 할까. 세상의 불공평에 대해 고민하던 소녀적 테레사가 얻어낸 대답은 또 얼마나 귀여운지.

예수께서는 그 신비를 제게 이렇게 가르쳐주셨습니다. 그는 제 눈앞에 자연이란 책을 펴주셨고, 저는 그가 조성하신 모든 꽃이 아름답다는 것과 장미의 화려함이며 백합화의 결백함으로 인해서 작은 오랑캐꽃의 향기나 들국화의 순박한 매력이 없어지지 않는다는 것을 알게 되었습니다. 또한 만일 작은 꽃들이 모두 장미가 되려 한다면, 자연은 그 봄단장을 잃어버리고, 들은 이미 가지가지의 작은 꽃으로 꾸며지지 못하리라는 것을 깨달았습니다.

이 얼마나 단순 소박하고 귀여운 발상인가. 그러나 가장 심오하고도 난해하다는 노자(老子)의 세계관과 신기하도록 닮아 있지 않은가. 이 자서전에 빨려든 나는 낮 기도시간도 아까워서 가지 말까 했다. 그러나 기도시간을 거르면 점심도 굶어야 할 것 같았다. 그런 규칙이 있는 건 아니지만 성당에서 기도시간을 마치고 나서, 들어간 문과 반대쪽 문으로 나가면 바로 손님들을 위한 식당이고 식당엔 그 시간에 맞춰서 따뜻한 점심이 차려져 있게 마련이었다. 기도는 빼먹고 무슨 염치로 밥을 먹으러 어정어정 식당으로 들어간단 말인가. 아무리 기도시간이 싫어도 그럴 용기는 없었다. 나는 순전히 점심을 얻어먹으려고 성당으로 올라갔다. 기도시간 내내 성무일도 소리는 듣는 둥 마는 둥 부엌 쪽에서 풍겨오는 구수한 밥 냄새와 된장국 냄새에만 정신이 팔려 있었다. 그건 어쩌면 환각일 수도 있었다. 점심에 된장국은 나오지 않았으니 말이다. 그러나 된장국보다 더 맛깔스러워 보이는 비빔밥이었다. 나는 짐승 같은 식욕을 느꼈다. 뱃속에서 나는 꼬르륵 소리를 옆에서 시중드는 수녀님에게 숨기려고 나는 괜히 밭은기침을 하면서 몸을 흔들었다. 색색가지 나물에다가 참기름과 고추장을 넣고 듬뿍 비비고 싶었지만 수녀님 눈치가 보였다. 내가 식사를 너무 조금 한다고 늘 근심스러운 얼굴로 지켜봐주던 수녀님 앞에서 그렇게 잘 먹으면 수녀님은 더는 내 걱정을 안할 게 아닌가. 나는 더 오래 수녀님의 근심에 응석부리고 싶었다. 또 엊그저께의 악몽과 같은 복통도 나의 식욕을 자제토록 했다. 좀 모자라는 듯싶게 밥을 덜어다 비볐다. 기막힌 맛이었다.

집에서는 자식들이 성화를 해대서, 수녀원에서는 수녀님들이 조심스럽게 걱정을 해줘서 할 수 없이 먹는 척해왔다고 여기고 있었다. 먹고 싶어서 먹은 게 아니라 그들을 위해서 먹어준 거였다. 아니꼽게도 선심을 쓰듯이 먹어준 거였다. 먹어준다는 의무감만 없다면 죽 한 모금 입에 넣고 싶지 않을 만큼 식욕이 없던 것도 사실이었다. 참척을 겪은 에미는 그래 마땅했다. 살고 싶지 않은 게 거짓이 아닌 바에야 육체가 정신의 소망을 따라주는 건 당연했다. 나는 이렇게 내 식욕 없음에 체면과 자존심을 걸고 있었다. 아니 희망까지 걸었다 해도 과언이 아니었다. 이렇게 아무것도 먹기 싫으니 차츰 쇠약해지면서 죽어가겠지 하는. 그리하여 나의 식욕 없음은, 미구에 아들 뒤를 고통 없이 따라갈 수 있으리란 희망이었다.

지금은 남을 위해 먹어주는 게 아니라, 내가 먹고 싶어서 먹고 있다는 자의식이 나를 한없이 부끄럽고 참담하게 했다. 싫은 사람과 마주앉아 커피만 마셔도 속이 거북하던 내 육신이 아니던가. 이렇게 정신과 밀접하고도 예민하게 맞물려 있던 육신의 이 뜻하지 않은 반란을 어떻게 받아들여야 한단 말인가. 비빔밥을 꿀같이 달게 먹고 내 방으로 도망치듯 돌아온 나는 나에게 따지듯이 물었다. 「너는 이제 살고 싶으냐」고. 「아니야, 절대로 아니야」라고 나는 강하게 부인했다. 그러나 저녁 기도시간이 가까워지자 나는 다시 배가 고팠고, 주님을 만나기 위해서도 하루를 반성하기 위해서도 아닌, 단지 식욕을 채우기 위해 허위허위 성당으로 가는 언덕길을 올라갔다. 양을 자제했기 때문에 더욱 맛있는 저녁을 먹고 내려오면서 나는 내 육신과 정신의 분열이 한없이 창피하고 슬퍼서 몸둘 바를 몰랐다. 할 수 있는 말은 다만 「주여, 나를 불쌍히 여기소서.」

그후의 나날들

그날 이후 내 배는 영락없이 끼니때만 되면 고파왔다. 그 이상 얘기한다는 것은 너무도 부끄럽고 괴로운 일이다. 참척을 겪은 기막힌 애통과 절망은 당연히 에미의 목숨을 단축시킬 줄 알았다. 살고 싶지 않은 게 조금도 거짓이 아닌 이상 육신은 의당 거기 따라주려니 했다. 그러나 내 육신은 내 마음과는 별개의 남처럼 끼니때마다 먹고 살고 싶어하는 게 아닌가. 나는 내 육신에 대해 하염없는 슬픔과 배신감을 느꼈다. 사람이 짐승과 다를 게 없다는 생각이 들었다.

내가 자식들의 만류를 뿌리치고 수녀원으로 거처를 옮긴 것도 실은 짐승 같은 본능이 아니었을까 싶은 생각도 들었다. 병들거나 다친 짐승은 누가 가르쳐준 바 없이도 그에게 맞는 약초를 가까운 데서 찾아낸다고 한다. 나 또한 내 속에 잠재된 짐승처럼 질기고 파렴치한 생명력이, 죽고만 싶은 지극히 인간적인 염치를 거역하고 살 길을 냄새 맡고 수녀원 쪽으로 강력하게 이끌린 게 아니었을까. 그러나 짐승과 인간이 가장 닮은 본능이야말로 신이 준 능력이거늘 내가 무슨 수로 거역하랴.

나는 떠날 준비를 했다. 일기를 정리하고 책들을 분류했다. 가져온 책과 마리로사 수녀님으로부터 빌린 책, 받은 책이 꽤 되었다. 그리고 나서 그동안 정든 산책길을 천천히 걸었다. 여름 동안은 초록 일색이었을 나무들이 1년 중 가장 아름답게, 가장 개성 있는 모습으로 단장하고 화려하고도 쓸쓸한 가을숲을 이루고 있었다. 물마른 계곡에 무리지어 핀 초롱같이 생긴 꽃의 보랏빛도 여전히 우아했다. 머지않아 찬 서리에 시들고 눈에 덮일 꽃이기에 오히려 자수정보다 고와보였다. 나는 그 꽃을 꺾지 않았다.

빈손으로 묘지까지 올라가 아늑하고 겸손하게 누운 수녀님들에게 골고루 작별의 성수를 뿌렸다. 오늘만은 유치한 편애를 삼가리라. 그럼에도 불구하고 젊어서 죽은 수녀님의 묘하고는 기어코 눈물의 작별을 하고 말았다. 산책길을 벗어나 철조망이 쳐진 데까지 산으로 올라가보았다. 출입할 수 있는 문이 달려 있어 조금 더 올라가니 수녀원과 광안리가 한 폭의 그림처럼 시야에 안겨오는 지점이 있었다. 내가 매일매일 산책하며 서럽고 헐벗은 마음으로 낱낱이 본 풀포기, 들꽃, 나무들 그리고 지금 한꺼번에 보고 있는 풍경들을 나는 꼼꼼히 내 기억 속에 챙겨넣었다. 비록 육신의 소멸과 함께 사라질 덧없는 기억이지만 나는 충만감을 느꼈다. 내 육신이 밥을 먹지 않고는 목숨을 부지할 수 없는 것처럼 내 마음 또한 좋은 추억의 도움 없이는 최소한의 인간다움도 지킬 자신이 없었기에. 가장 어려울 때 신세진 이곳에서 얻어 가진 좋은 추억의 힘을 믿을 수 있어서 한결 마음이 가라앉았다.

떠나기 전날 밤에는 수련중인 예비 수녀님들이 나를 위해 과분한 송별 모임을 베풀어주었다. 아마 마리로사 수녀님이 그런 모임을 꾸몄을 것이다. 젊고 예쁜 예비 수녀님들은 노래도 잘하고 춤도 잘 추고 말도 잘하고 웃기도 잘했다. 세속적인 욕망이 쑥 빠져버리고 청빈과 극기와 봉사에의 열망만이 한창 고조된 젊은 수녀님들의 명랑함은 자연의 명랑함만큼이나 순수하고 감동적이었다.

나는 실로 오래간만에 소리내어 웃기도 하고, 간간이 질금질금 울기도 했다. 앞으로 내 아들이 없는 세상에 나가서 시도해야 할 홀로서기가 한결 덜 두렵게 여겨졌다. 그래, 나에겐 딸들이 넷이나 되지 않나. 그 애들이 내 홀로서기를 힘껏 도와주리라. 나는 그동안 딸들 생각을 너무 안했다. 어쩌면 피해왔는지도 모르겠다. 외아들을 잃었다는 무서운 사실을 차마 받아들이기 어려웠을 때, 만일 딸들 중의 하나를 잃었다면 이렇게까지 비참하지는 않았을지도 모른다는 생각이 문득문득 치밀려고 했었다. 사람의 수효가 모래알처럼 흔하다고 해도 각자에겐 일회적이고 고유한 목숨을 바꿔치기한다는 것은 아무리 가상일지라도 절대로 해서는 안될 생각이었다. 설사 제왕을 위해서라도 노예가 그의 생명을 바꿔치기당하지 않을 권리가 있거늘, 하물며 같은 자식을 놓고 그런 생각을 한다는 것은 얼마나 하늘 무서운 짓인가. 또한 아들과 딸을 조금도 차별하지 않고 주시는 대로 받아 소중하게 키워왔다는 나의 에미로서의 자부심에도 크게 어긋나는 짓이었다.

나는 무서워서 피하던 생각과 이제 두려움 없이 직면할 수 있을 것 같았다. 내가 잃은 게 아들이 아니라 딸이었다고 해도 애통이 조금이라도 덜하진 않았겠지만 남들이 나를 덜 불쌍하게 여기리라는 것만은 확실했다. 그래, 그건 인정하자. 그러나 내가 나를 아들 딸에 의해 더 불쌍해하거나 덜 불쌍해하지는 말자. 어디선지 모르게 그런 자신이랄까, 용기 같은 게 생겼다. 수녀님들 덕이었다.

솔직히 말해서 나는 수녀생활을 세상일이 잘 안 풀린 여자들의 마지막 도피처쯤으로 여겨왔었다. 그러나 그게 아니었다. 여기서 수녀님들과 생활을 같이하면서 수도생활은 세상으로부터의 도피가 아니라 이 세상 밑바닥에 깔린 가장 보잘것없는 이들, 못 가진 이들, 버림받아 외로운 이들과 함께 있으려는 크나큰 용기라는 걸 확연히 알 수가 있었다. 이곳 수녀님들은 내가 보기엔 더할 나위 없는 청빈과 근면과 봉사의 생활을 하면서도 여기 생활이 안일한 게 아닌가 늘 반성하는 것 같았다.

「우린 이 안에서 너무 호강이에요, 이래도 되는 건지 모르겠어요」 하면서 온갖 밑바닥 인생에 직접 뛰어들어 가난과 병고와 소외의 고통을 함께하는 수녀님들 얘기를 들려주는 수녀님도 여러 분 만났다. 그런 얘기를 들으면 수도생활을 택한다는 것은 용기 이상의 그 무엇, 하느님의 부르심이나 안배에 의한 것이 아닐까 싶은 생각도 들었다. 그렇지 않고서야 진실한 수도자라면 용기 있어보일 뿐 아니라 거룩해보이기까지 할 까닭이 없었다.

나는 인간의 다양한 고통에 대해 신부님보다 훨씬 민감한 수녀님들에게 마음으로부터 친화감을 느꼈다. 사람에게 층수를 매기고 싶어하는 속된 눈으로 볼 때, 수녀님보다는 신부님이 더 높고 그럴듯해보이는 게 사실이다. 그러나 내가 함부로 대들고 포악을 부리긴 했지만 실은 깊이 좋아하는 나의 하느님은 좀 다를 것 같다. 그분은 분명히, 황홀한 제의에 싸여 우아한 손으로 만인 위에서 만인을 축복하는 교황님보다는 기운 옷을 입고 험한 손으로 병든 이가 혼자 죽어가지 않도록 잡아주는 마더 테레사를 더 어여삐 여기시어 높은 자리로 영접할 것 같다.

송별연에 나와준 수녀님들 중에는 조 테레사 수녀도 끼여 있었다. 그는 착해보인다는 것말고는 드러나지 않는 평범한 수녀였다. 그러나 나에게는 특별한 수녀였다. 「하필 왜 내가 이런 일을 당해야 하나」 하는 원망으로 똘똘 뭉친 내 마음에 「왜 당신이라고 그런 일을 당하면 안되는가?]라는 당돌한 반문을 불러일으킨 수녀였다. 그는 알까. 그가 무심히 던진 한마디가 내 딱딱한 마음에 일으킨 최초의 균열에 대해.

아마 모를 것이다. 나는 거기 모인 젊고 씩씩하고 명랑한 예비 수녀들이 모두 훌륭한 수녀가 되고자 하는 뜻을 이루고, 또한 본인은 의식하지 않고 한 언동도 타인에게 이르러 반드시 선(善)을 이루기를 기도하는 마음으로 그들의 춤과 노래를 밤늦도록 즐겼다.

수녀원을 나와 딸네 집에서 며칠 더 유하고 나서 서울로 돌아왔다. 서울역에서 집으로 돌아오는 사이에 나는 다시 홀로서기에 자신이 없어졌다. 하루 세끼밥을 찾아먹고 그 밥을 소화시킬 수 있을 만큼 몸이 회복됐다고 해서 살아갈 능력이나 의욕까지 회복된 건 아니었다. 우리 동네가 가까워질수록 나는 내 아들이 없어진 동네에서 아무것도 달라진 게 없는 풍경과 길과 상가와 동네 사람들을 대하며 살아갈 일이 무서워서 가슴이 떨렸다. 내가 도처에서 한시도 잊지 못할 내 아들 없는 빈자리를 동네 사람들은 아무도 느끼지 않고 태연하게 히히덕대며 살아갈 게 아닌가. 그걸 참을 수 있을 것 같지가 않았다. 순 어거지 같은 생각이었다.

서울에 있는 둘째 셋째도 내가 집으로 들어가는 걸 반대했고 나는 다시 울보가 되어 둘째네 집에 아예 자리보전하고 누워 울 구실만 찾았다. 눈물이 마르면 아들의 사진을 벽에다 주른히 기대놓고 보면서 새로운 눈물을 짜냈다. 그러다가 이 세상에 그 애가 없다는 게 도무지 믿기지가 않으면 벌떡 일어나 창가로 갔다.

둘째네는 우리 동네하고는 두 블록쯤 떨어진 거리여서 창으로 우리 아파트와 거기까지 뻗은 곧은 길이 빤히 바라보였다. 우리 아들이 무수히 다니던 길이었다. 그 애는 둘째 매형을 특히 좋아해서 저녁시간이 조금만 나도 매형네 집에 가서 맥주 한잔하고 오겠다며 나가곤 했었다. 그럼 나는 「네 나이가 몇인데 연애 하나 못하고 매형 꽁무니나 따라다니냐?」 하고 핀잔을 주었었다. 그 애가 툭하면 파란 프레스토를 몰고 달려오던 길엔 그때나 이때나 차들의 왕래가 빈번했다. 나는 유리창을 열고 두억시니 같은 머리칼을 찬바람에 내맡기고 파란 프레스토를 기다렸다. 내 아들은 죽지 않았어. 나는 악몽을 꾼 것뿐이야. 뼛속까지 시린 찬바람이 나에게 미친년 같은 확신을 주었다. 드디어 파란 프레스토가 나타나면 가슴이 터질 듯이 부풀고, 그 차가 얼토당토않은 옆얼굴을 잠깐 보이고 쏜살같이 사라져버려도 실망하지 않고 더욱 고조된 기대로 다음 차를 기다리곤 했다. 기다리고 또 기다리면 환각으로라도 아들의 얼굴을 볼 수 있을 것 같았다. 그러다 어느 순간 다리의 기운과 줄기찬 희망이 썰물처럼 빠져나가면서 이러다가 내가 미치고 말지 싶은 참담한 현실감이 돌아오곤 했다. 식구들이나 나나 피차 못할 노릇이었다. 서울 와 있다는 소리를 듣고 찾아와주는 친구나 친척을 대하는 일은 더욱 못할 노릇이었다. 사람 만나는 게 극도로 싫었다. 아는 사람뿐 아니라 길에 지나다니는 모르는 사람까지 꼴도 보기 싫으니까 자연 외출도 두려워하게 되었다. 딸이나 사위가 자기네 친구가 찾아오는 것까지 내 눈치를 보며 쉬쉬하기에 이르러도 나는 개의치 않았다. 남의 처지나 고통을 헤아리는 마음이 마비돼 있었다.

그 무렵 여행사에서 미국 비자를 찾아가라는 연락이 왔다. 미국가 있는 막내를 보러 가려고 아들을 잃기 전에 신청해놓고 면접도 끝낸 비자였다. 그동안 나하고 연락이 끊겨서 여행사에서 보관하고 있다가 어찌어찌 연줄이 닿아 연락이 온 거였다. 나 역시 까맣게 잊고 있던 거였지만 문득 새로운 희망 같은 게 생겼다. 궁하면 통한다더니, 더는 참을 수 없을 것 같은 고통의 나날로부터 빠져나갈

구멍이 홀연히 트인 것처럼 느껴졌다. 그래, 아는 얼굴 만나는 게 그렇게도 싫으면 아는 얼굴이 없는 고장으로 가버리면 그만 아닌가. 내 설움, 내 고통 외의 일들은 다 이렇게 쉽고 간단하게 여겨졌다.

떠날 날을 정해놓자 딸이 본당 신부님한테 인사나 여쭙고 떠나라고 귀띔을 해주었다. 아들의 장례 때 그 어른의 도움을 많이 받았노라고 했다. 사제관 응접실에서 신부님을 뵙고 긴 위로의 말씀을 들었으나 자식도 낳아보지 않은 분이 내 마음을 어찌 알까 싶어 그저 괴로운 마음으로 경청했다. 그러다가 탁자 위에 놓인 백자 필통이 눈에 띄었다. 거기 쓰인 〈밥이 되어라〉라는 글귀 때문이었다. 신부님이 손수 쓰신 건지, 아니면 어떤 주교님이나 추기경님이 쓰신 건지 그건 분명치 않았다.

누가 썼건 실상 그건 그닥 중요하지 않았다. 「밥이 되어라, 밥이 되어라」를 입 속으로 되뇌면서 나는 분도수녀원에서 맡은 이 세상에서 가장 맛있는 밥 냄새를 떠올렸고, 어쩌면 주님이 그때 나에게 밥이 되어 오시었던 게 아닐까 싶은 생각이 났다. 그때 나는 몇 날 며칠을 밤이나 낮이나 주님을 찾아 대들고 몸부림쳤었다. 「내가 왜 이런 고통을 받아야 하나? 한 말씀만 하시라」고 애걸복걸도 해보았다. 그러나 주님은 끝내 아무 말씀도 없으셨다. 어쩌면 나직하고 그윽하게 뭐라고 하셨을지도 모른다는 생각이 늦게 난 철처럼 슬며시 왔다.

그래, 분명히 뭐라고 그러셨을 거야. 다만 내 귀가 독선과 아집으로 꽉 막혀 못 알아들었을 뿐인 것을. 하도 답답해서 몸소 밥이 되어 찾아오시었던 거야. 우선 먹고 살아라 하는 응답으로. 그렇지 않고서 그 지경에서 밥 냄새와 밥맛이 그렇게 감미로울 수는 없는 일이었다.

미국으로 떠나면서 아이들에게 겨울이나 나고 오겠다고 말했지만 내 속셈은 내 감정이 독립할 수 있을 때까지였다. 나에게 가장 시급한 건 감정의 독립이었지만 그 시기는 기약이 없었다.

로스앤젤레스 남쪽 오렌지 카운티는 풍치가 아름답고 기후가 온화했다. 여기서는 초겨울로 접어들 무렵에 떠났는데 그곳 날씨는 봄의 한가운데 같았고 수목의 푸르름은 한여름 같았다. 침실이 있는 2층 창을 가리게 무성한 나무에는 능소화 비슷한 새빨간 꽃이 한창이어서 꿀을 빨아먹으려는 벌새가 시끄럽게 지저귀는 소리에 눈을 뜨곤 했다. 벌새는 새 중에서 가장 작은 새라던가, 곤충의 대롱처럼 긴 주둥이로 꽃의 꿀을 빨아먹고 산다고 했다. 세상에 별난 새로 다 있지. 한동안은 보는 것마다 다 신기했다. 나무마다 꽃나무 아닌 게 없었다. 꽃 지고 잎 피는 게 아니라 꽃과 잎이 동시에 무성한 것도 신기했고 새파란 잔디 위로 노오란 은행잎이 지는 것도 신기했다.

차로 30분도 안되는 거리에 바다가 있었다. 태평양이었다. 아아, 태평양. 그곳 바닷가에 서면 바다가 크다는 느낌이 가슴이 뿌듯하게 차올랐다. 나는 그때 처음으로 수평선이 직선이 아니라 거대한 호(弧)라는 걸 알았다. 앞이나 좌우로 시야를 가로막는 섬도 곶[岬]도 없는, 다만 광대무변한 해안선에서 바라본 수평선은 앞이 부풀고 좌우가 아스라이 휘어보였다. 과연 지구가 둥글긴 둥근가 보다. 나는 그 사실을 내가 처음 발견한 것처럼 신기했고 한편 자신의 존재를 바닷가 모래알보다도 미소하게 느꼈다. 자연으로부터 받는 위안처럼 편안한 것도 없었다.

그러나 그밖에 미국적인 구경은 조금도 재미있지 않았다. 집안에 큰 불행이 닥친 걸 이국땅에서 소식만 듣고 가족과 함께하지 못한 막내의 고통도 컸으련만, 그 애는 다만 동참하지 못한 것만 죄스럽게 여겨 너무 잘해주려고 애쓰는 것 같았다. 어디든지 끌고 다니려고만 했다. 온종일 달려 밤중에 산중 오두막에 도착해서 하룻밤을 자고 새벽에 일어나 거대한 자연에 접하고 다시 온종일 달려 집으로 돌아온 적도 있었다. 그래봤댔자 캘리포니아도 못 벗어났단 소리를 듣고 이놈의 땅덩어리가 과연 크긴 크구나 싶을 뿐 아무런 감흥도 일지 않았다.

놀러 나갔을 때마다 찍은 사진이 한 보따리나 되었다. 어느 날 막내가 그것들을 날짜별로 정리하는 걸 옆에서 보다가 문득 이상한 생각이 들었다. 분명히 나를 넣고 찍은 사진이건만 나는 거기 가본 기억이 하나도 나지 않았다. 사진마다 그러했다. 풍경과 나는 억지로 갖다 붙여놓은 것처럼 부조화스러울 뿐이었다. 그 애들이 성심성의껏 한 효도를 헛수고로 만들어버린 것 같아 내심 미안했지만 아무 말도 하지는 않았다.

〈여기는 우리 아들을 기억하는 사람은 아무도 없는 고장이다〉라는 생각이 처음에는 홀가분하고 편하더니만 점점 그것도 별게 아닌 게 되었다. 내 아들의 추억과 전혀 연관지을 수 없는 이국의 풍경과 사람들은, 내 아들이 죽었는데도 히히덕대며 일상을 영위하는 내 나라 사람들이 꼴 보기 싫은 것과는 다른 괴로움을 불러일으키는 것이었다. 외로움이라고 해도 좋았다. 별안간 악이라도 써서 구원을 청해야 할 것처럼 그 외로움은 절박했고, 집에서보다 밖에 나가 많은 사람들 사이에 섞여 있을 때 한결 더했다.

디즈니랜드를 구경간 날이었다. 주말이어서 각양각색의 인종이 모여들어 대혼잡을 이루고 있었지만 워낙 면적이 넓고 구경거리가 다양해서 인기 있는 몇몇 관을 빼고는 오래 기다리지 않고 지딱지딱 돌아볼 수가 있었다. 딸 내외도 손녀도 그렇게 즐거워할 수가 없었다. 그러나 나는 오후가 되자 다리의 피로보다 사람에 치인 신경의 피로가 견딜 수 없어졌다. 노천식당에 가까스로 자리를 하나차지하고 나서 딸과 사위는 먹을 것과 음료를 파는 데 줄 서러 가고 나는 손녀를 데리고 앉았는데 또 그 절박한 외로움이 목구멍까지 차올랐다. 그리고 내가 참을 수 없어 하는 게 무엇이라는 걸 어렴풋이 깨달았다.

그건 말 못 알아들음이었다. 내 나라에서건 남의 나라에서건 사람 모이는 데 가면 들리는 건 사람들의 말소리라는 것은 두말할 것도 없다. 구태여 남의 말을 엿들으려고 노력을 안해도 내 나라에서 들리는 건 당연히 내 나라 말이고, 어려서부터 들어온 내 나라 말의 리듬엔 공기처럼 의식할 필요 없이 나를 편안하게 해주는 정다움이 있었다.

그러나 거긴 남의 나라였다. 신경을 곤두세워도 한두 마디 알아들을까말까 한 것도 괴로웠지만 무엇보다도 견딜 수 없는 것은 그이질적인 리듬이었다. 그 이질감은 여기는 네가 놀 물이 아니라는 소외감을 끊임없이 일깨워주고 있었다. 그때 나는 생각했다. 만약 어떤 피치 못할 운명이 나를 이 땅에 죽을 때까지 묶어두는 일이 생긴다면, 생전 호강을 보장해준다고 해도 아들을 잃은 고통 다음가는 고통이 되리라고.

그런 건 깨달은 게 잘못이었다. 귀국하고 싶은 마음을 걷잡을 수가 없었다. 아무것도 더는 구경하기 싫었다. 다만 바닷가에 나가는 것만은 싫증이 안 났지만 그 또한 그 바다가 태평양이기 때문이 아니었을까. 내 나라까지 닿아 있을 태평양의 화려장엄한 낙조를 바라보면서, 내 나라에선 지금쯤 저 태양이 중천에 떠 있겠지 싶을 때의 감상은 찝찔하고도 절절했다. 겨울을 나기는커녕 그 해도 넘기기 전에 귀국을 서둘렀다. 무엇을 잘못했기에 엄마가 저러나 딸이 영문을 몰라 섭섭해하는 것에도 별로 신경을 쓰지 않았다. 「내 마음대로 하게 내버려둬다오, 엄만 다만 자유롭고 싶단다.」 이렇게 큰소리쳤다.

그리고 드디어 사방에서 들리느니 내 나라 말만 들리는 고장으로 돌아왔다. 내 나라 말은 바로 내가 놀던 익숙한 물이었다. 공항의 아우성, 엄마, 할머니 하는 아이들의 외침, 그런 소리들이 어우러진 우리 말만의 독특한 가락에 나는 깊은 안도감을 느꼈다. 땅에 입맞추는 대신 나는 그 가락을 깊이깊이 심호흡했다.

그리고 몇 달 후 나는 조금씩 다시 글쓰기를 시작할 수가 있었다. 새로운 소설도 썼고, 중단했던 장편 연재도 다시 시작해 마무리를 지었다. 이국에서 경험한 우리 말에 대한 그리움은 곧 글을 쓰고 싶은 욕구의 다른 표현이었을 뿐임도 이제는 알게 되었다. 다시 글을 쓰게 됐다는 것은 내가 내 아들이 없는 세상이지만 다시 사랑하게 되었다는 증거와 다르지 않다는 것도 안다. 내 아들이 없는 세상도 사랑할 수가 있다니, 부끄럽지만 구태여 숨기지는 않겠다. 그후 지금까지의 내 홀로서기는 대체로 성공적이었다고 생각한다. 지켜보던 딸들도 엄마가 마침내 해냈다고 일단은 마음을 놓았으리라.

역설적인 얘기가 될지도 모르지만 나의 홀로서기는 내가 혼자가 아니었기 때문에 가능했다고 생각한다. 가까이서 멀리서 나를 염려해준 여러 고마운 분들을 비롯해서 착한 딸과 사위들, 사랑스러운 손자들 덕분이다. 나만이 알고 느끼는 크나큰 도움이 또 있다. 먼저 간 남편과 아들과 서로 깊이 사랑하고 믿었던 그 좋은 추억의 도움이 없었다면 내가 설사 홀로섰다고 해도 그건 허세에 불과했을 것이다. 나는 요즈음 들어 어렴풋하고도 분명하게, 눈에 보이지 않는 사람의 이런 도움이야말로 신의 자비하신 숨결이라는 것도 느끼게 되었다.

「주여, 저에게 다시 이 세상을 사랑할 수 있는 능력을 주셔서 감사합니다. 그러나 주여 너무 집착하게는 마옵소서.」

서울 사람들

1
올챙이 적 생각을 왜 해

　버스노선이 연장돼서 1년 전 종점이 구(舊)종점으로 불리는 곳 외엔 달라진 건 아무것도 없었다. 기사식당, 연탄가게, 세탁소, 약국, 잡화상, 문방구, 화장품 대리점, 복덕방이 1년 전 순서 그대로 자리잡은 골목 어귀에서 오히려 혜진은 낯가림을 하면서 같은 버스에서 내려 앞서거니뒤서거니 같은 길로 들어서던 아주머니에게 물었다.

　「아까 그 정류장이 구(舊)종점 맞죠?」

　아주머니는 고개만 끄덕이고 앞서갔다. 반 평이나 될까. 남의 집 추녀 끝을 물려내서 유리문을 달고 복덕방이라고 써붙인 속에서 노인네가 서너 명 장기를 두고 있는 것도 1년 전과 다르지 않았다. 어찌 1년 전뿐일까. 혜진이가 그 동네에서 12년 동안을 줄창 봐온 광경이었다. 아직도 겨울 점퍼를 입고 웅숭그리고 앉아 훈수를 하고 있는 김노인은 특히 혜진이하고 인연이 깊었다. 뒷방 세를 줄

때마다 공교롭게도 그 노인이 중개를 했고, 그때마다 김노인은 구
전을 1부를 쳐달라고 했고, 혜진은 5리 이상은 한푼도 더 못 주겠
다고 맞섰다. 물론 혜진은 5리 이상 한푼도 더 주지 않았고, 김노인
은 다시는 이 집에 세를 놔주나 보라고 침까지 퉤퉤 뱉고 돌아섰지
만, 혜진이네 뒷방이 비기가 무섭게 손님을 데려오는 건 항상 김노
인이었다.

혜진은 김노인과 눈이 마주칠까 봐 얼른 외면을 하고 그 앞을 지
나치면서 속으로 중얼댔다.

지금 때가 어느 때라고 아직도 복덕방일까. 귓결에라도 그 흔해
빠진 ××개발, ○○부동산 소리도 못 들었나, 원. 그러니까 맨날
저 모양 저 꼴들이지.

구질구질한 상가를 지나 주택가로 꼬부라지는 모퉁이집에 처녀
점집 간판이 붙어 있는 것도 예전과 다르지 않았다. 혜진은 12년
동안이나 살다가 바로 1년 전에 떠난 동네가, 떠날 때와 조금도 다
르지 않은 게 도리어 낯선 까닭을 이해할 수가 없었다. 이 더럽고
퇴락한 동네가 내가 살던 동네란 말인가? 그녀는 이 동네를 떠나고
나서 1년 동안에 이미 변화의 속도에 편안히 길들여져 있었기 때문
에 홀로 안 변하고 정지돼 있는 것이 급변(急變) 이상으로 낯설었
다.

처녀 점집에서 오르막길로 꼬부라지면서 골목은 좁아지고, 노면
은 울퉁불퉁 고르지 못해졌다. 지난 겨울, 수도 동파사고가 잦았다
더니 길을 몇 번이나 파헤쳤길래 보도블록이 들쭉날쭉 엉망으로 곤
두서 있기도 하고 숫제 시커먼 흙바닥이 드러난 데도 있었다.

연탄 리어카의 한쪽 바퀴가 웅덩이처럼 파인 데 빠져 끙끙대고
있었다. 혜진은 뒤를 밀어줄까 하다가 얼른 비켜서서 베이지색 투
피스 자락이 더럽혀질까 조심하면서 리어카 옆을 빠져나갔다. 연탄

리어카를 밀어주다니…… 그녀는 자신이 하마터면 할 뻔한 짓을 이해할 수가 없어 고개를 갸우뚱했다. 연탄 리어카를 안 밀고도 예쁘고 섬세한 살롱 구두는 고르지 못한 노면 때문에 심한 상처를 입고 망가지기 직전이었다.

한 떼의 국민학교 학생들이 재잘대면서 리어카를 밀기 시작했다. 리어카는 또다시 그녀의 투피스 자락을 스치고 앞질러갔다. 요새도 저런 아이들이 있나? 그녀는 묘한 감동을 맛보면서 그 시커먼 연탄 리어카가 한참 멀어질 때까지 우두커니 서서 지켜보았다. 그러나 그건 이 동네의 예사로운 풍습일 뿐 미담도 선행도 아니었다. 혜진이가 살 때도 그랬다. 평지가 아닌 비탈동네라 연탄을 배달시킬 때마다 리어카꾼 눈치가 보이는 동네 사람들은 연탄 리어카만 보면 고운 옷 돌볼 것 없이 밀어주기로 묵계 같은 게 돼 있었다. 다만 혜진이 그걸 잊어버리고 있다뿐이었다.

좁은 오르막길을 꼬불꼬불 휘돌면서 혜진은 집집마다 대문 앞에 아가리를 벌리고 있는 쓰레기통에 진저리를 쳤다. 쓰레기통마다 연탄재가 넘치다 못해 양쪽 집에서 넘친 연탄재가 길을 막고 있는 골목도 있었다. 싱그럽고 훈훈해야 할 봄바람 속에도 회색빛 연탄 먼지가 난분분했고, 굴뚝마다 내뿜는 독한 가스로 목구멍이 아리도록 매캐했다. 길에서 말다툼을 하던 아이들이 뭐가 틀렸는지 서로 상스런 욕을 퍼붓다가 별안간 연탄재를 던지기 시작했다. 아이들이 연탄재 던지기놀이에 금방 도취해서 욕 대신 희희낙락 킬킬대기 시작했다. 연탄재는 아이들 머리통에도 맞고 가슴팍에도 맞고 남의 집 유리창에도 맞았다. 혜진은 연탄재 던지기를 마치 눈싸움처럼 즐기는 아이들이 끔찍해서 오던 길을 되돌아 다른 골목으로 접어들었다. 골목이 소삽한 동네가 흔히 그렇듯이 어디로 가나 결국은 통하게 돼 있었다.

혜진은 얽히고설킨 골목들이 아직도 제 손바닥 위의 손금처럼 빤하건만도 역시 이 동네가 낯선 까닭을 조금은 알 것 같았다. 연탄 때문이었다. 도처에 널린 시커멓고 싱싱한 연탄과 다 타서 희뿌옇고 삭막한 쓰레기로 변한 연탄재 때문이었다. 결혼하고부터 시작된 연탄과의 씨름은 장장 12년 동안을 하루도 거르지 않고 계속됐고, 한겨울엔 하루에 20여 장의 연탄을 갈지 않으면 안되었다. 그녀는 12년을 같이 산 남편의 성미보다 연탄의 비위를 맞추기에 더 급급했었다. 비위 맞추기가 불가능한 고약한 저질탄은 또 얼마나 많았던지, 연탄이라면 몸서리가 나게 지겨웠다. 너무 지겨웠기 때문에 면하자마자 곧 잊어버렸는지도 모른다.

아직도 연탄을 때며 사는 사람들이 서울 장안에 남아 있다니. 혜진은 그 연탄을 때는 동네를 그녀가 살던 동네로서가 아니라 다만 딱하도록 후진 동네로서 바라보면서 경멸 섞인 연민을 느꼈다. 혜진의 아파트는 동부서울의 대단위 아파트단지 한가운데에 있었다. 신경 써야 할 이웃은 아래위층밖에 없었고, 앞으로도 뒤로도 바라보이는 건 그녀의 집과 똑같은 규모로 규격화된 이웃들뿐이었다.

그녀는 연탄을 안 갈고도 지난 겨울의 그 혹독한 추위를 전혀 모르고 지낼 수가 있었고, 기후에 대한 무관심은 자연스럽게 타인에 대한 무관심으로 이어졌다. 관심을 가질 필요가 없을 만큼 서로 사는 사정이 빤했고, 야들야들하리만치 편리에 잘 길들여진 얼굴은 내 얼굴이자 이웃들의 얼굴이었고, 적어도 서울 사람들이라면 다 그만큼은 살고 있으려니 했다.

못난 사람들 같으니라고. 그녀는 아직도 그 독한 살인가스를 구들장 밑에 깔고 쿨쿨 단잠을 잘 수 있는 그 동네 사람들이 경멸스럽다 못해 인종(人種)이 다른 족속들인 양 심한 위화감을 느꼈다. 자기가 살던 동네에 대한 예기치 않은 그녀의 낯가림도 실은 그런 위화감의 표현일 뿐이었다.

악취가 코를 찌르면서 「비켜요 비켜」하는 거친 외침이 그녀를 담벼락으로 밀어붙였다. 일부러 그러는 것처럼 아슬아슬하게 똥통이 그녀의 옷자락을 스치고 지나갔다. 암만해도 재수 나쁜 날이었다. 혜진은 하마터면 그 동네를 찾아온 중대한 용건을 잊고 되돌아갈 뻔하다 말았다.

오물을 치고 있는 집은 하필이면 혜진이가 방문하려는 명희네 집이었다. 명희네 집과 나란히 붙은 60년대 식 허름한 개량주택이 혜진이가 시부모 모시고 시동생 거느리고 12년을 살던 집이었다.

명희는 고쟁이 같기도 하고 〈몸뻬〉 같기도 한 통 넓은 바지를 입고 대문간에 딱 버티고 섰는데, 손바닥엔 성냥개비 분지른 걸 소중하게 받쳐들고 있었다.

미리 전화를 걸고 온 방문이었지만 혜진을 맞는 명희의 태도는 지나치게 소탈했다.

「응, 왔구나. 먼저 들어가 있을래?」

「하필 손님 오는 시간에 똥을 칠 건 또 뭐니?」

「손님? 네가 손님이라고? 웃기고 있네. 서로 영감 코고는 소리까지 빤히 듣고 살던 게 엊그저껜데 손님은 무슨 손님이냐. 냄새 맡기 싫으면 어여 들어가. 참 커피물이나 좀 연탄불 위에 놔줄래?」

명희는 혜진이 까마득히 잊고 있는, 서로 아래윗집에 이웃해 살던 1년 전 일을 바로 엊그저께로 끌어당기면서 이렇게 스스럼없이 굴었다. 하긴 명희하고 혜진이처럼 인연이 끈질긴 친구도 없었다. 고등학교와 대학교 동창이었고, 명희가 먼저 시집가서 남편 친구를 우연히 혜진이한테 소개한 게 당장 눈이 맞아 불과 석 달 만에 결혼을 했고, 시집에 들어와 살았기 때문에 내 집 걱정은 없는 혜진이가 결혼 5년 만에 처음으로 집 장만하려는 명희에게 팔려고 내놓은 바로 옆집을 흥정붙여, 그후 줄창 이웃으로 지냈다. 담 너머로 홀홀 기름냄새가 넘어온다 싶으면 곧이어 부침질 접시가 넘어왔고, 종알종알 바가지 긁는 소리가 들리면 남편이 먼저 참지 못하고 맥주병을 들고 가 화해를 붙인답시고 주거니받거니 밤새도록 마셔서 새로운 부부싸움을 유발하기도 했다.

혜진이가 작년 이사철에 시험삼아 내놓은 집이 당장 팔려 허둥지둥 변두리의 미분양된 아파트로 이사를 가게 됐을 때, 명희는 며칠밤씩 잠이 안 왔고, 그 전날 밤은 날갯죽지를 하나 잃은 것처럼 허전해서 눈물로 베개를 적시기까지 했다. 그러나 다달이 동창 곗날 만날 때마다 눈에 띄게 씀씀이와 옷차림이 달라지는 혜진을 보면서 우정은 어느 틈에 시샘하고 탐색하는 마음으로 변해갔다.

남편들의 월급은 서로 빤했다. 형편이 엇비슷한 회사의 총무부 과장자리에 벌써 5년째 붙박이로 붙어 있는 것도 양쪽 남편이 똑같았다. 군돈이 생기는 자리도 아니었고 설사 그럴 만한 자리에 있대도 그럴 위인들이 못되는 것까지 양쪽 집 남편은 서로 닮아 있었다. 다만 혜진이네가 식구가 좀 많아 더 쪼들리다가 이젠 명희네와 똑같은 다섯 식구였다. 아이들이 커질수록 씀씀이도 늘어나 50만원 안팎의 월급으로 살림 꾸리기가 얼마나 힘들다는 걸 명희는 너무 잘 알고 있기 때문에 혜진이의 별안간 헤퍼진 씀씀이는 안달이 나게 궁금한 불가사의였다. 명희는 혜진이가 아파트로 이사를 갈 때만 해도 그 빤한 월급에서 다달이 관리비 떼어내고 나면 속이 아려서라도 얼마 못살걸 하는 마음으로 질투심을 달랬었다. 그러나 두고 볼수록 예상과는 정반대인 걸 보고 조바심이 안 날 수가 없었다.

그 오랜 수수께끼가 마침내 어제 풀려서 명희는 속이 다 후련했고 기분이 매우 좋았다. 어제 명희는 혜진이로부터 돈 있으면 2백만 원만 꿔달라는 전화를 받은 것이다. 그러면 그렇지, 아파트단지의 소비성향을 분수없이 따라가느라고 이젠 빚까지 지게 됐다 이거지. 명희는 그동안 안달이 나게 궁금하던 것의 정체가 겨우 빚이었다는 게 신바람이 나게 고소했다.

저러다 아파트 들어먹을 날도 멀지 않았다 싶으면서도, 계 타서 단자회사에 넣어둔 돈을 선뜻 해약해서 꿔줄 마음이 생겼다. 우정이라기보다는 이자돈이 탐나서였고, 이자돈보다도 더 탐나는 건 돈을 꾸어주면서 맛볼 우월감이었다. 이사가고 나서 달라진 혜진이로 하여 느낀 열등감이 얼마나 고약했던지 명희가 기대하는 우월감엔 복수심마저 포함돼 있었다.

혜진은 부엌을 한번 기웃거리고 나서 마루 끝에 을씨년스럽게 걸터앉았다. 조금도 변하지 않은 명희네 살림살이가 혜진이 보기엔 영락(零落)한 것처럼 안돼보여서 그러고 있는 거였다. 그러나 명희는 돈 꾸러 온 친구가 마땅히 그만큼은 주눅이 들었으려니 싶어 더욱 의기양양했다.

「아니, 이걸 한 지게라고 퍼가지고 나오는 거예요? 통이 반도 안 찼잖아요. 이 아저씨가 정말 사람을 어떻게 보고 이러실까. 안돼요, 안돼. 어서 마저 채워요.」

명희는 변소 뒷문이 난 뒤란에서 좁은 골목을 돌아나오는 인부를 가로막더니 거의 똥통에 코를 박듯이 들여다보면서 이렇게 호통을 쳤다. 인부도 지지 않고 거친 소리를 했다.

「아주머니, 이만한 집을 지니고 살면 좀 체통을 차리시우. 이게 참기름인 줄 아나, 채우긴 예서 더 어떻게 채워요. 찰찰 넘게 채웠다가 길에 찔끔찔끔 엎지르면 아주머니가 쳐줄 거요, 어쩔 거요. 비켜요, 비켜.」

「아니, 아저씨가 엎지른 걸 내가 왜 쳐요. 가다가 엎지르는 건 아저씨 자유고 내 집에선 한 지게 값을 제대로 쳐 받으려면 한 지게를 제대로 채우란 말예요. 안 그러면 반 지게 값밖에 못 받을 줄 알아요.」

그러면서 똥지게 막대기를 휘어잡으니까 인부도 못 이기는 척 비실비실 뒷걸음질쳐 뒤란으로 돌아갔다.

「대강 해두렴. 나 보기엔 네가 너무한다 싶다. 그 사람이 그래도 착하니까 그만했지 못되게 나오면 어쩌려고 그래.」

「쟤 좀 봐. 아파트로 이사가더니 아주 귀부인 같은 소리만 하네. 이 동네에서 똥 칠 때마다 제일 큰소리 나던 집이 뉘집인데 그래. 너는 반 통이라거니 일꾼은 거진 다 채웠다거니 싸우다가 네가 막대기를 가지고 오물의 깊이를 잰다고 휘젓다가 일꾼한테 망신당하고 동네에서 구경꾼이 모여들던 생각 안 나?」

명희는 뭐가 그렇게 고소한지 입가에 사뭇 회심의 미소를 띠고 야죽댔다. 혜진은 그런 사실이 자신에게 있었나 없었나를 생각해내기보다는 〈에이, 똥이 무서워서 피하나 더러워서 피하지〉 하는 생각으로 못 들은 척 딴청을 부렸다.

「너 아까부터 손바닥에 받쳐든 건 뭐냐? 성냥개비에서 뭐 나온대? 귀중품처럼 떠받치고 있게.」

「쟤 좀 봐. 너 이걸 정말 몰라서 묻니?」

「그럼 그걸 내가 어떻게 알아?」

「너 정말 내 속 이렇게 뒤집을래?」

「거기 서 있으니까 변소 냄새에 속이 뒤집히지, 내가 왜 네 속을 뒤집는다고 그래.」

혜진은 영문을 모르는 채 될 수 있는 대로 점잖게 타일렀다. 확실하게 드러난 신분의 격차 같은 게 혜진의 우월감을 자신있게 했고, 자신있는 우월감은 힘 안 들이고 혜진을 우아하게 만들었다.

「이것아. 이것도 너한테 배운 버릇이야. 똥 칠 때마다 행여 일꾼한테 똥지게 수효를 속을까 봐 너는 꼬박 지키고 섰으면서도 손바닥에다 이렇게 산을 놓곤 했었잖아. 흉보며 배운다고 지독하다 싶으면서도 편리하기에 나도 써먹는 거야.」

명희는 혜진의 시침 딱 뗀 우아함이 아니꼽다 못해 기분이 나빠 거의 애걸하듯이 설명을 했다. 그러나 혜진의 우아함은 미동도 안 했다. 그렇게 지독하게 한푼에 치를 떨고 산 적이 있고 없고를 따져서 뭘 어쩌겠다는 걸까. 혜진은 그때 생각이 안 나니 없었던 일이나 마찬가지였다.

일꾼이 이번엔 오물을 넘치게 퍼가지고 뒤란에서 돌아나왔다. 심통이 난 일꾼은 오물을 함부로 엎지르면서 대문간으로 나갔다. 혜진은 구역질이 치밀었다. 사람의 뱃속에 그런 게 들었다는 건 너무나 모욕적이고 믿을 수 없는 사실이었다. 그녀는 왕년에 똥지게 수효를 속지 않기 위해 손바닥에다 성냥개비로 산을 놓은 사실뿐 아니라 뱃속에 현재 그런 게 들어 있다는 사실까지도 부인하고 싶었다. 그런 게 들어 있을 리가 없었다. 그녀는 자신의 오물도 식구들의 오물도 근래엔 본 적이 없었다. 보지 않았으니까 없는 거나 마찬가지였다. 그 더러운 건, 그 더러운 걸 눈뜨고 보고 그걸로 흥정까지 하는 사람들의 뱃속에나 있어 마땅했다.

혜진은 코를 싸잡고 가까스로 구역질을 참고 방으로 먼저 들어갔다. 채광이 잘 안되는 안방은 어둑시근하고 연탄내가 매캐했다. 혜진은 콜록콜록 헛기침을 하면서 방안을 휘둘러보았다. 이윽고 명희가 부엌으로 난 쪽문으로 끓는 물주전자를 먼저 들여놓고 나서 쟁반에다 커피니 프림이니 과일이니를 챙겨 가지고 들어왔다.

「네가 돈을 다 꾸게, 뭔 일이 생겼어?」

명희는 사뭇 의논성스럽게 물었다. 돈을 꾸러 온 주제에 조금도 주눅이 들지 않고 시종 우아하기만 한 혜진이가 신경에 거슬렸지만 뭔가를 알아내기 위해선 서둘러선 안된다고 생각했다.

「뭔 일이 있긴.」

혜진은 혜진대로 명희가 손이나 씻고 커피를 타고 과일을 깎는 것일까가 신경에 거슬려 건성으로 대답했다.

「2백만 원이면 큰 돈이야. 나한테는 말야.」

명희는 이렇게 말해놓고 나서 「나한테는 말야」소리는 뺄 걸 그랬다고 생각했다. 꾸어주는 사람보다 꾸어가는 사람에게 보다 큰 돈이어야 한다는 생각이 뒤늦게 그녀의 자존심을 상하게 했다.

「알아, 동창계에서 두 머리 탄 거지? 월급쟁이가 2백만 원짜리 계 두 머리 붓기가 얼마나 어렵다는 걸 내가 왜 몰라.」

말은 그렇게 하면서도 혜진은 너무 여유가 있어보였다. 명희는 기어이 하고 싶은 말을 하고야 말았다.

「애, 나 기분 나쁘다. 넌 돈 꾸는 주제에 왜 그렇게 여유가 있냐? 꼭 월급쟁이 면하고 경기 좋은 사업이라도 하는 것 같다.」

「경기 좋은 사업?」

혜진은 이렇게 반문해놓고 혼자서 쿡쿡 웃기 시작했다.

「왜 그래? 뭐라고 말 좀 해봐. 뭐 좋은 일 있으면 나한테도 좀 가르쳐주면 안되니?」

명희는 돈을 꿔주면서 우월감을 누려보겠다는 당초의 의도와는 딴판으로 자기도 모르게 비굴하게 빌붙고 있었다.

「이 집 얼마나 나가니?」

「맨날 그 타령이지. 이 동네 집값 안 오르는 건 너도 알잖아.」

「우리 아파트는 6천에 팔라고 자꾸만 졸라서 귀찮아 죽겠어.」

「뭐, 6천? 너 그거 작년 이맘때 3천 주고 산 거 아냐? 지지리도 안 팔리는 아파트라 분양가만 주고 충수도 마음대로 골라서 산다더니 그게 그렇게 올랐어? 말도 안돼. 그건 정말 말도 안돼.」

명희는 세차게 도리머리를 흔들며 간신히 비명 같은 소리를 냈다. 가슴이 무두질을 하듯이 아파왔다.

「글쎄 말야. 나도 말이 안된다고 생각하는데 그 시세도 싼 모양이야. 자꾸만 팔라는 걸 보면……」

「그럼 1년 사이에 가만히 앉아서 3천을 벌었단 말이지?」

「3천이 뭐 많니? 큰 거 가진 사람들은 1년에 1억도 버는데.」

「1억은 그만두고 3천만 해도 한 달에 얼마씩이냐? 2백50 아냐. 손끝 하나 까딱 안하고 2백50씩을 벌었단 말이지, 네가?」

「꼭 그렇지도 않아. 우리 동네가 별안간 바람을 탈 때만 해도 한 달에 5백씩 오르더라. 요샌 뜸해서 한 백씩 오르나 봐. 이거 이자 2부씩 쳐주면 되지?」

혜진은 얼이 빠진 명희가 내놓은 1백만 원짜리 수표 두 장을 손끝으로 가볍게 퉁겨 보이고 나서 핸드백에 집어넣으면서 말했다. 명희는 감히 그 돈의 용도를 묻지 못했다. 언제 갚을 거냐는 둥 이자는 2부 5리는 받아야겠지만 2부로 해주는 대신 날짜는 꼬박꼬박 지켜야 한다는 둥 마지막 다짐을 하고 싶었지만 꾹 참았다. 쩨쩨하게 보일 것 같아서였다. 한 달에 가만히 앉아서 2, 3백만 원을 거뜬히 버는 친구에게 2년 동안 덜 먹고 덜 입고 오물통을 5부로 채웠나 7부로 채웠나까지 일일이 감시를 해가며 겨우 2백만 원을 모은 자기가 얼마나 쩨쩨해보일 것인가 생각만 해도 주눅이 들었다. 명희는 괜히 억울하고 서운한 걸 참고 2백만 원을 2, 3천 원처럼 가볍게 내주는 걸로 최소한의 체면을 유지했다고 생각했다.

혜진은 순전히 생활비의 적자를 메우기 위해 돈을 2백만 원씩이나 꾸고도 조금도 걱정이 되지 않았다. 빚도 겁나지 않았고, 생활비에 못 미치는 남편의 월급도 짜증스럽지 않았다. 가만히 앉았어도 한 달에 2, 3백만 원씩 재산이 불어난다는 건 전혀 새롭고도 놀라운 경험이었다. 매일매일 금달걀을 낳는다는 옛날이야기 속의 닭은 다름아닌 현대의 아파트였다. 혜진은 늘어난 수입에 알맞게, 그리고 이웃과도 보조를 맞춰가며 소비를 늘려갔다. 생활에 아둥바둥하지 않으니까 저절로 언행에 우아한 품위가 생기고 사는 게 한없이 즐거웠다. 생을 즐긴다는 게 무엇인지 비로소 알 것 같았다.

2백만 원 수표를 챙긴 혜진은 점심 해먹고 가라는 명희의 만류를 가볍게 뿌리치고 친구의 집을 나왔다. 그리고 그 구질구질하고 낯선 동네를 쫓기듯이 벗어났다. 얼른 집에 가서 샤워를 하고 싶었다. 연탄먼지와 오물냄새를 씻어내고 향기로운 로션을 온몸에 바르리라. 그녀의 아파트는 매달 2, 3백만 원의 공돈을 벌게 해줄 뿐아니라 그녀에게 온갖 편리와 안락을 제공해주는 즐거운 나의 집이기도 했다.

새로 생긴 단지인 그녀의 동네는 질서정연하고 정결했다. 단지 내에서 만나는 그만그만한 나이 또래의 젊은 부인들은 또 얼마나 정다운가. 그 여자들이야말로 혜진과 공돈의 비밀을 같이하는 미덥고 알뜰한 동업자들이었다. 만일 아파트의 오름세가 조금이라도 둔화되면 반상회에서 고운 목청을 높여 단결을 다짐함으로써 더욱 높은 수익을 보장할 수도 있었다. 녹지대가 알맞게 배치된 단지 내의 공기는 신선하고 감미로웠다. 혜진은 느긋하게 심호흡을 하며 개업을 내일 모레로 앞둔 쇼핑센터를 쳐다보았다. 거대한 건물이, 안에 구비된 상품선전이 적힌 오색의 현수막에 뒤덮여 펄럭이고 있었다. 런던포그, 위크엔드, 논노, 니나리, 샤롯데, 지방시, 신데렐라, 버킹검, 맨하탄, 벨라, 쁘랭땅, 모아, 그린에이지, 나이키, 프로스펙스, 월드컵…… 현수막이 바람에 펄럭일 때마다 거대한 건물이 유연한 춤을 추고 있는 것처럼 보였다.

2
개처럼 벌어서 정승처럼 써

혜진이 그 소리를 처음 들은 것은 남편의 늦은 귀가를 기다리다 소파에서 잠깐 잠이 들었다 깨었을 때였다. 어디선가 사람들이 떠들고 웃는 소리가 들렸다. 그 소리는 매우 작아 곤충의 날갯짓 같기도 하고, 감이 먼 전화 목소리 같기도 하고, 그녀가 잠든 사이에 잠깐 들어와 잡담을 즐기던 귀신들 목소리의 여운 같기도 하고, 일시적인 환청 같기도 했다.

혜진은 괜히 무서운 생각이 나서 일부러 큰기침을 하고 일어나서 거실을 서성거렸다. 환청이라면 정신만 번쩍 차리면 없어질 테고, 귀신들의 아우성이라 해도 인기척을 들으면 물러날 것이기 때문이었다. 그러나 그 가냘프면서도 확실하고, 확실하면서도 비현실적인 소리는 여전히 이어지고 있었다.

꽤 늦은 시간인 듯 창 밖으로 곧바로 보이는 아파트 진입로를 지나는 차들은 뜸하면서도 조급했다. 어디선지 술주정뱅이들의 고함

소리가 들렸다. 그러나 아직도 혜진의 귀에 들리는 그 소리는 그런 현실적인 소리하곤 판이했다. 바로 지척에서 나는데도 아득한 지난 시간 속에서 들려오는 것처럼 희미하고 육성(肉聲)으로서의 인간미가 걸러진 기분 나쁜 것이었다.

혜진은 용기를 내어 그 목소리가 들리는 곳을 찾아보기 시작했다. 그 소리는 엉뚱스럽게도 벽 속에서 나고 있었다. 그렇다고 벽 너머 옆집의 소리도 아니었다. 그 소리는 벽 속에 갇힌 소리였다. 그 벽엔 인터폰이 달려 있었다. 그후에도 혜진은 인터폰에서 새어나와 벽을 타는 가냘픈 통화소리를 자주 들었다. 그녀는 벽 속에 갇힌 그 소리를 들을 때마다 마치 갇혀 사는 자신의 비명소리를 듣는 것처럼 느끼곤 했다. 벽 속엔 이 거대한 아파트 단지의 동(棟)과 동, 방과 방을 이어주는 인터폰의 선말고도 얼마나 많은 선과 관이 얽혀 있을 것인가. 전화선, 전깃줄, 수도관, 온수관, 하수도관, 난방관, 안테나줄…… 그 많은 선과 관 중 하나만이라도 끊기거나 막혔을 경우를 가정하면 혜진은 지레 겁이 나고 멀미까지 났다.

혜진이 태어난 집은 수수깡으로 외를 엮고 그 위에 진흙으로 벽을 친 한옥이었다. 소녀시절 이사가서 산 곳은 대나무로 외를 엮고 회칠을 한 일본식 가옥이었고, 시집가서 산 곳은 시멘트블록을 쌓고 양회칠한 개량주택이었다. 지금 사는 곳은 철근에다 콘크리트를 입힌 아파트이니 점점 견고한 집으로 옮겨사는 꼴이었다. 그만큼 우리 모두의 생활과 더불어 그녀의 생활이 향상됐다고도 볼 수 있었다.

보다 튼튼한 집이 보다 안전한 집이라면 혜진이 겁을 낼 까닭은 조금도 없었다. 그러나 안전과 함께 보장된 편리가 언제 고장을 일으킬지 몰라 두려웠고, 안전이 보장해주는 고립감 역시 멀미가 나게 싫었다. 일단 싫증이 나자 도저히 걷잡을 수 없었다. 그녀는 집에 있을 땐 우리에 갇힌 짐승처럼 실평수 24평의 공간을 오락가락 지접을 못했고, 오락가락에 지치면 문을 잠그고 별볼일 없는 외출을 일삼았다. 그렇다고 지금 와서 수수깡으로 외를 엮고 진흙 바른 집에서 살고 싶은 건 아니었다. 혜진은 이미 아파트의 편리라는 맛을 알고 있었다. 편리란 일단 한번 맛을 들이면 도저히 끊을 수 없는 중독성이 뛰어난 마약이었다.

반상회가 끝나고 잡담을 하는 자리에서 혜진은 요즈음 그녀가 앓고 있는 그 이상한 증세에 대해 하소연을 하고 싶어졌다.

「영란 엄마, 아마 영란 엄마가 들으면 촌스럽다고 할지 모르지만 난 요즈음 이상한 병을 앓고 있다우. 온종일 집에 있으면 꼭 차를 오래 탄 것처럼 미식미식 멀미가 나기도 하고, 우리에 갇힌 것처럼 답답하기도 해서 괜히라도 한차례 나갔다 와야 해요. 그뿐인 줄 알아요? 벽 속에 숨어서 우리를 편리하게 해주는 수많은 선이나 관 중 하나라도 고장이 나면 우린 어떤 혼란을 겪을까, 생각하면 끔찍해서 잠이 다 안 와요. 남편은 이런 내 노이로제를 동정해주기는커녕, 날더러 한국사람이 아니라 기(杞)나라 사람이래요. 예전 중국의 기나라 사람은 하늘이 무너져내리지 않을까 걱정을 했다나요.」

이런 혜진의 하소연을 듣고, 거기 모인 여자들은 너도나도 비슷한 증세를 앓은 경험을 애기했다.

「철이 엄마, 처음 아파트에 살아보는 거죠? 처음이 제일 그래요. 아파트 멀미가 극도에 달하는 게 아마 처음 살아본 지 1년쯤 될 무렵일걸요. 그것도 맞죠? 감쪽같이 낫는 방법이 딱 하나 있어요. 이사를 가는 거예요. 조금 큰 아파트로요. 당장 이사갈 수 없으면 새로 짓는 아파트 청약만 하러 다녀도 그 증(症)이 감쪽같이 가신다니까요. 아파트에 3년 이상 사는 사람 별로 없는 게 다 그런 까닭이라구요.」

「맞아요, 맞아요.」

거기 모인 사람들이 다 그런 경험을 가지고 있었고, 다 하나씩 주택청약 예금통장을 가지고 있었다.

「이 아파트의 편의시설이 언제 고장날지도 모른단 근심, 그거 절대로 기우(杞憂) 아녜요. 말이야 바른 말이지 얼마나 날림으로 지었다구요. 잘 지은 아파트도 10년을 못 간다는데 이 날림 아파트는 빨리 팔아치우는 게 수예요. 1년 남짓한 사이에 배로 뛰었으면 그만이지 더 바랄 게 뭐가 있겠어요. 아유 참, 이런 말 밖으로 샐라. 이런 말 밖으로 샜다간 우리가 일치단결해서 올려놓은 집값이 뚝 떨어질지도 모르니까 우리 피차 말조심합시다. 참, 여기 혹시 전세 든 분 없나 몰라?」

「걱정 말아요. 전세 든 사람은 반상회에 나오지도 않으니까.」

이렇게 해서 혜진도 주택청약 예금통장을 가지게 됐고, 그걸 가지고 나니까 거짓말처럼 감쪽같이 멀미와 답답증이 가시고, 다시 사는 게 즐거워졌다. 날림 공사한 벽 속에 들어 있는 선과 관에 대한 공포도, 그것들이 막히거나 망가지기 전에 우린 떠날 거니까라고 생각하면 두렵기는커녕 오히려 재미가 났다. 더욱 재미가 깨로 쏟아지는 건 1년 만에 분양가의 배가 된 집을 팔아 새로 지은 걸 분양가로 살 경우 40평도 넘는 걸 살 수도 있다는 거였다. 재산을 증식시키기란 얼마나 쉽고도 재미난 일인가? 억대의 부자가 꿈이 아니라 바로 손만 뻗으면 잡히는 현실이었다.

그러나 혜진의 통장이 9개월이 지나자마자 변경된 주택청약 방법은 채권입찰이라는 아리송한 관문이 신설돼 혜진을 약간 골치 아프게 했다. 그러나 0순위를 부지하세월 기다릴 때와는 달리 눈치와 재수만 통하면 단박에 당첨이 될 수도 있었다. 해가 바뀌고부터 유명한 아파트 분양공고가 잇달았다. 혜진은 노이로제 현상이 싹 가셨을 뿐 아니라, 보람 있는 전문직에라도 종사하게 된 것처럼 생기와 의욕이 충만했고, 하루하루가 살맛이 났다.

혜진은 번번이 당첨이 될 뻔하다 말았다. 아슬아슬하게 떨어졌기 때문에 다음번엔 큰마음먹고 채권가를 크게 올려서 써넣건만 역시 아슬아슬하게 떨어지긴 마찬가지였다. 분양이 거듭될수록 채권가가 하늘 높은 줄 모르고 치솟기 때문이었다. 커트라인에 걸릴듯말듯 떨어진다는 건 안타깝고도 스릴이 풍부한 경험이었다. 만약 커트라인에 간당간당 매달려 당첨이 된다면 그건 또 얼마나 스릴 넘치는 쾌감이 될 것인가. 혜진은 비로소 생의 뚜렷한 목표를 설정하고 오로지 그 일에만 전념했다.

그러는 사이에 젊고 유능하고 기동성이 뛰어난 부동산회사의 직원 ─ 우리의 옛말로는 복덕방 ─ 과도 흉허물없이 농지거리를 주고받을 수 있는 사이가 되었다. 그들의 자가용으로 아파트가 들어설 예정지나 모델하우스를 보러 다니기도 하고 이마를 맞대고 채권 입찰가를 상의하기도 했다. 젊고 잘생긴 사원을 자그만치 20, 30명씩 거느린 대복덕방도 있었다. 떨어지고 나면 혜진은 홧김에 그들과 어울려 맥주를 딱 한잔만 마시고 나서 은근슬쩍 술기운을 빌려 그들을 얕잡고 비난하기도 했다.

「아니, 젊은 사람들이 뭘 못해 이짓들을 해요? 유흥가에 기식하는 남녀를 독버섯이라고 하나 본데 당신네들이야말로 백해무익한 독버섯이에요. 직업에 귀천이 없다는 건 아무리 보잘것없는 직업도 남에게 도움을 주기 때문인데 당신네들은 순전히 사회악에 이바지해서 먹고 사니, 당신네들에 비하면 공사장 인부나 청소부, 식당 종업원, 웨이터들이 얼마나 떳떳하고 좋아보이는지 몰라요. 큰일이에요, 큰일. 당신네 같은 사람들이 설자리를 잃어야 우리가 정말 잘살게 됐다고 할 수 있는 건데……」

이렇게 듣기 거북한 소리도 할 수 있다는 것은 그들과 그동안 그만큼 친해졌기 때문이었다. 그들도 가만히 듣고만 있을 사람들이 아니었다.

「사모님. 우린 정말 억울해요. 사회 여론은 마치 우리 복덕방 업자들이 아파트값을 올리는 줄 아는데, 그게 아닌 건 사모님도 아시잖아요? 우리가 조작하면 왜 사모님 당첨을 못 시켜드리겠수. 사모님은 우리가 쓰라는 것보다 매번 더 쓰는데도 꼭 떨어지잖아요. 우리가 예상하는 것보다 훨씬 더 쓰는 게 사모님들이라구. 우리도 발표 때마다 사모님들 통 큰 데 정말 놀란다니까. 사모님들 다 미쳤어요. 미치지 않곤 그럴 수가 없어요. 그러고도 욕은 우리가 다 얻어먹는데, 우리 고마운 줄 모르면 사모님 정말 섭해. 우리가 하는 일이 어디 그뿐인 줄 알아요. 우리가 국가와 민족을 위해 얼마나 지대한 공헌을 하고 있는지 들어볼래요? 국가는 단시일내에 채권수입을 1천억 원 이상이나 올렸는데 그게 다 뉘 덕이겠어요? 또 민족을 위해선, 우리 단골들 돈 벌게 해주니 좋은 일이고. 사모님도 당첨만 한번 돼 봐. 우리하고 손잡기 싫어도 잡게 될 테니. 이 세상에서 돈 싫다는 사람 봤어요? 가장 좋은 걸 가질 수 있게 해주는 직업이 뭐가 나빠요? 예로부터 개같이 벌어서 정승같이 살라고 했어요. 그 말은 돈 벌려고 하는 것은 어떤 짓이든 나쁜 일이 될 수 없다는 얘기도 돼요. 안 그래요, 사모님.」

그들 역시 마시지도 않은 술에 취한 척 이렇게 하고 싶은 얘기를 마음껏 지껄였다.

이렇게 복덕방 젊은이들과 친해지고 발이 넓어지자 때때로 엉뚱한 전화가 걸려오기도 했다. 수원·판교·대전·청원·안성·반월 등 혜진이 감히 꿈도 못 꿔본, 앞으로 유망한 땅에 대한 투기를 부추기는 전화가 심심찮게 걸려오는 걸 보면 그 바닥에선 혜진이 돈푼깨나 있는 사모님으로 알려진 모양이었다. 그러나 실상 혜진이 가진 거라곤 달랑 주택청약 예금통장이 전부였다. 그러나 이 세상에 돈 싫은 사람 없다는 건 진리여서 돈 벌 수 있다는 정보도 들으면 들을수록 구수해서 딱 잘라 돈 없단 소리를 안하고 솔깃하게 귀기울이는 버릇이 어느 틈에 생겼다. 땅투기는 아파트투기에 비해 그 규모가 매우 크면서도 세금 등에 있어선 아파트보다 많이 어수룩하다고 했다.

「사모님, 아파트 그까짓 거 몇 푼 남는다고 아파트에 대한 미련을 못 버리고 좋은 기회 다 놓치고 말았잖아. 아파트 채권 살 돈만 한 달 전에 내가 말한 땅에 투자했어 봐. 가만히 앉아서 고부라졌어도 두 번은 고부라졌을걸.」

이렇게 약을 올렸다. 듣느니 이런 소리만 듣는 사이에 혜진은 통이 커지고 돈에 대한 혼란이 왔다. 몇천만 원은 돈 같지도 않았다. 그래서 몇천만 원 소리를 할 때는 〈그까짓〉 소리를 붙이는 이상한 버릇까지 생겼다.

이 무렵 기다리고 기다리던 강남의 K동 U아파트 분양공고가 났다. K동의 U아파트는 입지적 조건도, 건설업체도 최고급으로 치는데여서 투기를 일삼는 사람들이나 복덕방뿐 아니라 실수요자도 학수고대하던 거였다. 혜진은 그동안 여러 군데 넣어봐서 경험을 쌓은 편이지만, 고지식한 실수요자 중엔 K동의 U아파트 아니면 해볼 필요도 없다는 일편단심파도 상당수여서 그 열기가 대단했다. 신청날짜가 되자 복덕방 전화는 불이 나는데도, 직원들은 현장으로 뛰느라 사무실은 텅 비어 있었다. 분양신청을 받는 각 주택은행 창구는 마감시간이 임박하자 신청자가 쇄도해서 극심한 혼란을 빚었다.

마감시간에 사람이 몰리는 거나 각종 정보가 난무하는 거나, 눈치작전이 치열한 거나 영락없이 일류대학 원서접수 창구였다. 어떻게 하면 남의 채권입찰액수를 훔쳐볼 수 있을까, 사람마다 시선이 날렵하고 교활하게 번득이고, 손끝이나 뒤통수에 눈이 하나 더 달리지 않은 게 한이었다. 그도 그럴 것이 분양하는 동수는 얼마 안되는데 평수와 층수에 따라 다시 세분되어, 그중에서 자기가 할 수 있는 세대수는 많아야 1백호 미만이었다. 서울에 있는 주택은행 지점이 70여 개라니 한 지점에서 같은 평수의 당첨자가 하나도 나올까말까 하다는 계산이 나온다. 그렇다면 모두가 적(敵)이었다. 은행 마감시간까지 문 안에 발을 디딘 사람에겐 다 신청권을 주기로 하고 은행은 앞뒷문을 굳게 닫았다. 사람과 돈의 열기로 은행 안은 지글지글 달아올랐다.

「당신 뭐야? 뭔데 남의 걸 엿봐.」

이러면서 멱살을 잡는 남자가 있는가 하면 이 중에서 복덕방쟁이는 제발 나가줬으면 좋겠다고 애절하게 하소연하는 여자도 있었다.

「난 아들딸 7남매가 다 서울대학만 나왔다우. 중·고등학교는 물론 다 경기구. 중학교부터 입시가 있을 때였으니까 도합 스물한 번의 입시를 치렀는데도 한번도 낙방이라는 걸 안 당해봤는데 이 아파트 신청만은 벌써 일곱번째 떨어지고 이게 여덟번째니, 아파트 붙기가 서울대학 붙기보다 더 어렵다니 그게 말이나 되우?」

어떤 노부인이 이렇게 혜진에게 말을 시켰다. 혜진은 대꾸할 말이 없어서 웃기만 하는데 대신 어떤 청년이 나서서 대답을 해줬다.

「할머니, 그게 왜 말이 안됩니까. 서울대학에 제아무리 들어가기가 어렵다 해도 경쟁이 10대 1을 넘긴 적은 아마 없을걸요. 그렇지만 두고 보세요. 이 U아파트는 100대 1도 넘을 겁니다. 10대 1보다는 100대 1이 더 좁은 문인 거야 말하면 잔소리죠.」

들입다 싸우는 부부도 있었다. 아내가 2천만 원이 넘는 채권입찰액을 써넣으려 하자 남편이 기겁을 해서 그만 큰소리를 지른 게 싸움의 시작이었다.

「당신 미쳤어? 우리가 그런 돈이 어디 있다고……」

「여보, 남부끄러워요. 다들 듣겠어요. 그까짓 2천만 원 갖고 뭘 그래요.」

「아니 그까짓 2천만 원이라니. 채권을 5백만 원 어치만 사도 돈이 될까말까라고 했었잖아.」

「당신도 참, 창피하지도 않아요? 여기가 어디라고 5백만 원 소리를 또 해요? 5백만 원 써넣으면 안되는 게 뻔한 걸 보면 몰라요?」

「그럼 안하고 가면 될 거 아냐. 지금 사는 우리집이 어때서……」

「당신은 그래서 발전성이 없다구요.」

「뭐 발전성? 내가 우리 식구 밥을 굶겼소, 아이들 공부를 못 시켰소?」

「아유 몰라요. 당신 목소리 좀 낮춰요. 난 누가 뭐래도 K동의 U아파트 한번 살아볼 테니까.」

「K동 U아파트에 살면 매일 아침 어디서 금달걀이 떨어진답디까?」

「암 떨어지고말굽쇼.」

옆에서 누군가 이렇게 말참견을 하자 일제히 웃음소리가 터졌다. 혜진도 덩달아 웃으면서 5백만 원에서 2천만 원이면 그까짓 1천5백만 원 상관인데 창피한 줄도 모르고 언성을 높이는 그 부부가 참으로 하찮아보였다. 그들이 하찮아보이는 것 못지않게 몇천만 원도 하찮아보이는 마음으로 그녀는 마침내 거의 분양가와 맞먹는 채권액을 써넣을 수가 있었다.

당첨자를 발표하는 날, 모델하우스 근방의 혼란은 어마어마한 것이었다. 서울의 모든 승용차와 택시가 그곳으로만 모이는 것처럼 그곳으로 통하는 널찍한 도로들은 일찍부터 장장한 차량의 홍수를 이루었고 모델하우스 안팎은 그야말로 인산인해였다.

혜진은 발표시간이 임박해서야 그곳에 도착했는데도 잠깐 동안에 받은 복덕방의 명함이 한 바가지는 됐고, 그녀의 뒤를 그림자처럼 따르는 싹싹하고 미끈한 단골 복덕방 청년도 서너 명 되었다. 마침내 방(榜)이 붙기 시작했다. 방 앞으로 모이느라 무섭게 소용돌이치는 군중의 질서를 호소하는 마이크 소리가 더욱 긴장을 고조시켰다. 여기저기서 나붙은 방을 사진 찍고, 커트라인이 얼마라고 외치고, 붙었다고 환성을 지르고, 껴안고 펄쩍펄쩍 뛰고, 떨어지면 어깨를 축 늘어뜨리고 그 자리를 떠나고, 영락없이 일류대학의 합격자 발표장의 모습 그대로였다.

「사모님 축하해요. 드디어 당첨됐어요. 당첨!」

혜진을 뒤쪽에 물러나 있게 하고 방을 보러 앞으로 갔던 복덕방 청년이 양손을 높이 쳐들어 V자를 그려 보이면서 군중을 헤치고 나왔다. 혜진도 남들이 하는 대로 펄쩍펄쩍 뛰면서 좋아하고 나서 그동안 수고했다고 청년들에게 차 한잔씩 사고 청년들의 차로 집까지 왔다. 뭐가 뭔지 모르게 머릿속이 멍하고, 가슴이 울렁거리고 발이 땅에 붙지 않았다. 우선 저녁에 퇴근한 남편에게 그 기쁜 소식을 먼저 알렸다.

「당신 미쳤어? 우리가 그런 돈이 어디 있다고……」

펄쩍 뛰는 남편의 첫마디는 들으면서도 혜진은 돈이 없다는 게 별로 현실감으로 와닿지 않았다. 저와 똑같은 소리를 어디서 들었더라? 아 참, 아파트 신청하던 날 은행에서 어떤 부부가 싸우는 소리였었지. 남자들은 어쩌면 그렇게 다들 똑같을까, 하면서 남편들 전체를 싸잡아 연민할 만한 마음의 여유까지 생겼다.

다음날 혜진은 아침부터 축하전화 받기에 바빴다. 그동안 복덕방과 모델하우스를 드나들며 사귄 그 방면에 통하는 친구들이 꽤 많았다. 혜진은 축하의 말에 적당히 맞장구를 쳐주고 나서 「지금 말야, 마침 돈이 다 나가 있어서 말인데, 노는 돈 없어?」라는 식으로 돈을 좀 융통할 수 있을까를 타진해봤으나 다 헛수고였다. 혜진이 가지고 있는 건 당장 계약할 수 있는 주택청약예금 3백만 원이 전부였던 것이다. 그러나 혜진은 3백만 원밖에 없으면서 어쩌자고 3천만 원씩이나 채권입찰액을 써넣었을까 하고 후회하는 마음보다는 있던 돈 3천만 원을 어디다 잃어버린 것처럼 허전하고 억울했다. 이럴 리가 없는데, 이럴 리가 없어. 그녀는 소매치기당하고 나서 빈 지갑과 빈 주머니를 다 뒤지면서 못 미더워하듯이 자신이 빈 털터리라는 걸 믿을 수 없어했다. 이런 터무니없는 실물감(失物感) 때문에 하루를 어물쩍 보내고 당첨자가 계약을 끝내야 할 마감날이 되었다. 궁하면 통한다고 복덕방에 부탁해서 계약 전에 팔아치우는 방법이 생각났다. 그녀는 다시 생기가 나서 부랴부랴 복덕방으로 전화를 걸었다.

「사모님, 우선 계약은 하셔야지. 한두 푼짜리도 아니고 어떻게 당장 팔 수가 있겠어요? 그리고 이제 지난 얘기긴 하지만 사모님이 채권을 너무 많이 써넣어서 하마터면 최고입찰로 신문에 날 뻔했지 뭐유. 그렇다고 밑지고 팔 순 없고, 한동안 잊고 푹 묵혀야 딴 수가 없어요. 그렇지만 사모님, 낙심하진 마슈. 부동산으로 밑지는 법은 절대로 없으니까. 다만 마음 느긋하게 잡숫고 때를 기다리란 얘기지. 알아들으셨어요? 사모님.」

여기저기 몇 군데 전화를 더 걸어봤지만 대답은 비슷했다. 드디어 계약을 포기할 수밖에 없는 마지막 시간이 지나자 그녀는 허전하고 억울한 마음을 이기지 못해 밖으로 뛰쳐나가 무작정 길을 헤맸다. 계약을 포기했으니, 앞으로 3년간 아파트를 신청할 수 없다는 것말고는 금전적인 손해는 한푼도 안 본 셈이었다. 그런데도 거액을 손해본 것 같았다. 큰 부자에서 별안간 밑바닥 가난뱅이로 떨어진 것처럼 창피하고 비참해서 온세상이 원망스러웠다.

어느새 밤이 깊어가고 영동의 환락가는 뜨겁고 요염하게 무르익어갔다. 그녀는 미아처럼 울상을 하고 그 한가운데를 방황하면서 생각했다. 사람들은 돈도 많지. 정말 개처럼 벌어서 정승처럼 쓰는 셈인가? 정승의 씀씀이가 이렇게 추악한 거라면 개처럼 버는 현장은 또 얼마나 부도덕할 것인가.

환락가는 개처럼 버는 모습을 어설프게 감추고 정승 같은 씀씀이만 드러내 보여주건만 결코 정승의 도시다운 품위는커녕 최소한의 인간다움도 찾아볼 수 없었다.

개처럼 벌어서 정승처럼 쓴다는 건 말도 안돼. 개처럼 벌어서 짐승처럼 쓴다면 또 모를까. 개는 개일 뿐 골백번 죽었다 살아나도 인간이 될 순 없으니까. 혜진은 장구하게 우리의 경제생활을 지배해온 그 말에 강하게 반발했다. 그러자 조금씩 제정신이 돌아오는 것 같았다. 그녀는 황급히 환락가를 벗어났다.

3
무슨 복에 복처(福妻)를

혜진이 어느 만큼 제정신이 들면서 바라다본 영동의 환락가는 영락없이 소돔과 고모라의 성이었다. 그래서 벗어날 때도 뒤돌아볼 것 없이 총총히 벗어났다. 만약 뒤돌아보았다간 소금기둥이 될까 봐 두려워하듯이.

그러나 같은 시간에 혜진의 남편 찬국이도 영동 환락가 한복판에 있었다. 혜진이 환락가를 겉에서 바라보았다면 찬국은 안에서 몸소 맛보고 있었다. 막상 안에서 맛본 환락가는 그렇게 말초적이고 퇴폐적인 풍요와 허영과 쾌락과 욕망만 있는 게 아니었다. 지금 찬국의 마음이 매우 답답하고 울적하기 때문에 유난히 더 그런 면만 눈에 띄는지는 몰라도, 거기에도 역시 사람 사는 세상의 온갖 신산(辛酸)과 쓸쓸함과 고르지 못함이 있었다.

몇 년째 꾸준히 한 달에 한번씩 모이기로 한 찬국의 고등학교 동창끼리의 모임을 강북의 한식집에서 영동의 왜식집으로 바꾼 지도 벌써 1년 가까이나 되었다. 여자들처럼 곗돈을 거두는 것도 아니고, 그냥 얼굴이나 보고, 얘, 쟤, 개자식, 저 새끼, 말과 마음을 놓고 흉허물없이 세상 이야기도 하고 남의 흉도 보고 음담패설도 할 수 있는 재미에 모이는 모임이었다. 헤어질 때마다 「역시 친구는 고등학교 친구라야」라는 데에 아무도 이의가 없을 만큼 기다려지는 화기애애한 모임이었다.

그렇지만 워낙 바쁜 세상이라, 조금이라도 강제성을 띠거나, 손톱만한 이권이 개입되거나 하지 않은, 순전히 정(情)으로만 유지하는 모임에 출석률이 좋을 수만은 없었다. 문과 졸업생 3백여 명 중 고작 30여 명이 참석했고, 그중에서도 10명 정도만이 다달이 출석하는 고정 멤버이고, 나머지는 몇 달에 한번씩 얼굴을 내미는 유동인구가 불규칙하게 교체되고 있었다. 그렇게 유지되던 30여 명이나마 근래엔 점점 줄어드는 추세였다. 고정 멤버 중 두 명이 이민을 가고 한 명이 지방대학 조교수로 내려간 것도 그 모임을 한결 쓸쓸하게 했지만, 유동인구에도 변화가 많았다. 모임의 장소를 영동으로 옮긴 것도 그동안 회원들의 거주지가 반 이상 강남으로 옮겨진 걸 감안해서 편의를 도모하기 위함이었으나 그렇다고 출석률이 좋아지진 않았다.

〈강변〉이란 왜식집은 5층의 네모난 건물이 온통 요란한 네온에 뒤덮여 있어 바라보기만 해도 눈이 어지럽고 얼이 쑥 빠지면서도, 한편 환락에의 예감을 강렬하게 충동질하는 요상한 무엇이 있었다. 그러나 한 발자국만 들어가보면 요즈음 흔한 빌딩 내부와 별로 다르지 않았다. 신문·잡지의 고발기사에서 본 것처럼 얼굴이 비치는 화려한 이태리산 대리석이 깔려 있지도 않았고 몇백, 몇천만 원을 호가한다는 샹들리에가 늘어져 있지도 않았으며 귀부인풍의 기품 있는 호스티스가 마중 나오지도 않았다.

다만 문 안쪽의 노란 한복을 입은 아가씨가 서 있다가 까딱 고개를 숙였을 뿐이었다. 찬국이 예약한 방은 3층에 있었다. 바닥이 다다미인 것은 물론 기둥・천장・돌창문・장지문・등(燈)・액자까지 골고루 잘도 왜색을 갖추고 있었다. 찬국이 해외연수나 출장 등으로 서너 번 가본 일이 있는 일본 내의 일본식보다 훨씬 일본 냄새가 지독한 일본식이었다. 그런 간드러진 일본식의 무수한 방을 오가는 무수한 아가씨들은 하나같이 땅에 잘잘 끌리는 한복을 입고 있었다. 순백의 하늘하늘한 옷감이 몸에 알맞게 감기고 문란하도록 깊이 파인 가슴에 늘어진 진홍빛 옷고름이 제 나라 고유의 옷을 매우 이국적으로 보이게 했다.

영화에서 본 라스베가스의 카지노를 연상시키는 선정적인 외관, 일본 본토의 일본식보다 한술 더 뜬 일본식 내장, 범람하는 한복……, 보통때 같으면 긴장을 풀기에 매우 적절한 트릭처럼 여겨졌을 〈강변〉집이 지니고 있는 이런 외관과 내장과 인간의 부조화가 오늘은 이상스럽게도 찬국의 마음을 한층 쓸쓸하게 가라앉도록 했다.

「송부장님이 1등이세요.」

단골인 미스 지가 3층 죽(竹)실의 창호지문을 열어주면서 눈웃음쳤다. 회사에선 과장이건만 〈강변〉집에선 언제부터인지 부장으로 통했다. 찬국은 시계를 보았다. 7시 10분 전이었다. 10분이나 일찍 오다니, 이게 무슨 꼴이람. 그는 오후 내내 이 모임을 염두에 두고 딴 일이 손에 안 잡혔던 자신의 처지에 심한 열등감을 느꼈다.

「송부장님 오늘 심기가 언짢아보이세요. 건강 조심하셔야지 요새 감기가 말도 못하게 독하대요.」

미스 지가 녹차와 따뜻한 물수건을 가지고 와서 권하며 필요 없는 말을 했다. 몇 살이나 되었을까. 진홍색 옷고름은 툭 건드리기

만 해도 풀어질 듯이 느슨하게 매어져 있고 그 안의 가슴은 아람이
번 밤송이처럼 반쯤 열린 채 곧 쏟아질 것 같았다. 찬국은 미스 지
의 옷고름을 풀어본 적은 없었지만 술시중 들 때마다 반달만큼씩
드러나는 맨살의 겨드랑이를 간지럼 태운 일이나, 치맛자락 사이로
팔을 돌려 낭창낭창한 가는 허리를 죄어본 일은 여러 번 있었다.
지금도 미스 지는 모처럼의 호젓한 시간을 타 그 정도의 서비스는
할 각오가 되어 있는 것 같았다. 나이를 짐작할 수 없는 눈가에 노
련한 추파가 잔물결처럼 아롱졌다. 그러나 찬국은 통 그럴 마음이
내키지 않았다. 다만 예전의 그의 어머니나 할머니가 그렇게도 정
숙하고 금욕적으로 입던 단정한 한복을 저렇게 문란하고 선정적으
로 입을 수도 있다는 데 대해 새삼스럽게 놀라움과 한탄을 금할 수
없을 뿐이었다.

「송부장님 오늘 너무 점잖으시다. 어디 아프신 거 아녜요?」

「아프긴 임마, 나도 이제 마흔 살이야. 장난할 기운도 슬슬 빠질
때가 안됐냐?」

찬국은 자기 입으로 마흔 살이라 해놓고도 마치 남의 말을 통해
자신의 약점을 정통으로 찔리운 것처럼 내심 흠칫했다. 그리고 속
으로 생각했다. 〈오늘 온종일 울적하고 쓸쓸했던 건 마흔 살이란
나이 때문이었을까? 그럴 리가 없지. 마흔 살이 된 건 금년 정월이
고 지금은 이미 유월인데……〉

마흔 살이란 확실히 기분 나쁜 나이였다. 크도 작도 않은 회사의
끗발 없는 총무부 총무과 과장으로 5년씩 눌러앉아 있는 사이에 회
사 내 여러 부서의 과장 중 흔치 않은 40대 과장이 된 것이다. 40대
초반까지도 승진이 안되고 후배가 앞지르게 되면 회사를 그만두라
는 소리나 마찬가지였다. 벌써 그를 앞지르는 후배가 하나 둘 생겨
나고 있었다. 그렇게 해서 자연도태된 선배를 그는 수없이 보아왔

다. 그러나 찬국은 아직 갓 마흔이었다. 어느새 전전긍긍할 것까지
는 없었다.

「어머머……, 남자 마흔이면 얼마나 멋져요. 가장 매력 있는 나
이예요. 힘을 내세요. 송부장님.」

미스 지가 눈가의 추파를 새롭게 가다듬으면서 그에게 기대려고
했다. 이때 곽문호가 나타났다. 7시 정각이었다. 곽문호는 찬국을
보자 덤덤한 얼굴로 말했다.

「네 덕에 1등을 겨우 면했구나.」

반에서 줄창 1등만 하던 곽문호의 말이라 그런지 1등의 어감이
매우 복잡하고도 처량하게 들렸다.

「자식 1등 착살맞게도 좋아하더니 이제야 좀 신물이 나나 보구
나.」

「아냐, 우리 여편네 가라사대 난 아직도 1등이라면 사족을 못쓴
대. 그것도 별볼일 없는 것만 따라다니면서……」

문호가 자조하듯이 말했다.

「동창회도 느이 마누라 눈에 별볼일 없어보였겠지?」

「두말하면 잔소리지 뭐. 실직생활도 3년째가 되고 보니 어디 오
라는 데만 있으면 아침부터 설레는 거 있지? 때빼고 광낼 것까지는
없어도 괜히 생기가 나서 아침부터 끼니 재촉도 하고 옷 타박도 좀
하면서 부푼 마음으로 시간을 기다릴라치면 방정맞은 여편네가 종
알종알 입으로 김을 다 빼놓는 거야. 오죽 못났으면 그까짓 고등학
교 동창회에 1등으로 가서 죽치고 앉았겠느냐는 등……」

「야, 1등으로 온 사람 앞에서 그 말은 좀 뺄 수 없냐?」

「미안 미안. 그렇지만 우리 여편네 입초사에 오르면 1등이나 꼴
찌나 세임세임이니 신경 쓸 거 없어. 여편네 가라사대 도대체 40대
의 남자가 얼마나 별볼일 없이 한가하면 다달이 열리는 고등학교

동창회 따위에 꼬박꼬박 참석을 하냐는 거야. 보나마나 사회의 낙
오자들이나 모일 거라나. 여편네 또 가라사대 바로 그 점이 여고
동창회와 다른 점이라는군. 여고 동창은 남편이 출세를 하거나 돈
을 왕창 번 친구가 주동이 되고 참석률도 높지만 남자는 그와 정반
대일 거라는 거야.」

「자네 부인 가라사대가 공자나 맹자 가라사대보다 훨씬 일리 있
게 들리는데……」

찬국은 문호의 회색빛 귀밑머리를 바라보면서 쓸쓸하게 말했다.
정말이지 왜 이렇게 쓸쓸하고 허전한지 몰랐다.

「참 이상하더라, 그놈의 경제권이라는 게. 여편네가 경제권을
쥐고부터는 여편네 말은 다 옳은 소린 게라.」

「자아식, 너라도 좀 씩씩하게 살지.」

찬국은 문호가 어렵게 얻은 지방대학 전임자리를 이사장과의 의
견충돌로 사뭇 호기 있게 내놓던 3년 전 일을 생각했다. 그 당시만
해도 문호는 동창회의 작은 영웅이었다. 그가 무지무지하게 무식하
고, 무지무지하게 약삭빠른 학원 장사꾼인 이사장을 얼마나 통쾌하
게 면박주고 사표를 내던졌나 하는 무용담은 바로 동창회의 고정
멤버인 평범한 월급쟁이들의 숨은 꿈을 대변해주고 있었다. 그들
역시 사표를 내던지고 싶은 무수한 고비를 넘겼기 때문이었다. 그
러나 그들이 그때 문호의 무용담에 박수를 치고, 속이 후련한 김에
기분좋은 통음까지 할 수 있었던 것은 그때만 해도 왕성하고 뜨거
운 혈기가 남아 있는 30대였기 때문이었을 것이다. 또한 그때만 해
도 이 세상엔 낭만이라는 것이 군데군데 남아 있었다.

그러나 이젠 사정이 달랐다. 세상도 달라졌고 그들도 40대였다.
문호가 한 짓은 참으로 어리석은 객기였다. 그는 자신이 한 짓이
얼마나 어리석은 짓이었다는 걸 몸소 증명이라도 하듯이 그후 별볼

일 없이 초라하게 늙어가고 있었다. 찬국은 문호의 조로(早老)가 왠지 남의 일 같지가 않았다. 만일 여자들처럼 콤팩트라는 걸 가지고 다닌다면 당장 꺼내서 자신의 얼굴을 비추어보고 싶을 만큼 문호의 회색빛 귀밑머리는 처량하면서도 섬뜩했다.

「3년씩 놀면서 내가 무슨 용가리 통뼈라고 씩씩하냐, 씩씩하길.」

「암튼 놀고도 먹고 사니 용타, 부럽기도 하고.」

「놀고 먹다니 어림없는 소리 말아라. 이래봬도 바쁘다 바빠.」

「뭘 하는데?」

「번역일도 하고 잡문도 쓰고 논문도 써주고……, 다 먹고 사는 방법이 있지.」

「그래? 거 참 다행이구나. 난 그 방면에 통 아는 게 없어 생판 노는 줄 알고 도와주진 못하나마 속으론 얼마나 걱정했다구. 월부 책이라도 들고 오지 않나 은근히 기다리기도 했구.」

「아직 그 정도는 아냐. 나만 부지런하면 집에 앉아서도 웬만한 월급쟁이만큼은 버니까.」

「자식, 근데 왜 마누라한테 쿠사리를 맞냐 맞길.」

찬국은 남의 일에 괜히 울컥 부아가 치밀어서 이렇게 핀잔을 주었다.

「야, 요새 입에 풀칠이나 겨우 시켜준다고 남편을 남편 대접할 여자가 어딨냐?」

「그렇지만 처음부터 네 녀석한테 호강하려고 시집올 여자는 또 어딨냐?」

「똑똑한 척하기 좋아하는 여자가 호강보다 더 좋아하는 게 뭔 줄 아냐? 남편의 사회적 지위라는 거야.」

「사회적 지위? 녀석 제법 웃기고 있네. 네 녀석이 그런 것하고 무슨 상관이 있다고?」

「왜 상관이 없어. 나 전임되고 나서 여편네가 얼마나 거드름을 피웠다고, 드나드는 장사치한테건 친척이나 친구한테건 우리 곽교수가 어쩌구저쩌구 하면서 말야. 여편네가 그렇게도 좋아하는 교수 자리를 참을성이 잠깐 모자라서 헌신짝처럼 내던지고 말았으니 구박맞아 싸지 싸.」

문호가 허전하고도 속물스럽게 웃으면서 고개를 움츠렸다. 찬국은 문호가 그 어느 때보다도 초라하고 겉늙어보이는 까닭이 참담한 후회 때문이라는 걸 알 것 같았다. 그들의 모임에서 모처럼의 통쾌한 사건이었던 그 일을 후회함으로써 문호는 소영웅의 탈을 벗고 자신의 적나라한 본색을 드러낸 것이었다.

7시 30분이 지나고 나서야 하나 둘 동창들이 모여들기 시작했다. 회의가 있었다느니, 거래처에서 한턱내겠다고 기다리고 있는 것을 뿌리치느라 혼났다느니 제각기 바쁜 핑계를 하나씩 둘러댐으로써 늦게 온 변명을 했다. 그러나 곽문호로부터 그의 아내가 말했다는 해설을 미리 들어둔 찬국은 하나같이 별볼일 없는 동창만 모여들고 있는 것처럼 보였다.

8시가 지나자 올 만한 동창은 다 모인 것 같았다. 못 온다고 미리 전갈을 보낸 친구도 있고, 외국 나간 친구도 있고 해서 평소보다 훨씬 적은 열댓 명밖에 모이지 않았다. 그럴 수도 있는 일인데도 찬국은 오늘따라 그게 몹시 섭섭했다. 그렇다고 안 나온 얼굴 중에 특별히 보고 싶은 얼굴이 있는 것도 아니었다. 별볼일 없는 모임에 안 나왔다는 건 별볼일 없는 처지에서 벗어났다는 뜻도 될 것 같았다. 아아, 하나 둘 속속 별볼일 없는 모임을 떠나는구나. 하긴 40대니까. 남자 40대면 사업에 한창 기름이 오르든지, 사회적 지위가 단단하게 기반 잡히든지 할 시기니까. 결국 찬국의 섭섭한 마음은 질투일 수도 있었다.

생선회·모듬냄비·맥주 등이 들어왔다. 〈강변〉집의 특별메뉴라는 강변정식도 들어왔다.

「말이라는 게 참 묘하거든. 이 집이 강변집이 아니고 천변(川邊)집이어 봐. 제아무리 5층집이라도 대폿집 술값밖에 못 받을걸. 강변이나 천변이나 뜻은 그게 그건데 어감은 이렇게 다르다니까.」

고등학교 국어선생으로 있는 친구가 무슨 대단한 발견이라도 한 것처럼 이렇게 좋아했지만 아무도 귀담아들은 것 같지 않았다. 유니폼처럼 똑같이 흰 치마저고리에 새빨간 옷고름을 늘인 아가씨들이 사이사이에 끼여 앉았다. 여자의 어디를 어떻게 주무르는지 비명에 가까운 교성이 들리는가 하면, 네가 무슨 요조숙녀라고 속바지씩이나 입었느냐는 호통소리도 들렸다. 이 집 음식값 비싸서 못 쓰겠다고 내달부턴 다시 강북의 단골집으로 옮기자는 실속파와 실속만 따지려면 집에서 돼지불고기나 구워먹으라고 윽박지르는 허세파가 옥신각신하는 소리도 들렸다. 그러나 뭐니뭐니 해도 들어도 들어도 싫증이 안 나면서도 가슴이 알싸하고 배가 살살 아프고 군침이 도는 얘기는 별안간 행운을 잡은 친구들 얘기였다. 무슨 줄을 어떻게 탔는지, 행운의 여신에게 어떻게 알랑을 떨었는지, 느닷없이 떼돈을 벌었다거나 벼락출세를 한 소문이 모임 때마다 꼭 한두건씩은 있었다. 물론 그런 친구는 이 모임에 얼굴을 내밀지 않았기 때문에 그건 어디까지나 소문으로 그쳤다. 오늘은 특히 그런 소문이 풍성했다. 모두 어언 40대이기 때문일까?

찬국은 소문에 참견하는 일에 도무지 신명이 나지 않아 치맛자락 사이로 손을 넣어보았더니 허리가 땀으로 끈끈히 젖어 있었다. 초여름에 화학섬유로 된 한복이 얼마나 더울까 싶으면서 늘쩍지근하게 꿈틀대던 욕망이 싸늘하게 경직되는 걸 느꼈다. 그 여자가 참

고 있는 신세한탄에 비하면 남자들이 함부로 배출하는 허세와 소문
이란 얼마나 철딱서니없는 것들인가.

찬국은 모임이 파할 때까지 내내 아무것에도 신명이 나지 않아
한구석에 존재 없이 앉아 있었다. 그러나 아무도 그의 우울을 눈치
채지 못했다. 아무에게도 그런 여유와 아량이 없었다. 그래도 모임
이 파하자 그는 임명된 것은 아니지만 습관적으로 수행해온 그의
임무를 충실히 이행했다. 계산서를 가져오게 하고 거기다가 치마저
고리들한테 줄, 좀 짜지만 낯뜨겁지는 않을 정도의 팁을 얹어서 합
계한 것을 공평하게 나누어 부담시키는 일은 늘 그가 해온 일이었
다. 영동에서는 중급이 될까말까 한 실속 위주의 집이건만 돌아가
는 액수가 만만치 않았다. 허세파의 얼굴도 잠깐 일그러졌다. 이
노릇 하기 싫어서라도 다음달부터 나오지 말아야지, 찬국은 마치
여직껏 발을 뺄 구실이 없어서 못 뺐던 것처럼 이렇게 별렀다. 그
가 계산을 치르고 화장실까지 들렀다 나와보니 친구들이 삼삼오오
저만치 등을 돌리고 있었다. 그는 걷잡을 수 없이 허전해서 우두커
니 〈강변〉집의 휘황한 네온을 배경으로 서 있었다.

그때였다. 불참했던 이기배가 허둥지둥 〈강변〉집으로 달려오고
있었다. 그는 어디서 무슨 술을 얼마나 퍼마셨는지 고약한 술지게
미 냄새를 함부로 뿜어대면서 말했다.

「벌써 파했어? 자식들 하나같이 마누라 시집살이들 하느라고 일
찌감치 떴구나 떴어. 조금만 기다려주면 어때서, 고교동창끼리 정
(情) 아꼈다 뭣에 쓴다냐?」

이기배를 기다리기는커녕 오늘 한번도 화제에 오른 적이 없었
다. 그는 부득부득 한잔 더하자고 찬국을 붙들고 놓지 않았다. 찬
국은 주머니를 거의 턴 끝이라 이러지도 저러지도 못하고 비실댔
다. 그러나 이기배가 찬국을 끌고 간 곳은 〈강변〉집 뒤쪽에 즐비

298

한 포장집이었다.

「이 동네에 이런 집도 있다는 걸 몰랐지롱?」

이기배는 몹시 취해 있었다. 계집애처럼 혀를 날름 내밀고 찬국을 놀렸다. 연탄화덕 위에서 지글지글 끓어 넘치는 갯조개 위에다 아줌마가 양념장을 찔끔 치고 있었다.

「어디서 이렇게 취했어? 전작이 있으면 안 오면 어때서……」

찬국은 홀로 그를 떠맡게 된 걸로 오늘의 재수 나쁨을 더욱 뼈저리게 확인하면서 점잖게 이맛살을 찌푸렸다.

「오늘이 우리 학교 개교기념일 아니냐?」

이기배는 서울에서 멀지 않은 위성도시의 고등학교 선생님이었다.

「축하잔치가 질탕했던 모양이군?」

「축하잔치? 자식 누굴 약올리고 있어. 아이들은 하루 놀리고 교직원은 모를 내러 갔단다.」

「농촌 돕기? 조오치」

「조오쿠말구. 자네도 텔레비에서 풍경깨나 감상했지? 도시 사람들이 시골에 모 내러 가서 폼재는 거. 나는 적어도 그들하곤 다르다고 생각했어. 왜냐하면 난 농촌 출신이니까. 나는 그럴듯한 풍경으로 즐기지 않고도 정말 진지하게 노동을 할 수 있으리라 생각했던 거지. 오랜만에 농주 맛을 볼 수 있다는 기대도 나쁘지 않더군. 그런데 온종일 모를 내도 논 주인은 농주는커녕 내다도 안 보는 거야. 우리를 인솔한 교장이 점심에 자장면을 사더군. 조금씩 소문이 도는데 우리는 부재지주의 땅에 모를 내주고 있다는 거야. 지주는 우리가 비지땀을 흘려 모를 내는 동안 아마 영동 어디에선가 사우나를 즐기고 있으리란 소문까지 나돌잖아. 내 더러워서. 저녁땐 관리인이 맥주를 내더군. 새우깡이니 호콩이니 하는 마른안주를 곁들여서. 내, 아니꼬워서. 막걸리는 우리끼리 나중에 읍내 술집이란 술집은 다 뒤져서 가까스로 얻어먹었는데 맛이 고약하더군. 괜히 맥주하고 짬뽕이 되는 바람에 속만 버렸어.」

이기배는 소주병을 끌어당기더니, 병따개도 있는데 이빨로 우지끈 따서 병째 몇 모금 마셨다.

「실상 영동까지 온 건 동창회 때문이 아니라, 이 고장에 널렸다는 그 사우난가 한증막인가를 샅샅이 뒤져서라도 그 부재지주를 찾아내서 살찐 멱살을 잡아보고 싶어서였는데…… 오는 사이에 슬며시 열없어지지 뭐야.」

「왜? 왜 열없어졌나? 응 왜?」

찬국은 그가 열없어진 게 술기운의 부족 때문이다 싶었는지 소주병을 빼앗아 큰 컵에 따라주면서 다그쳤다. 찬국이 다그칠수록 이기배는 점점 더 의기소침해지면서 가냘프게 속삭였다.

「그럴려면 사표 낼 각오까지 해야 되는데…… 아새끼는 줄줄이 달렸고 남처럼 처복이 있는 것도 아니고……」

「처복이라니?」

「경제력이 있든지 복부인 노릇이라도 할 줄 알든지. 요샌 복처 (福妻)처럼 큰 처복도 없다고들 하더구먼.」

찬국은 복처라는 소리에 한없이 낄낄거렸다. 자신이 왜 하루종일 쓸쓸하고 허전했던지를 비로소 알 것 같았다. 그는 그의 아내가 아파트 투기에 손을 대는 걸 눈치채고도 모른 척 묵인했었다. 그게 뜻대로 안돼가는 걸 알자 노발대발 누구 망신을 시키지 못해 복부인 노릇을 하려느냐고 야단을 쳤지만 실은 잘되길 얼마나 바랐던가. 잘못되면 사회적으로 지탄을 받는 복부인이었지만 잘되면 알토란 같은 복처였다. 세상이 지금처럼 영악해지기 전에 장가를 들어서 미처 처가덕 볼 계산까지는 못했던 것도 생각하면 억울했다.

고등학교 적부터 장래의 처가덕을 바라보면서 공부하는 요즘 세상에 조강지처의 처복쯤 기대했기로서니 나쁠 것도 없지 않은가. 찬국이 보기엔 주위에서 일어나는 소위 출세라는 것들은 그게 사회적 지위이든 치부이든 간에 모두 어떤 비정상적인 비결 같은 걸 뒤로 감추고 있었다. 그는 자기만이 그런 비결로부터 소외된 것 같아 마냥 초라하다가, 아내가 아파트 투기에 눈을 뜨는 낌새를 눈치채면서 마침내 그런 비결의 한 가닥과 줄이 닿은 것 같아 얼마나 마음이 부풀었던가.

「우리가 무슨 복에 복처를 모시겠나.」

처복도 없는 두 남자는 주거니받거니 밤 깊은 줄 모르고 소주잔을 기울였다. 그들의 쓸쓸하고 허전한 마음에 독한 소주가 불길처럼 뜨겁게 화려하게 번졌다.

4
숲속의 야회장

「혜진이냐? 친정에 가끔가끔 안부전화 좀 하면 뭐 안되는 일이라도 있냐? 오늘 나한테 좀 다녀가야겠다.」

아침에 걸려온 친정어머니의 전화는 처음부터 냉랭하고 시비조였다. 그런 어머니가 아니었건만, 혜진이가 당신 마음에 안 드는 남자와 연애결혼해서 어려운 시집살이할 때부터 사사건건 못마땅해하는 게 오늘날까지 계속되고 있었다. 혜진이 역시 어머니가 두려웠다. 어머니 앞에서 괜히 기가 죽고 면목이 없었다. 맏이라 유난히 애지중지 기른 딸이 어머니의 기대와는 얼토당토않은, 겨우겨우 사는 집 맏며느리로 들어가 시부모 모시랴 시동생들 공부시켜 결혼시키랴 지지리 고생만 하는 걸 보고 마음이 아픈 건 당연한 일이지만 어머니는 그 정도가 좀 심했다. 딸이 이제야 시집살이 면하고 좀 살 만해진 지금까지 「에미 말 안 듣고 연애결혼하더니 꼴 조오타」하는 악의에 찬 시선으로 딸을 바라보기 일쑤였다.

남남이 아닌 모녀지간이니만치 그 악의 속에 감추어진 절절한 연민의 정을 혜진이가 모를 리 없었다. 그러나 불쌍해한다는 건 미워하는 것보다 훨씬 더 견디기 어려운 수모였다.

혜진이가 미처 그 까닭을 묻기도 전에 어머니는 전화를 끊었다. 그런 어머니의 일방적인 태도는 혜진으로 하여금 친정에 무슨 급한 일이 생겼나 보다고 근심하게 하기보다는 내가 못사니까 무시한다는 고까운 생각부터 하게 했다.

요새 혜진은 계속 심기가 편치 못했다. 남처럼 한번 떼돈을 잡아볼 줄 알았던 아파트 투기가 그 모양으로 끝나버리고 나서 그 충격으로부터 아직 헤어나지 못하고 있었다. 곰곰 생각해보면 충격받을 만큼 손해가 난 것도 아니었다. 얼마간의 빚은 아파트 투기를 꿈꾸기 전부터 이미 진 거였고, 아파트는 당첨되고도 계약을 포기했으니까 그것 때문에 금전적인 손해를 입은 건 한푼도 없었다.

그럼에도 불구하고, 그 일이 뜻대로 됐을 경우 적어도 2, 3천만 원은 벌 수 있으리라는 꿈에서 깨어나자 마치 2, 3천만 원의 돈을 실제로 잃어버린 것 같은 엉뚱한 실물감(失物感)에 시달리고 있었다. 별안간 영락(零落)한 부자처럼, 남편의 얼마 안되는 월급이 눈에 차지 않았고, 돈 아끼는 일이 피곤하고 짜증스러웠고, 알뜰하게 장만한 살림살이들이 보잘것없이 초라해보여 도무지 닦고 훔치고 거둘 생각이 나지 않았다.

내가 왜 이러지? 가끔가끔 자신을 반성 안하는 건 아니었지만 그럴 때도 남편의 무능을 탓한다든가, 요지경 속 같은 세상 돌아가는 켯속을 한탄한다든가, 복덕방 청년들 욕을 한바탕하는 걸로 잘못을 자기 아닌 남의 탓으로 돌리고 말았다.

지금도 오래간만에 친정어머니 목소리를 듣고 나니 문득 모든 잘못이 어머니에게서 비롯된 것처럼 여겨지는 것이었다.

「어머니 때문이야. 나도 이만큼 살면 그렇게 못사는 것도 아닌데 어머니가 나를 맨날 못산다고 무시하고 업신여기니까 나도 한번 여봐란듯이 살아보려고 했던 것뿐이야. 나라면 결코 내 딸한테 우리 어머니처럼 못해. 암 못하고말고. 어머니만큼만 돈이 있으면 딸한테도 한밑천 떼어주지 돈 뒀다 갖고 갈 건가. 안 줄려면 사람을 업신여기지나 말든지.」

이렇게 어머니에게 맺힌 원한이 많으면서도 혜진이는 어머니의 명령을 거역하진 못했다. 어머니에겐 일종의 위엄이 있었고 그 위엄엔 출가한 딸뿐 아니라 장성해 일가를 이룬 아들들도 감히 거스르지 못하는 묘한 힘이 있었다.

어머니는 돈이 많았다. 아버지의 사업이 규모는 작아도 여직껏 불황을 모르고 키워와 살기에 부족함이 없을 정도의 수입이 있었지만 이재(理財)에 뛰어난 어머니는 그 정도의 수입은 새발의 피라고 깔볼 만큼 통이 큰지라 도대체 어머니가 얼마만한 큰돈을 굴리고 있는지는 자식들도 몰랐다. 그러나 막연히 어머니가 큰돈을 굴리고 있다고 짐작하는 것만으로도 자식들은 다 어머니 말에 쩔쩔맸고 때로는 마음에 없는 비굴한 아양까지 떨었다. 돈을 빽으로 한 부모·자식 관계가 효도를 바탕으로 한 부모·자식 관계 못지않게 구순하고 화기애애했다.

「왜 얼굴이 그 모양이냐?」

성북동 친정집에 들어서자마자 어머니는 대뜸 혜진이를 곱지 않게 흘겨보면서 말했다.

「제 얼굴이 어때서요?」

「관두자. 다 제 팔자지. 내가 그런 고생문이 훤한 데를 골라서 시집보낸 건 아니니까.」

「어머니 왜 또 그러세요? 처음엔 고생이 좀 됐지만 이젠 다 지난 일 아녜요? 어머니가 그렇게 성화하시던 연탄 때는 집 면하고 이제 우리 다섯 식구만 오붓하게 맨션아파트에서까지 살게 됐잖아요?」

「아이구 속 터진다. 그 코딱지만한 아파트 소리 좀 작작해라. 네 나이가 지금 갓스물이냐? 갓스물 새색시라면 그 코딱지만한 아파트에서 신접살림 해도 재미가 옥시글옥시글 나겠지만 네 나이 서른 여섯이야. 식구는 자그만치 다섯 식구구. 난 창피해서 누구한테 내 딸이 실평수 스물다섯 평도 안되는 아파트에 산다는 얘기도 못하겠더라.」

그렇게 창피하면 큰 걸로 하나 사주시구려. 그 소리가 목구멍까지 차오르는 걸 참고 혜진은 애써 화제를 돌렸다.

「왜 부르셨어요? 급한 일처럼 그러시더니……」

「응 참, 네 솜씨 써먹을 일이 생겨서.」

「제 솜씨라뇨? 제가 무재주인 거 아시면서……」

「미대 생미과(生美科) 나온 솜씨 좀 써먹자꾸나야. 혜숙이 방 좀 근사하게 꾸며주지 않을래?」

「혜숙이 방요? 왜 혜숙이 지금 쓰는 방이 어때서요. 제가 보기엔 공주님 방 같던데.」

「소녀 취미만 물씬 나지 품위가 없지 않든. 돈을 좀 들여서라도 고상하고 품위 있게 꾸며줘야겠더라.」

「느닷없이 그건 또 왜요?」

「혜숙이한테 중매를 댔단다. 근데 그 중매쟁이가 어찌나 까탈스러운지 지가 먼저 색시 선은 물론, 색시 집, 색시 방까지 선을 보고 나서야 합당한 신랑을 물색해다 준다지 뭐니?」

「혜숙인 아직 대학교 3학년이에요. 벌써 중매를 대요?」

「내가 연애결혼에 지레 겁이 나서 그런다. 하나 남은 혜숙이만은 중매로 내 마음껏 보내볼란다.」

「저야 처음부터 어머니 마음에 안 드는 결혼을 했다치고 혜옥이, 태수, 태진이는 연애했어도 다 신랑·색시 잘 만나 잘살지 않우? 내 친구들은 다들 어머니가 여러 자식 힘 안 들이고 결혼시키신다고 복 많은 분이라고 그러는데……」

「복도 끔찍이도 많겠다. 내 눈엔 하나도 안 차. 즈이끼리 좋다니까 말리진 못했지만 자식들이 어쩌면 그렇게 하나같이 안목이 없는지……」

「어머니 정말 왜 그러세요. 김서방이야 처음부터 미운 털이 박힌 사람이니까 제쳐놓고서라도 혜옥이 신랑도 그만하면 사람이 됐고, 태수, 태진이 색시도 요새 그만큼 고분고분하고 싹싹한 며느리가 어디 있다고 그러세요?」

「걔들이야 그렇다쳐도 걔들 집안이 뭐 볼 게 있냐? 난 내 친구들 모인 자리에서 사돈들 얘기가 나오게 되면 창피해서 아예 입을 다물고 끽소리도 못한단다.」

「며느리·사위 얘기만 하는 게 아니라 사돈 얘기까지 하나요? 노인네들도 주책이야.」

「모르는 소리 말아라. 요샛세상엔 사돈이 곧 가문이란다.」

「네?」

「어떤 집과 사돈을 맺었냐에 따라서 그 집 가문을 알 수 있다, 이 말야.」

「어머니, 우리 가문은 뭐가 그리 대단해서요.」

「그러니까 좋은 가문과 사돈을 맺어보자는 거지.」

「그럼 우리 가문의 앞날이 혜숙이한테 달렸군요?」

혜진은 뭐가 뭔지 몰라 얼떨떨한 얼굴로 말했지만 비꼬는 투가 드러나는 건 어쩔 수가 없었다. 그녀는 복덕방 청년들과 신나게 어울려서 투기판의 언저리에서 신기루 같은 돈다발을 좇을 때보다 한층 더러운 세태의 한 자락을 친정집 안방에서 맞닥뜨리고 있었다.

「아무튼 혜숙이가 아직 연애를 안하는 게 천만다행이다. 중매를 댈려면 대학 3학년이 딱 맞는 시기라더라.」

「저도 중매쟁이들 얘기는 대강 알고 있지만, 색시 방까지 선을 본다는 중매쟁이가 있다는 소리는 처음 듣네요.」

「중매쟁이도 천층만층이지. 이젠 의대생·법대생 명단이나 갖고 다니면서 알은척하는 중매쟁이는 시로도라더라. 상류사회의 인맥이 제 손바닥 손금보다 더 환한 진짜 꾼은 또 따로 있대.」

「진짜 꾼을 만나셨나요?」

「곧 만나게 될 게다. 자식 넷을 다 중매로만 성공적으로 결혼시킨 내 친구가 소개해준댔으니까.」

「혜숙이가 고분고분 말을 들을까요?」

「걘 느이들하곤 달라.」

「어떻게요?」

「우선 세대차가 있잖니?」

「세대차요? 우린 한 형제예요.」

「넌 어째 그렇게 소식이 어두우냐? 요샌 세대교체가 2, 3년마다 된다는 것도 모르냐? 5년이 옛날이야.」

「뭐가 뭔지 모르겠어요. 어머니가 저보다 훨씬 더 세상을 앞서 가시는 것 같은가 하면 혜숙이는 거꾸로 옛날 여자로 돌아가는 것 같기도 하고……」

혜진은 손가락으로 자기 머리 위를 뱅뱅 돌리면서 어지럼 타는 시늉을 했다. 그리고 맥빠진 웃음을 웃었지만 속은 개운치 않으면서도 허전했다.

마침 혜숙이가 학교에서 돌아왔다. 혜숙은 「언니 왔어?」 하고는 2층 제 방으로 올라가버렸다. 혜진이는 약간 아니꼬운 생각이 드는 걸 무릅쓰고 2층으로 따라 올라갔다.

「마실래?」

냉장고에서 주스를 꺼내 마시고 있던 혜숙이가 캔을 하나 더 꺼내어 내밀면서 말했다. 혜진은 캔을 받아만 놓고 따진 않고 침대 모서리에 걸터앉아 방을 휘둘러보았다.

「엄마한테 실내장식 청부받았나 보군?」

혜숙이 냉랭하게 말했다.

「그렇다. 넌 왜 네 방 하나 제대로 못 꾸미냐?」

「전망이 이렇게 좋은데 방은 뭣 하러 꾸며?」

「하긴 그렇구나. 이 집에 와서 처음으로 쓸 만한 소리 듣는 것 같다.」

혜숙의 2층 방에선 아주 아름다운 숲이 바라보였다. 그러나 그 건 자연 숲이 아니라 뉘댁 정원이라고 했다.

「언닌 무슨 말을 그렇게 해?」

「왜 내가 못할 말 했니?」

「엄마가 또 언니 속을 긁었나 보지?」

「별로 그렇지도 않았어.」

「돈이 좋긴 좋은 건가 봐.」

「왜?」

「언니도 그렇고, 올케들이나 오빠들도 그렇고 엄마한테 한번도 좋은 소리 못 들으면서 그래도 엄마 말이라면 설설 기니 말야. 아무튼 효자·효녀들이라니까.」

「그게 돈하고 무슨 상관이냐?」

「엄마한테 돈이 없었어도 언니·오빠들이 그렇게 고분고분할 수 있을까? 어림도 없을걸.」

혜숙이 눈동자가 큰 눈을 더욱 크게 뜨고 혜진을 빤히 바라보면

서 생글댔다. 혜진은 자기도 인정하고 싶지 않은 자신 속의 더러운
마음을 동생한테 들킬까 봐 얼른 눈길을 피했다.

「너 참 맹랑한 애로구나. 부모·자식간의 도리를 어쩌면 그런
눈으로 볼 수가 있니?」

「언니가 핏대 올릴 건 없수. 난 조금도 언니·오빠들을 비난할
마음은 없으니까. 다만 헛물들 켜는 게 안돼보여서 해본 소리야.」

「헛물을 켜다니?」

「언니, 화제 바꿉시다. 내 방 꾸미는 데 얼마 받기로 했수? 이왕
이면 왕창 뜯어내. 나도 힘닿는 데까지 협조할게.」

「내가 돈에 그렇게까지 열이 난 줄 아니?」

「돈에 열 좀 나면 또 어떠우? 별난 데다 다 자존심 세우려고 그
러더라, 어른들은……」

「그럼 넌 아이니?」

「솔직하다는 걸로……」

「내가 꼭 거짓말쟁이 같구나. 솔직히 말해서 지금 난 밸이 꼴린
다. 걱정도 조금은 되고, 엄만 널 대단한 데로 시집을 보내고 싶으
신 모양인데 요새 그렇게 혼인을 하려면 돈이 얼마나 드는지 아시
고서 그러나 몰라. 우리가 다 연애결혼한 걸 두고두고 못마땅해하
시지만 말이야 바른 대로 말이지, 연애결혼 때문에 당신 돈이 얼마
나 절약이 됐다는 걸 아시면 고마워하실 수도 있으련만. 보아하니
우리한테 안 쓰고 아낀 돈 너한테 다 들이밀어도 모자라겠더라.」

「결혼이야말로 부모의 소득을 분배받을 수 있는 단 한번의 기회
가 아닐까? 그 기회도 못 찾아먹은 건 언니 잘못이지 내 탓은 아
뉴.」

「너 정말 맹랑한 애로구나.」

「언니가 그렇게 말하니까 거꾸로 언니가 애로 보이네. 언니는

뭘 너무 몰라. 언니는 엄마가 몇 살까지 사실 것 같우? 내 생각으론 백 살은 너끈히 사실걸. 이건 비꼬는 소리도 아니고 특별한 바람도 아니고, 의학의 발달, 건강에 대한 각자의 유별난 관심, 평균수명의 급격한 상승추세 등으로 미루어본 과학적인 예상이야. 물론 우리 엄마·아빠에 국한된 얘기가 아니고 40, 50대에 암의 위험을 넘기고 난 모든 노인에게 해당되는 얘기지. 앞으론 노인인구의 증가도 문제지만 더 큰 문제는 부(富)의 노인 편중문젤걸. 우리 엄마가 당신 생전에 돈을 자식들한테 한푼이라도 내놓을 것 같아? 우리 엄마만 아냐. 지금 돈푼이나 쥔 중늙은이들이 일치단결해서 벼르는 게 생전에 자식들한테 재산 안 주기야. 근데 그 생전이라는 게 마냥 길 테니 기다리고 기다리는 자식들한테는 못할 노릇이지. 아무튼 재미있는 세상이야.」

「나는 하나도 안 재미있다. 재미있기는커녕 무섭다 무서워.」

「공포도 재미야 언니. 공포영화를 사람들이 왜 보게?」

「엄마는 너를 이용해서 상류사회와 사돈을 맺고 싶으신 모양인데 너라면 해낼 것 같다.」

「잘 봐줘서 고마워 언니.」

「우리나라에 상류사회라는 게 있긴 있는 거니?」

「글쎄 말야. 그 사회는 돈만 많은 것하곤 다른 사횔 테지. 돈이 많다고 해도 우리가 많다고 생각하는 것하곤 단위가 다르든지.」

「그러니까 너도 잘은 모르는구나.」

「잘은 모르지만 있긴, 있는 것만은 확실해. 언니, 저 숲을 좀 봐. 저 숲은 사시장철 저렇게 아름답다니까. 우리집 베란다에까지 희귀한 숲의 새들이 날아올 적도 있어. 가끔 밤에 숲 사이로 수많은 등불이 보석을 뿌려놓은 것처럼 반짝거릴 적도 있구. 아마 마당에서 야회(夜會)가 열리는 날일 거야. 그렇지만 그 속의 집은 숲에 싸여 한번도 모습을 드러낸 적이 없거든. 안 보인다고 숲속에 집이 있다는 걸 못 믿을 순 없잖아. 상류사회도 아마 그런 걸 거야. 나는 저런 집 야회엔 어떤 사람들이 모여 무슨 얘기를 할까 늘 안타깝도록 궁금했었는데 거기 초대받는 신분이 될 수도 있는 기회를 마다할 것 없잖아?」

「넌 자존심도 없니? 중매쟁이라는 게 어떤 건지나 알구 자신을 거기다 내놓으려구 그래?」

「우리 또래들이 거기 대해선 언니네들보다 훨씬 더 많이 알고 있으니까 걱정 말아.」

「엄마가 하라는 대로 할 거란 말이지?」

「그렇다니까. 재미있잖아? 밑져야 본전이구.」

「넌 그럼 여직껏 연애도 한번 못해봤구나.」

「언니도 참, 미리 안됐다는 얼굴 할 거 없수. 나도 그만한 장난질은 해볼 만큼 해봤으니까.」

「장난질이라고 하는 걸 보니 너도 연애와 결혼은 구별해서 생각하겠다, 이런 속셈이구나.」

「그게 뭐 내 잘못인가? 남자들이 하나같이 연애할 만하면 결혼할 자격엔 미달이고, 결혼자격이 있다 싶으면 연애감정을 일으킬 요소가 전무하고, 둘 중 하나인 걸 낸들 어떡허우.」

「네 눈이 이상해서 그렇지. 사람됨이란 그렇게 딱 부러지게 둘로 나눌 수 있는 게 아닌데.」

「내 눈엔 그게 정신과 물질의 대립만큼이나 극명하게 보이는 걸 어떡허우? 요새 남자들의 정신상태가 그만큼 분열돼 있는 게 아닐까?」

「남자들이 분열돼 있는 게 아니라 네가 분열돼 있는 거야. 누구에게나 함께 있는 두 가지 면을 함께 조화시켜서 보지 못하고 따로 따로 대립시켜서 보는 건 네 쪽의 잘못이야.」

「한 개인 속에서건 한 사회 속에서건 그 두 가지는 결코 조화될 수 없는 거라고 생각해. 어차피 대립돼 있는 걸 조화시켜서 보려는 건 헛수고이고 피곤한 노릇이야. 난 피곤하게 살지 않을 거야. 대립돼 있는 걸 갖느니보다 양자택일이 제일 속 편해.」

「넌 젊은애가 어쩌면 그렇게 꿈이 없니?」

「내가 왜 꿈이 없어? 저 깊은 숲속에 가려진 집 속엔 도대체 어떤 사람들과 어떤 생활이 있을까 하는 꿈이 요새 날 얼마나 살맛나게 한다구.」

혜숙이 침대에 발랑 누웠다. 그리고 유리구슬처럼 정감 없는 눈으로 혜진을 말끄러미 바라보았다.

그날 친정에서 돌아오는 길에서였다. 실내장식을 청부맡았달 수는 없어도 어느 정도는 손을 봐줘야 할 것 같아서 기초조사도 할 겸, 오랜만에 문화적인 입김이라도 쐐서 심미안에 낀 먼지도 씻어낼 겸 해서 인사동 거리를 돌아 화랑이 즐비한 거리를 지날 때였다.

차종을 알 수 없는 미끈한 외제승용차가 차도에서 슬며시 인도로 올라오더니 로렌스 박 의상실 앞에 멎었다. 피부가 희고 부드러운 갈색 장발의 인상적인 기사가 먼저 내려서 차문을 열면서 정중하게 허리를 굽혔다. 여자의 은빛 구두와 유연한 다리와 몸에 붙은 단순한 옷과 진주 목걸이와 깨끗하고 매끄러운 목과 단아한 얼굴과 가운데 가리마를 타서 어깨까지 늘어뜨린 퍼머기 없는 검은 머리가 차례로 나타났다. 그 여자 얼굴의 두드러진 특색은 기가 질리게 고상하면서도 나이를 알 수 없다는 거였다. 스무 살이래도, 쉰 살이래도 곧이들을 만했다. 한마디로 미추(美醜)와 연령을 초월한 얼굴이라고나 할까. 그 여자가 차에서 내려 로렌스 박 의상실 안으로 들어가기까지는 잠깐이었다. 그런데도 그동안 그곳을 지나던 사람이 일제히 발길을 멈추거나 늦췄기 때문에 잠깐 사람들의 울타리가 생겼다 없어졌다. 사람들은 곧 흩어져서 제 갈 길을 갔지만 그 여자를 같이 구경한 사람들끼리는 강한 공감이 흐르는 걸 느꼈다. 그건 매우 기분 나쁘다고밖에 표현할 길 없는 묘한 느낌이었다. 그 기가 질리게 고상한 여자는 왜 사람들을 그렇게 한결같이 기분 나쁘게 했을까? 그건 본질적으로 질이 다른 것 같은, 보통사람은 아무리 애써도 도달할 수 없는 딴 세상 사람 같은, 분명한 이질감 때문이었다.

혜진이는 전에도 우리나라에서 제일 돈이 많다고 소문난 재벌 이모씨의 부인, 김모씨의 부인을 가까이에서 볼 기회가 몇 번 있었다.

정식인사를 하고 만난 게 아닌 그냥 구경이었지만 그들의 인상 속엔 남편이 왕년에 운전수였다든가 쌀장수였다든가 하는 서민적인 경력을 연상시킬 만한 촌스러움과 순진함이 넉넉하게 남아 있어서 친근감과 함께, 사람팔자 시간문제란 안도감 비슷한 것까지 느끼게 했었다. 은빛 구두의 여자가 거느린 것 같은, 아무도 뛰어넘을 수 없는 보이지 않는 벽 같은 걸 거느리고 있진 않았다.

혜진은 그 여자가 들어감으로써 한결 더 신비해진 로렌스 박 의상실의 쇼윈도를 들여다보았다. 거기엔 화려하고도 상긋한 노방의 여름 야회복을 입은 두 개의 마네킹이 춤추는 모습으로 서 있었다.

충분하게 부풀리고, 갈피마다 들꽃을 수놓은 본견 노방의 야회복은 입으면 곧 하늘로 덩실 날아오른다는 선녀의 날개옷 같기도 했고, 퇴폐와 사치가 극에 달했다는 마리 앙트와네트 시대의 궁중의상 같기도 했다.

로렌스 박의 쇼윈도는 늘 그랬다. 보면 즐거웠지만, 그런 옷을 실제로 입을 수 있는 귀부인이나 그런 옷을 입고 갈 만한 장소를 이 나라 안에선 상상도 할 수 없는 비현실적인 옷이었다. 그러나 지금은 아니었다. 혜진은 방금 본 미추와 연령을 초월한 그 여자가 그런 옷을 입고 숲속의 야회에서 춤을 추는 것을 상상할 수가 있었다. 그런 곳이 소위 상류사회라는 곳인가? 자기는 못 들어가더라도 동기간이라도 들어가 그런 고장과 어떤 연관을 갖게 된다면 나쁠 것도 없다는 생각이 들었다. 나쁘기는커녕 하루 속히 그런 고장과 어떤 관계를 맺고 싶었다. 그건 호기심이라고 해도 좋았다. 그런 고장이 현실적으로 있다는 걸 인정하자마자 혜진은 그런 고장의 기가 질리게 고상한 외양이 은닉하고 있는 진짜 내막에 대한 강렬한 호기심을 걷잡을 수가 없었다.

5
허영의 시장

「애, 돈은 얼마가 들어도 상관없지만 절대로 벼락부자 티만은 안 나게 꾸며야 한다.」

어머니가 혜진이한테 혜숙이 방은 물론 안방·거실 등 집안의 실내장식을 확 뜯어 고쳐줄 것을 청부맡기다시피 하면서 가장 자주 한 말이었다. 돈은 얼마든지 들이고도 벼락부자 티는 안 내야 된다는 어머니의 주문이 처음엔 가당치 않은 농담처럼 우습게만 들렸었다. 그러나 혜진이 직접 그 일을 맡아 가구점이랑 화랑이랑 골동품 가게랑 수입상품점이랑 인테리어 전문점 등을 드나들다 보니 어머니의 주문 이전에 세상풍조가 이미 그렇게 흐르고 있었다는 걸 직접 보게 되어 그녀도 크게 놀랐다.

살림살이에 찌들고 녹슬은 그녀의 미적 감각에 화끈한 충격을 줄 만한 빼어난 가구나 실내장식품들이 생각보다 많았지만 그런 것들은 하나같이 엄청나게 비쌌고 또한 천박한 벼락부자 티와는 거리가 먼 은은하고 수수한 일품(逸品)들이었다.

어머니의 주문은 결코 가당치 않은 게 아니었다. 세상은 어머니보다 이미 한 발 앞서 그렇게 흐르고 있었던 것이다. 그 세상이란 물론 우리 사회의 극히 일부분—천분의 일이나 만분의 일 정도의 특수사회에 지나지 않았고 혜진이와는 상관도 없는 사회였다. 본 적도 없거니와 꿈꿀 것도 없는 그런 특수사회였다. 그렇지만 하나 남은 막내딸을 미끼로 감히 그런 사회의 문지방을 넘어보려는 어머니의 꿈을 통해 그런 사회가 실제로 존재한다는 것을 감지하게 된 것만으로도 혜진이는 어떤 희망과 불행감을 동시에 느꼈다.

희망은 다분히 치사했다. 동생의 남편덕을 볼 수 있을지도 모른다는 희망은 치사하면서도 감미로웠다. 소도 언덕이 있어야 비빈다는 말이 있다. 언덕 없이 비빈 깐으로 남편은 될 만큼 됐으니 앞으로 더 큰 발전을 기대할 수 없다는 걸 혜진은 알고 있었다. 새로운 친척에의 기대는 외계인의 초능력을 기대하는 어린이의 꿈처럼 허황되면서도 달콤했다.

한편 불행감이란, 존재하기는 존재하되 그녀의 위치에선 도저히 보이진 않는 그런 사회에 자기의 삶을 비춰보게 됨으로써 비롯됐다. 자신과 남편의 노력으로 열심히 이룩해놓은 게 얼마나 보잘것없는 것인가 하는 열등감은 참으로 비참했다. 혜진이네가 아무리 정직하고 성실하게 노력해봤댔자 거북이 걸음에 불과했다. 상대방은 토끼였다. 현대판 토끼는 결코 낮잠 같은 거 자지 않고 정력적으로 달렸다. 거북이의 승산이 있는 세상이 아니었다. 만약 혜진이가 거북이와 토끼 걸음의 차이를, 타고난 운명이나 공정한 실력차로 받아들일 수만 있었다면 훨씬 마음 편하게 거북이 걸음에 자족할 수 있었으련만, 그녀 역시 토끼 걸음에는 반드시 속임수와 비리(非理)가 감춰져 있다는 사회적 통념을 굳게 믿고 있었기 때문에 그렇지가 못했다. 분하고 억울했다. 이 세상에 억울한 것처럼 못 견딜 불행감이 또 있을까.

혜진이가 이런 복잡스러운 내심의 갈등에도 불구하고 친정집 집수리와 실내장식에 많은 도움을 줄 수 있었던 것은 오랫동안 잠재해 있던 배운 것과 미적 감각을 되살리고, 돈을 흥청거리고 써보는 즐거움 때문이었다. 그런 즐거움은 목적을 따질 것 없이 그녀를 살맞나게 했다. 남편조차 친정일로 분주한 그녀를 못마땅해하면서도 그녀가 예뻐지고 젊어진 것만은 인정을 했다.

드디어 알 만한 사람들 사이에선 그 실력이 널리 알려져 있다는 그 유명한 중매쟁이가 신부감과 신부네 사는 형편을 보러 온다는 통고가 왔다. 어머니는 그때도 혜진을 불렀다.

「네가 접대를 좀 맡아줘야지 어떡허니?」

「알았어요. 저도 가보긴 하겠지만 일류 마담뚜가 도대체 어떻게 생겼나 구경가는 거지 접대하러 가는 건 아뉴.」

「아이고 얘야. 행여 마담뚜란 소리 입 밖에 내지 마라. 그 여잔 그 소릴 제일 싫어한대, 천격스럽다고.」

「어머 꼴값하고 있네. 제까짓 게 마담뚜 아니면 그럼 뭐래요?」

「넌 그 여잘 보기도 전에 왜 사사건건 트집만 잡으려고 그러냐?」

「아무튼 보통내기가 아닌 건 알아줘야겠어요. 요새 마담뚜들 마음 못 놓지 않우. 언제 또 단속을 당할지 모르니까. 그 여잔 자기만 마담뚜가 아닌 척 뭐같이 굴면서, 남이야 단속을 당하든 망신을 당하든 자기 혼자 짭짤한 재미를 보려는 고등수법이 뻔해요.」

「아무튼 그 소리는 입 밖에도 내지 말고 정중하게 대접을 하자.」

「알았어요. 저도 마담뚜란 돼먹지 않은 복합어보다는 아줌마란 수수한 호칭이 더 좋아요.」

「아줌마도 안돼. 그 여자 부르는 호칭이 따로 있댄다.」

「그럼 암호가 있군요? 어머 징그러워. 간첩인가 봐.」

「듣기 싫다, 호들갑은. 그 여잔 윤선생님이라고 부르는 걸 제일 좋아한다더라. 윤선생님, 얼마나 듣기 좋으냐.」

「알았어요. 정말 보통내기가 아니군요. 앞으로 뚜교수, 뚜박사도 나오겠네요.」

윤선생은 또 중매가 성사되기 전엔 신랑집에서건 색시집에서건 절대로 식사대접을 받지 않는다고 해서 음료만 준비하기로 했다. 여름이니 주스나 과일화채를 내면 될 것을 어머니는 굳이 오미자차에 보리수단을 띄워서 내자고 했다. 요새 보리수단 하는 집이 어디 있느냐고 했더니 그럴수록 보여줘서 구습이 남아 있는 법도(法度) 있는 집으로 보여야 한다는 것이었다. 벼락부자가 아닌 걸로 보이려면 물건만 골동품을 갖춰야 하는 게 아니라 습관까지 구습을 갖춰야 하는 모양이었다.

혜진은 삶은 보리에 녹말을 묻혀서 끓는 물에 데쳐서 건지는 일을 서너 번이나 반복해야 하는 까다로운 보리수단을 만들면서도 연신 불평을 터뜨렸다.

「요새 이런 걸 누가 먹어요?」

「먹으라고 하냐, 보라고 하지. 좀 귀물스러우냐? 잘사는 집 드나들며 별의별 것 다 얻어먹어본 그 여자도 아마 이 보리수단만은 처음 볼라.」

「혜숙이 보러 오는 게 아니라 꼭 보리수단 보러 오는 것 같수. 참 혜숙이랑 우리 사는 걸 쭉 훑어보고 나서 탐탁지 않으면 중매 안 설 수도 있다면서요? 참 웃기는 여자야. 제 눈에 먼저 들어야 한다 이거지.」

「그거 당연한 거 아니냐? 대학시험에도 예비고사라는 게 있듯이.」

어머니가 하도 엄숙하게 말하는 바람에 혜진은 그만 말문이 막히고 말았다.

아닌게아니라 윤선생은 모시 치마저고리를 날아갈 듯이 차려입고, 퍼머기 없는 숱이 풍부한 머리를 뒤로 느슨하게 올린 게 기품이 철철 넘치는 중년부인이었다. 윤선생을 어머니한테 소개한 어머니의 친구인 한여사가 되레 처져보였다.

「아유 어쩌면 따님들을 하나같이 저렇게 출중하게 두셨을까? 참말 부럽습니다.」

윤선생은 혜진과 혜숙을 날카롭게 훑어보고 나서 이렇게 호들갑을 떨었다.

「선생님께서 그렇게 봐주셨다니 영광입니다.」

어머니의 응답에 혜진은 영광까지는 너무했다 싶어, 살짝 정작 당사자인 혜숙을 곁눈질해 봤더니, 혜숙은 외눈 하나 까딱 안하고 상냥하고 우아한 미소를 띠고 있었다. 혜진은 궁합 한번 잘 맞아떨어진다고 생각하면서도 속이 편친 못했다. 수시로 그녀의 속을 편치 못하게 하는 건 때로는 질투심이기도 했다가 때로는 패배감이기도 했다. 그녀의 양식은 어머니와 혜숙이가 윤선생의 술수를 빌려 이룩해보려는 새로운 형태의 결혼에 매우 비판적이었지만 한편으로 양식말고 욕심이나 허영 또한 남 못지않게 많았다.

「그럼, 이 집 자식들은 다 훌륭하구말구. 5남매가 하나같이 인물 좋구 학벌 좋구, 효성스럽구, 정말 남부러울 게 없는 모범가정이랍니다.」

한여사가 옆에서 이렇게 거들었다.

「그러니까 이 신부감이 5남매의 막내로군요? 위로 4남매는 다 결혼을 시키시구요?」

「그럼요, 아이들이 혼기 놓쳐 걱정해보진 않았답니다.」

「전 이 댁이 처음인데 딴사람이 했나 보죠?」

「딴사람이 하다뇨? 뭘 말씀입니까?」

「중매 말예요. 혹시 제가 알 만한 사람이 했나 해서 여쭤보는 겁니다. 실례가 됐으면 용서하십시오. 우리도 이게 직업이니만치 직업의식이랄까 경쟁심리랄까 그런 게 있답니다. 호호호……」

윤선생이 간드러지게 웃었다. 슬슬 본색이 드러난다고 생각할 만큼 그 웃음은 닳고닳은 웃음이었다. 어머니도 그 여자의 그런 웃음에 여직껏의 긴장이 좀 풀린 모양이었다.

「아, 네, 흉허물이 없으니까 말씀드리는 건데 위로 넷이 다 연애결혼을 했답니다. 죽고 못사니 어쩝니까. 즈이 좋다는 대로 시켰죠. 연애결혼해서 크게 잘못된 것도 없고, 남들은 또 그것도 복이라고들 위로를 해줍니다만 부모 된 마음에 항상 유감이죠. 아이들을 아쉬운 것이라곤 모르게 귀엽게만 키웠더니 사람 보는 눈이 도무지 영악하질 못하고 마음도 모질지를 못해서 한번 연애한 상대를 내칠 줄 모르니 어쩝니까?」

「큰 서랑(壻郎)은 뭘 하는데요?」

윤선생의 눈빛이 날카롭게 혜진을 훑고 지나갔다. 순간적인 일별이었지만 혜진은 벌거벗김을 당한 것 같은 모욕감을 느꼈다. 그러나 한편 순간적으로 번뜩인 건 그 여자의 눈빛뿐 아니라 그 여자의 싸고 싼 천기(賤氣)도였다는 생각이 들어서 고소하기도 했다. 그것을 물을 때 그 여자는 그렇게 저속해보였던 것이다.

「상사라고 꽤 큰 수출업체 부장이랍니다. 큰사위도 아주 잘 봤어요. 얘가 욕심이 좀 많아서 더 잘 보려고 윤선생님 신세를 지려는 거지 큰사위, 둘째사위 다 어디 내놓아도 빠지지 않아요. 그럼요.」

한여사가 재빨리 옆에서 거들었다.

「아가씨는 언니들을 닮지 않았나 보지?」

윤선생이 처음으로 혜숙이한테 말을 시켰다.

「네?」

「언니들처럼 연애를 안해서 나 같은 사람한테 건수를 만들어주었으니 말야. 연애를 안한 건가? 못한 건가? 또는 연애하고 결혼하고를 따로따로 생각하나?」

윤여사는 여러 가지를 한꺼번에 물었으나 대답을 기대하는 것 같지는 않았다. 혜숙이 역시 조금도 당황하지 않고 시큰둥하게 대답했다.

「좋을 대로 생각하세요.」

「저런 말버릇 봤나.」

「아녜요. 괜찮습니다. 요새 젊은이들 좀처럼 말꼬리를 잡히지 않습니다. 참 언니 되시는 분은 생미과를 나오셨다구요?」

윤선생이 느닷없이 혜진이한테 말을 시켰다.

「네. 그렇지만 졸업만 했다뿐 전공을 살릴 기회가 있었어야 말이죠.」

혜진은 괜히 주눅이 들어서 이렇게 얼버무렸다.

「차차 오겠죠. 뭐든지 전문화돼가는 시대니까요. 중매만 해도 요샌 완전히 전문직이에요. 아무나 할 수 있는 것도 아니고, 우리한테 맡기면 거의 불가능이 없으니까요. 요는 누가 정말 믿을 만한 전문인이냐가 문제죠. 가끔 우리 전문직이 마치 사회악의 표본처럼 부상할 때가 있는데 참말 억울해요. 골동품이니 보석이니 하는 것도 전문적인 감정가가 있게 마련인데, 일생을 같이 살 배우자를 찾아내고 감정해줄 전문인이 있다는 게 뭐가 나쁩니까? 하긴 어떤 전문직도 처음 생겨날 땐 약간의 거부반응이 없을 수야 없겠죠. 여자들이 집에서 전적으로 밥하고 바느질하고 빨래하던 때 지금 같은 기성옷 양장점, 가공식품을 누가 상상이나 했겠어요. 여자들이 처음으로 옷을 샀바느질집에 맡기기 시작할 때만 해도 얼마나 말이 많았다구요. 부덕이 어떻구, 천직이 어떻구 하면서 말예요. 가장 큰 걱정은 여자들이 할 일이 없어지면 큰일난다는 거였죠. 그렇지만 보세요. 요새 주부들은 소위 가사라는 걸 거의 다 각종 전문직에 빼앗겼지만 그렇다고 놀고 먹습니까? 시간이 남아돕니까? 더 보람 있고 재미있는 일에 바쁠 수 있잖아요. 중매도 그런 분업화와 전문화의 일종이건만 당해도 너무 심하게 당하는 것 같아요. 그렇지만 한번 정착한 전문직은 결코 없어지지 않습니다. 필요에 의해 생겨났고, 한번 전문인에게 맡겨보니 편하고 안심스럽거든요. 아유 내 정신 좀 봐. 여기서 이렇게 마냥 수다를 떨 시간이 없는데. H실업 김회장 장손 백일에 가봐야 하거든요. 그 댁 맏아드님을 작년 봄에 제가 짝지워줬는데 깨가 쏟아지게 살더니 올봄에 떡두꺼비 같은 아들을 낳았지 뭡니까. 그릴 게 없는데 단지 아들이 좀 귀한 댁이었어요. 김회장님이 딸 다섯에 막내로 외아드님을 두셨거든요. 근데 그 아들이 첫아들을 보았으니 경사도 이만저만 경산가요. 1년이면 여덟 달은 외국에서 사시는 김회장님이 며느님 산기 있다는 소리 듣자마자 단숨에 날아오셔갖고 그만 첫손자에 반해 여직껏 꼼짝 못하신다니까요.」

「어쩜 H실업 김회장님 댁 중매도 윤선생님이……」

어머니의 얼굴에 놀라움과 부러움이 치사하도록 선명하게 엇갈렸다.

「어디 김회장 댁뿐인가요? B병원 임원재 원장님 따님도 제가 중매섰고, ○○당 국회의원 아드님하고 C대 총장님 우민헌 박사 따님하고도 제가 맺어준걸요. 그뿐인가요. E그룹……, 아유 참 내가 이렇게 입이 싸면 안되는데. 아무튼 다 누구라면 알 만한 댁들을 부지기수로 맺어줬죠. 그렇지만 전 많이 하는 편이 아녜요. 1년에 그저 두세 건이 고작이죠. 워낙 거물급들 집안끼리 맺어주다 보니 그 이상은 힘에 부쳐 못해요. 맺어줬다고 일이 끝나는 게 아니거든요. 이성지합은 만복지원이라고 맺어주고 나면 곧 아기 낳고 백일이다 돌이다 경사가 그칠 날이 없고 그때마다 제가 빠지면 섭섭해서 난리들이니까요. 이왕 온 김에 집구경이나 하고 가야지.」

이러면서 윤선생이 일어섰다. 약간 구겨서 덩그러니 치켜올라간 치마 밑으로 외씨처럼 얌전한 버선발이 드러났다. 흩어지지도 않은 머리를 뒤로 끌어올리는 화사한 손에 비취반지가 그 여자의 품위를 더해줬다. 과연 색시감 방까지 본다는 소문이 맞는다는 말을 혜진은 어머니하고 눈으로 주고받으면서 스스로 안내를 맡아 앞장섰다. 윤선생은 결코 아무데나 기웃대지 않고 혜진이가 보여주는 데만 살짝 들여다보면서 간단하고 적절한 칭찬을 했다. 혜숙의 방을 들여다볼 때도 마찬가지였다. 집구경을 다하고 나서의 인사도 예의에 어긋남이 없었다.

「이 큰댁을 어쩌면 이렇게 골고루 깔끔하고 빈틈없이 거두고 사시는지요? 참으로 부럽습니다. 그럼 일간 또 뵙죠.」

이렇게 하직인사를 할 때 한여사가 재빨리 어머니한테 눈짓을 했다. 어머니도 허둥대며, 괜히 딸들한테 비굴하게 웃어 보이면서 미리 준비했던 흰 봉투를 꺼내 윤선생한테 내밀었다.

「이거, 선생님 약소하지만 교통비나 하시라고……, 부끄럽습니다. 꼭 다시 연락주세요. 기다리겠습니다.」

「아, 아닙니다. 이러실 것까지는 없습니다.」

윤선생은 비취반지 낀 손으로 봉투를 밀어내는 시늉을 하면서 눈 깜빡할 새 핸드백 속으로 챙겼다. 그 손놀림이 전문인답게 아주

공교했다.

윤선생을 배웅하고 들어오자마자 혜숙은 불평을 하기 시작했다.

「뭐 저런 여자가 다 있어. 남의 얼굴만 구석구석 뜯어보고 왜 신랑자리에 대해선 아무런 언질이 없냐 말야. 어떤 신랑이 있다든지 어떤 신랑감을 원하나 내 의견을 묻든지 뭐가 있어야 할 게 아냐. 말재간 하나로 남의 돈을 순 거저먹으려고 그래. 순 사기꾼 같으니라구.」

「애야, 내 얼굴을 봐서라도 무슨 말을 그렇게 하냐. 그 여자 내가 소개한 여자야. 그것도 내가 하고 싶어한 게 아니라 느이 엄마가 애걸복걸 부탁해서 한 거다. 내가 아는 그 여자는 자기 마음에 안 들면 절대로 봉투 안 챙긴다. 그 여자가 봉투 챙겼다는 건 네가 마음에 들었다는 표시요 마음에 들기만 하면 어떡하든 중매를 들어서 성사시켜놓고 마는 성미야. 그 여자가 뭐 시간이 남아돌아 느이 집에 놀러 온 줄 아니? 여기 온 게 바로 비즈니스고, 돈 받았으니 그 값은 할 게다. 염려 말아라.」

「애, 우리 애 성미 우물에 가서 숭늉 달라게 급해맞은 거 알면서 뭘 그까짓 소리를 탄하고 그러니? 자아, 일이 일단 잘될 모양이니 우린 마음 푹 놓고 점심이나 먹자. 하여튼 그 여자 듣던 대로 보통 내기가 아니더라.」

어머니는 괜히 신바람을 내면서 한편 불안한 모양이었다. 어머니는 딸의 혼사에 돈을 아낌없이 들일 각오를 하고 있느니만치 자기가 그 주도권을 쥐고 여러 사람을 휘두르고 싶었는데 사태는 어느 틈에 윤선생이 주도권을 쥐고 자기가 되레 부림을 당하는 입장이 돼버린 것 같아서였다. 이러다간 보잘것없는 코찡찡이라도 갖다 대면서 1등 신랑감이라고 우기면 그렇다고 동의할 수밖에 없을지도 모른다는 생각까지 들었다. 윤선생의 잘난 척 속엔 그런 최면술 같은 묘한 능력이 있었다는 게 윤선생의 영향권을 벗어나자마자 생각났던 것이다.

혜진도 어머니와 비슷한 불안감을 느꼈지만 그만해도 한 치 건너 두 치라 일이 돼가는 걸 구경하고 즐기자는 속셈 쪽으로 기울었다.

며칠 후 혜진은 어머니로부터 또 다급한 전화를 받았다.

「너 여름옷 좋은 거 있냐? 보통 나들이옷말고 아주 좋은 파티복 말이다. 없지? 있을 리가 없지. 파티에 갈 일이 생전 있어야 말이지.」

어머니는 이렇게 혜진의 비위부터 긁어놓고 나서 자초지종을 이야기했다. 윤선생한테서 연락이 왔는데 내일 혜숙이 선을 보란다는 것이었다. 근데 장소가 보통 호텔 커피숍이나 레스토랑이 아니고 그 여자가 중매를 선 모 호텔 재벌 아들과 돈 많은 모 구정치인 딸과의 결혼식장인 서울 근교 농장이라고 했다. 아름답기로 이름난 농장에서 초호화 결혼식을 올리니 구경삼아 오면, 자기가 점찍어놓은 신랑감들을 아주 자연스럽게 소개해줄 테니 그중에서 마음대로 골라잡을 수도, 하루 즐기고 그만둘 수도 있다는 얘기였다.

「그런 자리면 제가 갈 필요 없는 거 아녜요.」

「너도 꼭 같이 오라던데. 혜숙이 그 맹꽁이 사람 볼 줄 모르는 건 너도 알잖니. 친구처럼 어울릴 사람이 있어야 걔도 덜 어색하고……」

「그 여잔 제멋대로야. 처음 보는 선을 하필 그런 이상한 장소에서 보게 할 게 뭐람.」

「이상한 장소라니? 좀 좋아. 실컷 구경도 하고, 잘 얻어도 먹고, 신랑감도 여럿 중에서 골라잡을 수 있고, 첫째 어색하지 않고……그 여잔 절대로 다방이나 살롱 같은 데서 선보게 하지 않는다더라.

어떡하든지 자연스러운 기회를 마련하지.」

「알았어요. 알았으니 초호화 결혼식에 어울리는 옷이나 한 벌
해주시구려.」

「알았다. 나도 그런 각오는 진작부터 하고 있었느니라.」

이렇게 해서 초여름에 로렌스 박의 쇼윈도로 들여다만 보고 감
히 가질 수 있으리라곤 꿈도 못 꾼 환상적인 드레스를 한 벌 얻어
입을 수가 있었다. 다시 한번 그 앞에서 만난 연령과 미추를 초월
해서 다만 고상하기만 하던 귀부인 생각이 났다. 로렌스 박의 옷을
얻어 입었다고 해서 그 기가 질리게 고상한 여자에게서 느낀 이질
감이 조금이라도 해소된 게 아니었다. 집에서 그 요란한 옷을 입고
거울 앞에 서니, 내일 있을 결혼식장에서의 맞선에 대한 호기심보
다는 보통사람은 아무리 애써도 도달할 수 없는 딴 세상 사람들에
대한 이질감이 한층 심각해졌다.

다음날 돈 많은 구정치인의 소유라는 농장에서의 결혼식은 정말
굉장한 것이었다. 손님들은 모두 고상하고 우아하고 화기애애했
고, 농장은 광활하고 아름다웠고, 호텔 뷔페식당에서 날라오는 음
식은 맛과 양이 무궁무진했다. 조화된 분위기에서 다만 자신의 의
상만이 불청객의 표시인 양 수탉처럼 튄다고 혜진은 생각했다.

6
농장지대

결혼식이 끝나고 가든파티가 벌어지자 윤선생은 혜숙이를 재빨리 한 떼의 젊은이들 사이로 밀어넣었다. 파티에선 우선 아는 사람끼리 담소를 하다 보면 모르는 사람도 소개받아 알게 되고, 그래서 사교범위를 넓혀가게 마련인데, 윤선생은 처음부터 생면부지의 남녀를 여남은 명이나 한자리에 모아놓고 금방 화기애애한 분위기를 만들었다. 보통사람이 아닌 윤선생이 계획적으로 마련한 자리이니만큼 빨리 적응할수록 유리하다는 묵계 같은 게 이루어지고 있는 것 같았다.

그러나 자세히 보면 특별한 목적이 있는 모임이라는 걸 숨길 수 없었다. 남자들은 약간 불성실한 태도로 닳고닳은 농담을 해서 여자들을 웃기면서도 눈빛엔 절대로 밑지지 않는 물건을 골라잡아야 한다는 장사꾼 같은 교활함이 번득이고 있었고, 여자들 역시 천진하고 약간 수줍음 타는 듯이 굴면서도 문득문득 예리하고 타산적인 시선으로 남자들을 관찰하고 있었다.

혜진은 윤선생이 일부러 못 본 척 내버려두었기 때문에 먼발치로 그들을 관찰할 수밖에 없었다. 한 사람을 잔뜩 눈독을 들이고 관찰해도 겉만 보고 사람됨을 판단하기가 쉽지 않은 노릇이다. 하물며 다섯 명이나 되는 청년 중 누가 혜숙이하고 연이 닿을까조차 짐작할 수 없으니 눈독을 들이고 말고도 없었다.

혜진이의 솔직한 심정으론 다섯 청년이 다 마음에 안 들었다. 집 안이 각각 다른 집 자식들일 텐데도 마치 윤선생이 맞선용으로 기계에서 빼내온 것처럼 언동과 분위기가 비슷했다. 하나같이 훤칠하고 반들반들하고 약아빠지게 생겼고, 다리 꼬고 앉아 발을 달달달 까부는 버릇까지 비슷했다. 뭐니뭐니 해도 내 남편만큼 소탈하고 듬직한 남자도 없다고 생각하면서 혜진은 열쩍게 웃었다. 그들 근처를 슬며시 떠났지만 달리 아는 사람도 없었으므로 혜진은 자연히 외톨이가 됐다. 끼리끼리 담소를 즐기는 한가운데서 갈팡거리며 외톨이 노릇 하기도 못할 노릇이어서 숫제 드러내놓고 고독을 즐길 배짱으로 사람들로부터 좀 떨어진 등나무시렁 밑으로 갔다.

벽이 희고 지붕이 빨간 그림 같은 집 테라스에선 악사들이 감미로운 음악을 연주하고, 야외용 화덕에선 고기와 갈비를 굽는 푸른 연기와 감미로운 냄새가 식욕을 자극하고, 순백의 식탁보가 늘어진 즐비한 테이블 위엔 빛깔과 모양이 꽃밭 같은 산해진미가 먹어도 먹어도 없어지지 않고 샘솟고 있었다.

「왜 혼자 있어요?」

윤선생이 잉크빛 모시치마를 날개처럼 가볍게 흩날리며 혜진이 한테로 왔다.

「별로 아는 사람도 없고, 멀찌감치서 구경하는 게 더 재미있어서요.」

「저런, 혜숙씨는 벌써 친구도 여럿 만나고, 새로 사귀기도 하고 썩 잘 어울리던데.」

「그 앤 좀 그래요. 걔 혼자 보내도 되는 건데 괜히 따라왔나 봐요.」

「그만해도 세대차인가 보지. 혜진씨도 슬슬 어울려봐요. 오늘 이 결혼식 하객은 서울 장안에서 난다 긴다 하는 명문 대가댁 사람들을 총망라한 거라고 봐도 틀림없을 텐데 아무러면 아는 사람 한두 사람 못 만날라구.」

「글쎄요. 전 워낙 명문 대가하곤 거리가 먼 서민층이라……」

혜진은 그렇게 말해놓고 곧 후회했다. 윤선생처럼 자기과시에 익숙한 사람 앞에서의 솔직성이란 경멸의 대상밖에 안되리란 생각이 들었기 때문이다. 아니나다를까 윤선생의 얼굴에는 엷은 조소가 스쳤다.

「저한테 마음쓰지 마시고 혜숙이한테나 신경 써주세요. 우리가 오늘 여기 남의 호화판 결혼식 구경온 게 아니잖아요?」

자존심이 상한 혜진은 재빨리 윤선생 역시 다만 중매쟁이에 불과하다는 걸 일깨워주려고 했다.

「염려 말아요. 나는 언제 어느 자리에서고 내 직업의식에만은 투철한 사람이니까.」

마침 그때, 결혼식이 끝나고 나서 잠시 모습을 감추었던 신랑·신부가 하얀 집으로부터 나왔다. 폐백을 드리고 난 듯 사모관대한 신랑과 원삼에 족두리 낭자한 색시가 다정하게 팔짱을 끼고 사뿐사뿐 잔디를 밟고 파티장을 돌기 시작했다. 하객들에게 인사도 할 겸, 우아한 고전의상도 자랑할 겸 나온 것 같았다. 어느 틈에 곱게 빗어 쪽찐 머리엔 황금 용잠이 물려 있고 화관엔 보석장식이 화려 장중했지만 신부의 고개는 다소곳하지 않고 꼿꼿했고 시선은 자유로웠다. 테라스에서 경쾌한 음악이 울리자 신랑·신부의 걸음걸이도 패션쇼의 모델처럼 빠르고 가벼워졌다. 한눈에 빌려입은 옷이 아닌 고급의 맞춤옷이라는 걸 알 수 있을 만큼 금박이 특이하게 섬세하고, 본견의 질감이 우아한 고전의상과 현대적인 매너와 분위기가 썩 잘 어울리는 신부와 신랑을 혜진은 홀린 듯이 바라보았다. 상류사회라는 특수한 양지 쪽에서 이어지고 있는 우리의 전통은 마치 접붙여서 품종을 개량한 과실이나 화초처럼 정통성은 의심스러웠지만 볼품은 뛰어난 것이었다.

「저 사람들을 내가 중매섰답니다. 얼마나 어울리는 한 쌍인지……」

이미 알고 있는 일을 윤선생이 또 한번 강조했다. 윤선생은 마치 오랫동안 심혈을 기울여 완성한 작품을 여러 사람 앞에 선보이는 예술가처럼 일방적으로 도취하고 있었다. 그러다가 별안간 여기 이러고 있을 때가 아니라 그 걸작품을 창조한 게 바로 나라고 나서고 싶은 충동을 느꼈는지 종종걸음으로 신랑·신부한테로 다가갔다. 윤선생이 신부의 끌리는 옷자락을 잡아주기도 하고, 신랑 귀에 귀엣말로 속삭이기도 하고, 신랑·신부가 미처 못 알아보고 인사를 소홀히 한 윗사람들한테 다시 공손한 인사를 시키기도 하는 모습은 혜진이에겐 신랑·신부보다 더 희한한 구경거리였다. 언제 어디서고 즉각 자기가 할 일을 찾아내고, 그 일을 통해 자신을 그 자리에 없어선 안될 사람으로 만드는 윤선생의 능력은 실로 경탄할 만했다.

윤선생이 신랑·신부를 에스코트하면서부터 가든파티의 분위기가 한결 흥겨워졌다. 너무 현란한 고전의상에 질린 듯 멀리서 관망만 하고 있던 젊은 친구들이 우르르 몰려나와 신랑·신부를 에워싸고 칵테일 잔을 부딪치며 새롭게 축배를 들기도 했고, 박수를 치면서 큰소리로 야한 덕담을 하기도 했다. 그러나 윤선생은 살금살금 교묘하게 신랑·신부를 그 가운데서 빼내 다시 집 안으로 데리고 들어갔다.

이윽고 신랑·신부 티가 조금도 안 나게 캐주얼한 옷으로 갈아입고 화장도 수수하게 지운 모습으로 나타난 그들은 현관에 대기하고 있던 은빛 승용차를 타고 농장을 빠져나갔다. 배웅하려고 그들을 따르는 차가 속속 빠져나가자 파티장의 흥겨움이 한물가고, 해까지 설핏해지자 하객들은 저마다 급한 용무가 생각난 사람들처럼 서둘기 시작했다.

혜진은 혜숙을 찾지 않고 그냥 주차장 쪽으로 갔다. 어느 틈에 스프링클러가 곳곳에서 그 넓은 잔디에 시원한 소나기를 골고루 뿌려대고 있었다. 한동안 시달린 잔디가 연연한 녹색으로 생기를 회복하는 게 눈에 보였다.

버스로는 절대로 갈 수 없는 데라고 해서 아버지가 특별히 내준 포니2 안엔 뜻밖에도 혜숙이 먼저 들어앉아 있었다.

「너 웬일이야?」

혜진은 깜짝 놀라서 물었다.

「뭐가?」

혜숙이 다리를 꼬고 앉아 도전적으로 물었다. 심기가 편치 않아 보였다.

「너 딱지맞았구나, 그치?」

혜진은 혜숙이 앞으로 올라타면서 이렇게 다그쳐 물었다.

「어느새 딱지맞고 말 게 뭐 있어. 상대도 분명치 않은데……」

「하긴 그렇더라. 윤선생도 소문보다는 별거 아니구. 누가 왕년에 그룹미팅 못해봤을라구, 그게 뭐야?」

「그러잖아도 시내로 나가서 제비뽑기해 가지고 쌍쌍이 따로따로 놀라고들 하는 걸 싫다고 그러고 먼저 빠져나왔어.」

「왜? 내친김에 끝까지 부딪쳐볼 일이지.」

「그럴 마음이 안 내키는 걸 어떡해? 언니 제발 꼬치꼬치 따지지 말아. 나도 속상하단 말야.」

「왜 그래? 그 젊은이들이 다 네 눈에 안 차든?」

「내가 뭐가 그렇게 잘났다고 하나같이 명문 대가집 자제들인 그 사람들이 내 눈에 차고 말고 하겠어.」

「얘가 점점 이상하게 구네. 근데 왜 안 따라가고 혼자 처졌냐니까?」

「딱지맞을 게 뻔하니까, 미리 딱지놔본 거지 뭐.」

혜숙이 망연히 차창 밖을 내다보면서 말했다. 풀이 죽어보일 뿐 아니라 눈에 눈물까지 그렁한 게 아닌가.

「너 왜 그러니? 숨기지 말고 바른 대로 말해봐, 어여.」

심상치 않은 걸 느낀 혜진이 별안간 운전기사한테 신경을 쓰면서 소리를 죽여 당조짐을 했다. 그러나 혜숙은 아랫입술을 자근자근 씹을 뿐 말을 하지 않았다. 동생이 여러 형제 중 제일 정이 깊지 못할 뿐더러 입도 무거운 편이 못된다는 걸 아는 혜진은 점점 궁금증만 더했다.

「내 친구 동생 중에 인물이나 학벌이나 집안이나 어디 내놓아도 손색 없는 애가 있는데 서른이 넘도록 시집을 못 갔지 뭐니. 올해 아마 서른둘일걸. 왜 그런 줄 아니? 처음 선볼 때 아마 두서너 번 퇴짜를 맞았나 봐. 그럴 수도 있는 건데 워낙 마음이 여린 애라 그만 그걸로 기가 팍 죽어가지고 그 다음부턴 지레 겁을 먹고, 남자 쪽에서 딱지놓을 새가 없이 제가 먼저 제시닥 제시닥 딱지를 놓는 거야. 그러니 서른 아니라 마흔이 넘어도 혼인이 될 게 뭐니?」

「언니, 재수 나쁘게 그런 맹꽁이 같은 여자 얘기는 뭣 하러 해.」

혜숙이 아직도 눈물이 그렁한 눈으로 도끼눈을 뜨고 발끈 화를 냈다.

「네 입으로 그랬잖아? 딱지맞을 게 뻔하니까 미리 딱지놓았다고. 그런 식으로 나가다간 그 애 짝 날 게 뻔해서 그런다. 너 어머니가 돈을 얼마나 들여서 윤선생을 댄 줄 알고 그런 철없는 장난을 치냐 치길?」

「언니, 제발 가뜩이나 속상한 남의 속 좀 작작 긁어. 언니 눈엔 내가 고작 장난이나 치고 있는 걸로 보여?」

「그럼 뭐야? 아니면 사실을 얘기해봐. 나 너 집 잃어버릴까 봐 따라나선 거 아니니까.」

「나 오늘처럼 열등감 느낀 적 없어. 열등감이 이렇게 고약한 느낌이란 것도 오늘 처음 경험했구.」

혜숙이 차창 밖으로 시선을 돌리고 착 가라앉은 소리로 말했다.

「열등감? 네가? 애 웃기지 말아. 네가 어디가 못나서 열등감씩이나 느낄 새가 있냐?」

혜진은 자기도 모르게 비꼬는 투로 나왔다. 그건 평소 그녀가 품고 있던, 콧대 높고 쌀쌀맞은 막내동생에 대한 아니꼬운 감정의 발로이기도 했다.

「나 자신에 대해서가 아냐. 별볼일 없는 우리 집안에 대한 열등감이었을 뿐이야.」

혜숙이 발끈하면서 앙칼지게 말했다.

「우리 집안이 어때서? 부모님이 극성맞을 정도로 노력해서 남부럽지 않게 사시고 여러 남매 다 대학공부시켰고, 막내인 너는 특히 공주처럼 키우셨어. 게서 뭘 어떻게 더 잘해달라고, 뭐 별볼일 없는 집안? 말이면 다하는 줄 아니?」

혜진은 큰언니다운 위엄과 의분 같은 걸 함께 나타내고자 제법 엄숙하게 꾸짖었다.

「언닌 뭘 너무 몰라. 자기가 고생고생 하면서 살다 보니 친정 사는 게 최고로 잘사는 걸로 보이겠지만 세상은 그게 아냐.」

「너 정말 날 이렇게 함부로 모욕해도 되는 거니?」

혜진이 파르르 입술을 떨었다. 맏이와 막내란 나이 차이가 까마득한 세대차 같은 게 돼서 서로 경원하고 있을 뿐 원래 아기자기한 정이 별로 없는 사이이긴 했지만 오늘처럼 동생이 미워보이긴 처음이었다.

「언니 미안해. 나도 오늘처럼 기분 나쁜 열등감은 처음이어서 쇼크받았나 봐. 나도 모르게 못할 소리를 했으니 신경 쓰지 말아.」

혜숙이 뜻밖에도 바로 자기 잘못을 인정하고 고분고분 사과를 했다.

「얼마나 잘난 사람들을 만났기에 네가 그렇게 기가 죽었단 말이니? 나 보기엔 그렇고 그런 흔해빠진 젊은이들이더구만……」

「그래도 하나같이 이름만 대면 삼척동자도 누구라는 걸 알 만한 집 아들들이야. 우리집하곤 댈 게 아니지. 윤선생도 나를 소개할 때만은 아버지가 뭐 하신다는 걸 슬쩍 빼먹고 넘어가더군.」

「우리 아버지도 어엿한 사장님인데 뭐가 켕겨서.」

「요샌 포장마차 주인도 사장이고 구두닦이 통을 몇 년 메도 사장이야.」

「우리 아버지가 얼마나 알부자인 건 너도 알잖아. 실속 없이 사무실만 번드르르한 사장하곤 달라.」

「아무튼 오늘 그 자리는 우리 아버지 같은 조그만 하청공장 사장이 명함을 내밀 자리가 아니었어. 언니도 아마 그들이 얼마나 어마어마한 집 자제란 걸 알면 놀라 자빠질 거야.」

「자빠지긴 싫으니까 그걸 알 필요도 없어. 설사 그들의 배경이 우리와는 댈 게 아니게 어마어마하면 또 어떠냐? 너는 어쩌면 그렇게 네 자신에 대해서 자신이 없냐 없길.」

「언니, 오늘의 만남은 순전히 집안이란 배경끼리의 만남이지 사람됨의 만남이 아닌데 내가 무슨 수로 자신을 가지우. 그들이 내 배경을 알면 나를 좋아하지 않을 게 뻔한데. 누가 나한테 만일 포장마차집 아들을 소개해준다면 내가 그를 좋아할 수 있겠수?」

「좋아할 수도 있지. 사람만 훌륭하다면 얼마든지 좋아할 수 있는 문제구말구.」

「저렇다니까. 아무튼 언니하고 나하고의 세대차는 끔찍해. 무슨 말이 통해야 말이지.」

「그건 세대차가 아니라 성격차야. 우리 자랄 때만 해도 우리집 살림이 지금만 훨씬 못했어서 그런지 돈 귀한 거, 물건 귀한 걸 알 만큼 알고 자랐는데, 너는 막내라고 응석을 있는 대로 다 받아주고, 아버지 사업이 잘되는 게 네 복처럼 공주 부럽지 않게 키우시더니 성격은 아주 버렸다. 아버지·어머니도 딱하시고 너도 딱하고……」

「나 보기엔 언니가 더 딱해.」

「그만두자. 너하고 긴말하다간 싸움밖에 할 게 없으니까. 네가 나를 우습게 보는 건 좋아. 그렇지만 오늘 맞선은 내가 주선한 게 아니라 중매쟁이 중에서도 슈퍼중매쟁인 윤선생이 한 거 아니냐? 생판 가망 없는 상대를 갖다 댔을 리가 없잖아. 윤선생 나름의 속셈이 있었을 테니 너도 끝까지 최선을 다해볼걸 그랬어 이것아.」

「윤선생의 속셈은 뻔해.」

「또 알은척.」

「중매쟁이들 성사가 되건 안되건, 건수가 있을 때마다 수고비 받는 건 언니도 알잖아?」

「그래 윤선생은 그 단가도 특히 높다더라. 그러니까 잘해봤어야 한다는 거 아니냐? 그리고 설마 수고비 때문에 일부러 안될 자리를 갖다 대기야 했을라구. 윤선생만치나 네임밸류가 있는 뚜쟁이가.」

「일석이조(一石二鳥)를 노렸겠지. 수고비도 수고비지만 계획적으로 자기과시를 한 것 같아. 자기가 얼마나 장안의 명문 대가와 골고루 줄이 닿아 있나를 나한테 가장 효과적으로 보여준 거지.」

「굳이 그럴 필요가 있었을까?」

「있지, 그만큼 자신의 신뢰감을 높일 수가 있잖아. 처음 잡은 손님한테 우선 신뢰감을 얻어놓는다는 건 얼마나 지능적인 상술이야.」

「도대체 얼마나 대단한 집 자제들이길래 그 야단이니?」

「몰라. 말도 하기 싫다니까.」

「하긴 나도 오늘 좀 질리긴 질렸다.」

「언니는 왜?」

「그 농장 말야. 나나 형부나 늘그막에 농장 하나 갖기가 소원이었거든. 시골의 값싼 야산이나 1, 2천 평 사놓았다가 작은 오두막을 짓고, 젖소나 몇 마리 키우고 농약 안 뿌린 채소도 가꾸면서 살 수 있는 농장 말야. 서울살이에 찌들은 월급쟁이치고 그런 꿈 없는 사람은 아마 없을걸. 물론 서울바닥에 내 집 갖기 꿈을 이룬 다음에 오는 2차적인 꿈이긴 하지만. 그런데 오늘 가본 농장은 우리가 꿈꾼 농장하곤 너무나 격이 다르더라. 그런 별세계가 있는 줄은 미처 몰랐어. 우리가 꿈꾼 농장은 어디까지나 시골에 속하는 거였는데 오늘 본 농장은 시골이라기보다는 외국 같았어.」

「외국?」

혜숙이 높은 소리로 깔깔댔다.

「내 표현이 좀 우습지? 아무튼 이 나라에서 못 보던 거니까 그렇게 말할 수밖에 없잖니. 나는 이 나라를 크게 도시와 시골로 구분

할 수 있다고 생각했거든. 여러모로 뚜렷하게 대립되니까. 도시는 소비적이고 시골은 생산적이고, 한쪽은 편리하고 한쪽은 불편하고, 한쪽은 인공적이고 한쪽은 자연적이고……, 상반되는 건 그밖에도 얼마든지 있지. 그런데 오늘 본 농장은 그 어느쪽에도 속할 수가 없지 않니. 도시적인 온갖 편의시설을 갖춘 자연, 비생산적인 자연, 빌딩 속처럼 구석구석 청결의 손길이 미친 자연, 조금도 자연스럽지 않은 자연이 그렇게 광활한 부분을 차지하고 있다니……」

「언니는 노후의 농장에 대한 꿈이 초라해지지 않아?」

「모르겠어. 그런 것도 같아.」

「그럼 아마 오늘의 내 기분도 이해할 수 있을 거야.」

「내 지도에 도시와 시골 외의 농장지대가 하나 더 생겼다 해서 그게 어쨌다는 거야?」

혜진은 항의하듯이 혜숙이한테 물었다. 혜숙이 딱한 듯이 혜진을 바라보기만 했다. 서로 빗나가기만 하던 자매의 우울이 잠깐 공감대를 얻은 것 같았다.

차소리가 나자 문 밖까지 뛰어나온 어머니는 혜진이 혼자 타고 온 줄 아는지 역정부터 냈다.

「이것아, 아버지가 큰마음 잡숫고 차를 내주셨으면 얼른 돌려보낼 일이지, 누가 너더러 온종일 쓰랬냐? 갈 때는 할 수 없었지만 올 때야 아무 차에고 편승 못할라구, 쯧쯧……」

이렇게 구박을 하다가 혜숙이도 같이 온 걸 알고는 단박 눈빛이 달라졌다.

「일이 틀린 모양이로구나?」

「틀리긴 뭐가요?」

「맞선을 봤으면 일단 저희끼리 처질 것이지 너하고 붙어 들어왔으니 말이다.」

「어머니두. 처음 본 맞선에서 단박 일이 성사가 되면 억울해서 어떻게 하시려구요?」

「억울하다니 뭔 소리냐?」

「실컷 골라잡는 재미에 중매결혼하는 거 아닌가요?」

「하긴 첫술에 배부르겠냐? 그래도 그렇지. 얼마간은 사귀어봐야 골라잡든 말든 할 게 아니냐?」

「사귀어볼 것도 없을 만큼 눈에 안 찬다니 전들 어쩌겠어요.」

「쟨 아직 어려서 사람을 외모밖에 볼 줄 모르지 않니. 그래서 널 딸려보냈지 달래 딸려보냈냐. 윤선생이 갖다 댄 신랑인데 조건이야 어련할려구. 코찡찡이만 아니면 사귀어보지 않구.」

어머니는 혜숙이가 일찍 돌아온 게 암만해도 아쉬운 모양이었다. 그러나 정작 당사자인 혜숙은 어머니와 언니가 주고받는 말에 한마디도 끼여들지 않고 냉담하고 무표정한 얼굴로 2층으로 올라가버렸다. 오는 도중 혜진에게 얼핏 드러내 보인 열등감인지 우울증인지를 어느새 감쪽같이 감추고 있었다.

「쟤가 왜 저러냐?」

「쟤야 워낙 콧대가 좀 높우.」

「우리 혜숙이쯤 되면 콧대 못 높을 것도 없지. 안 그러냐?」

어머니는 스스로 이렇게 기분을 회복했고, 나중에 윤선생한테서 전화가 걸려오니까 경위도 묻기 전에 우선 「우리 혜숙이가 그 신랑 마음엔 안 찬대요」 소리부터 하고 나서 워낙 콧대가 높은 애니 이해해주시고 더 좋은 신랑감을 물색해달라고 부탁하는 것이었다. 눈치로 먹고 사는 윤선생인지라 이런 어머니에게 장단을 잘 맞춰, 어머니로 하여금 딸이 얼마나 훌륭한 신랑감을 가볍게 퇴짜놓았나를 마음껏 즐기게 했다.

7
개천에서 용 나다

그후 윤선생은 평균 1주일에 한번씩은 신랑감을 물색해왔다. 혜숙은 신랑 사진과 윤여사가 구전(口傳)하는 신랑의 조건을 검토해보고 맞선에 응하기도 하고 말기도 했다. 이쪽에서 맞선에 응하지 않을 때도 어머니는 윤여사에게 꼬박꼬박 봉투를 건넸다. 얼굴 한번 보이고, 말 몇 마디 하는데 고명한 박사님의 120분 특강료만한 거마비를 받는, 과연 대단한 중매쟁이였다.

자기한테 돈이 많이 드는 데 대해 추호의 의심이나 죄책감 없이 자라온 혜숙이건만 윤여사한테 물쓰듯 쓰는 돈에 대해선 아까워도 하고 가끔 그 액수를 궁금해하기도 했다. 그럴 때 어머니는 혜숙이를 이렇게 핀잔주었다.

「이것아. 그 돈이 아까우면 작작 배짱 튀기고 적당한 신랑을 골라잡으면 될 게 아냐. 느이 언니·오래비들은 어디가 살짝 모자라는 애들처럼 허겁지겁 아무나 골라잡아 에미 속을 앵하게 하더니 넌 또 누굴 닮아 그렇게 눈이 높으냐. 그래도 눈은 높을수록 좋으니라. 다 높을 만하니까 높은 거니까.」

이렇게 핀잔을 주는 척하면서도 부추기고 있었다. 어머니 보기에 사진만 보고 싫다고 했건 맞선까지 보고 성사 안됐건 다 혜숙이 쪽에서 퇴짜를 놓은 줄 알지만, 정말 퇴짜를 놓은 게 어느쪽인지는 아무도 몰랐다. 신랑편에 물어본다면 그쪽에서 먼저 퇴짜놓았다고 주장할 게 뻔했다. 서로 속으로 재보고 맞춰보고 눈치보다가 어쩐지 밑지는 것 같으면 허둥지둥 퇴짜놓는 선수나 쳐보자는 식의 결과가 되풀이됐다. 그걸 중간에서 윤선생이 교묘하게 잘 처리해서 서로 자기가 퇴짜놓은 것처럼, 그러니까 다음엔 더 나은 혼처가 나설 것처럼 한껏 콧대를 높여놓으면서도 희망을 잃지 않게 했다.

그러나 당사자인 혜숙은 서너 달 동안에 열 번 가까운 맞선을 보고 나자 저으기 지친 것 같았다. 사람의 얼굴이란 누가 자꾸 본다고 해서 닳는 게 아니라곤 하지만 맞선만은 안 그런 것 같았다. 서너 달 동안에 풋과일 같은 앳됨과 싱싱함을 잃고 폭삭 늙어보였다. 약간 버르장머리 없을 정도로 자신에 차 있던 똥그란 눈에서 반짝이는 정기가 가시고, 노숙하고 교활한 눈치만 남은 것 같았다. 성질도 후줄근하고 뻔뻔해진 것 같다가도 느닷없이 발칵 신경질을 부리는 등 종잡을 수가 없어졌다. 혜진이 보기에 맞선이란 게 할 짓이 아니다 싶은데도 윤선생과 어머니는 이젠 한통속처럼 죽이 잘 맞아서 혜숙의 눈을 점점 높이는 데 열을 올리고 있었다. 처음엔 좋은 구경거리처럼 이런 것들을 방관만 하던 혜진이도 차츰 안된 생각이 들었다. 자기라도 올바른 정신을 가지고 바른말을 해주지 않으면 무슨 일이 날 것 같았다. 워낙 정 없는 동생이건만도 동기간이란 어쩔 수 없는 거여서 혜숙이가 불쌍해서라도 무슨 조치를 취해야지 싶었다. 이렇게 당사자뿐 아니라 주위 사람까지 지쳐갈 무렵 마침내 혜숙이도 정직한 실토를 했다.

「언니가 부러워.」

맞대놓고 혜진이 사는 걸 경멸하던 혜숙이답지 않은 소리였다.

「네가 나를 부럽다고?」

「그래. 언니처럼 살고 싶진 않지만 연애결혼한 것만은 부러워.」

「연애결혼했기 때문에 요만큼밖에 못사는 걸로 네 눈에 보일 텐데 연애결혼이 부럽다니 말이 되니?」

「글쎄 말야. 나도 지쳤나 봐.」

「그렇게 힘이 드냐? 그 맞선이란 게.」

「말도 마, 언니. 언니 눈에도 요새 나 폭삭 늙어보이지? 바른 대로 말해.」

「폭삭이랄 것까진 없어도 좀 그래. 닳고닳아보인달까.」

「그럴 거야. 앞으로 연애 같은 건 다신 못하겠지?」

혜숙이 심란한 듯 쓸쓸하게 말했다.

「못하면 어떠니. 넌 연애하고 결혼하고를 철저하게 별개의 문제로 생각하면서.」

「그 생각엔 변함이 없어. 그렇지만 앞으로 다시는 연애를 못할 것 같은 예감이 얼마나 고약하다는 건 언니는 아마 모를 거야.」

「네가 아마 그동안에 남성혐오증에 걸렸나 보다. 하긴 그럴 만도 하지. 아무리 좋은 음식도 줄창 먹으면 물리게 마련이니까.」

「남성혐오증보다 더 나쁜 게 걸렸어.」

「그게 뭔데?」

「자기혐오. 맞선이란 걸 나처럼 자주 볼 게 아니다 싶은 건 바로이 자기혐오 때문이야. 자신이 그렇게 싫어질 수가 없어. 연애할 때하곤 정반대지. 연애할 때는 상대방을 사랑하고, 또 자신도 사랑받고 있다는 충족감 때문에 자신이 예뻐보이잖아. 언니도 그 기분은 알지? 연애할 땐 남들이 다 예뻐졌다고 그러고, 거울을 봐도 실제로 자신의 장점들이 자신(自信)을 가지고 피어나 깜짝 놀라게 예뻐보이는 거. 외모뿐 아니라 속에 있는 좋은 성품까지도 기죽을 펴고 살아나 자기가 꽤 괜찮은 인간이 된 것 같은 자신감이 생기는 거. 이제 생각해보니 연애란 자애(自愛)까지도 겸한 거였어. 맞선은 그와 정반대야. 그놈의 맞선시장에 내 얼굴을 내걸고부터는 자신이 그렇게 싫어질 수가 없는 거 있지. 자신의 용모뿐 아니라 인간성 속의 좋은 것들이 오뉴월 볕에 내놓은 생선처럼 급하게 물이 가는 걸 스스로 느낀다는 건 비참한 노릇이야.」

혜숙이가 혜진이한테 그렇게 긴말을 하기도, 그렇게 정직하기도 흔치 않은 일이었다.

「네가 정말 그렇게 초조하다면 왜 그렇게 배짱을 튀기냐. 그저 웬만하면 사귀어보다가 결혼할 것이지. 안 그래?」

「언니는 아직도 뭘 몰라. 내가 초조한 건 결혼을 못할까 봐서가 아니라니까. 내가 물이 가고 못쓰게 돼가는 걸 느끼는 게 초조한 거지.」

「무슨 소린지. 남이 널 고작 생선에 비유한다면 펄쩍 뛸 아이가 그게 무슨 당치도 않은 자학이냐?」

「그래서 자기혐오가 가장 큰 문제라는 거 아뉴. 언니는 맞선시장을 모르는 것만도 행복한 줄 알라니까. 그 시장에 일단 내걸렸다 하면 자신의 가치가 어느 틈에 그것밖에 안돼 있는 걸 어떡해?」

「그놈의 윤선생인지, 뚜쟁인지를 그저, 그저……」

혜진이가 별안간 윤선생한테 이를 가는 시늉을 했다. 그 신비로운 중매쟁이의 단수가 느닷없이 마녀의 간계처럼 징그럽게 여겨졌기 때문이다.

「언니는 윤선생에 대해서도 뭘 너무 몰라. 엄마도 그렇고.」

「알아봤댔자야. 기껏 뚜쟁이지 제가 별걸라구.」

「엄마도 그렇구, 언니도 그렇구, 내가 눈이 높아 맞선을 보는 족족 퇴짜를 놓는 줄 알지?」

「그럼 안 그렇단 말이니?」

「다 윤선생의 계략이야.」

「윤선생이 널더러 그러라고 시키디? 오오라, 그렇게 해서 자꾸만 맞선을 보게 해야 엄마한테 마냥 거마비를 뜯어낼 테니까. 저런 못된 여편네가 있나. 그렇더라도 그렇지. 넌 무슨 허수아비냐? 그 여편네가 시키는 대로 움직이게. 좋은 신랑감 있으면 꽉 붙드는 건 네 마음에 달린 거지.」

「엄마나 언니나 눈치없는 거 하나는 하여튼 알아줘야 한다니까. 그 여자가 그렇게 노골적으로 시킬 여자유? 다만 그렇게 되도록 조종한다 이거지.」

「무슨 소리야? 도대체.」

「가든파티 날도 잠깐 얘기했잖아. 그후 쭉 그런 수법이야. 우리집하곤 도무지 걸맞지 않은 소위 명문 대가댁 아들하고만 맞선을 보게 하는 거야. 엄마는 남의 속도 모르고 그런 집하고 맞선 보는 것만도 좋아하시지만, 연애가 아닌 맞선시장에서 첫째 집안끼리 안 맞는 결혼이 성립된 이변은 절대 안 일어난다는 게 우리들의 상식이야.」

「난 네가 그런 소리 할 때가 제일 불쾌하더라. 우리집이 설사 명문 대가까지는 못 간다 하더라도 명문 대가한테 그렇게까지 열등감 느껴야 한다고는 생각하지 않기 때문이야.」

「열등감 느낄 수밖에 없을 만큼 대단한 집안 아들만 끌어다 대는 걸 어떡해?」

「그래 좋다. 집안끼리는 격이 안 맞는다 치자. 네 자신을 가지고

격을 맞추면 되잖아. 그 높은 콧대 됐다 뭐 하냐. 딴 애도 아니고 네가 어쩜 그렇게 자신없는 소릴 할 수가 있냐.」

「하여튼 엄마하고 언니하고 무식한 건 못 말려. 학벌이 아니라 소위 명문 대가라는 걸 모른다는 소리유. 요새 명문 대가라는 집들이 얼마나 담 높이 쌓고 문단속 철저히 하고 사는지는 언니도 소문을 들어서 알지? 누가 들어와 훔쳐갈까 봐도 경계를 그렇게 철저히 하지만, 외부 사람이 안에 발을 들여놓거나 엿보는 것만도 싫은 거야. 그들은 또 그들끼리만 똘똘 뭉쳐서 높은 울타리를 쌓고 외부 사람한테는 그렇게 배타적일 수가 없어. 예전 양반들이 그랬듯이 즈네들의 순수성을 지키기 위해 굳게 결속해서 끼리끼리 다 해먹는 거지 뭐. 출세도, 장사도, 결혼도. 우린 그 울타리 밖의 부류야. 그 울타리를 넘을 수 있다고 생각하면 큰 잘못이야.」

「윤선생이라는 사다리를 타면 못 넘을 것도 없지 않을까?」

「윤선생 같은 족속은 사다리가 아니라 그 높은 울타리 위에 쳐진 가시철망이나 다름없어. 행여 울타리가 허술해질까 봐 당사자들보다 한술 더 떠서 전전긍긍하는 게 그들이니까.」

「그렇지만 얘야, 여직껏 네가 본 신랑감이 정말 다 명문 대가집 자제라면 이야기가 틀리지 않니. 윤선생의 노력도 알아줘야겠지만, 그쪽도 거마비 내고 구태여 전혀 흥미 없는 울타리 밖의 사람을 보러 나왔을라구?」

「아무리 순진해도 그 정도의 상상력도 없수?」

「어머 그럼 가짜 신랑들이었단 말이지? 명문 대가댁 자제를 가장……, 윤선생 그 여자 순 사기꾼이구나.」

「언니 진정해. 꾼은 꾼이라도 그런 사기꾼은 아냐. 그 여자 정말 그 바닥에선 유명한 여자야. 그런 저질의 사기를 칠 여잔 아냐. 진짜 명문 대가댁 자제를 동원할 실력이 그만큼 있는 여자지. 자기하고 연줄이 닿는 집 자제를 잠깐 끌어내는 거야. 남자들이야 장난삼아 심심풀이삼아, 잔뜩 치장하고 나간 나 같은 여자를 눈으로 핥아도 보고 혀로 얼러도 보고 좀 재미나겠어.」

「얘는 바쁜 사람들이 그까짓 재미를 보려고 뚜쟁이한테 그 비싼 거마비를 지불하겠니?」

「그쪽에선 거마비를 안 받는다고 생각해봐. 여자 쪽에서만 받는다면 그 이야긴 얼마든지 성립이 되지.」

「여자 쪽에서만 받다니, 얘 그건 말도 안돼.」

「말이 왜 안돼. 여자가 흔하고, 나처럼 헛된 꿈을 꾸는 여자는 더구나 흔하고, 또 일반적으로 여자 쪽이 약자고 저자세니까 얼마든지 가능한 문제야.」

「여자가 저자세라니? 지금 세상에 그런 진부한 소리가 어딨어. 결혼이란 어디까지나 서로를 존중하는 대등한 관계여야 돼.」

「고맙수. 언니니까 그런 소리라도 해주지 누가 해주겠수. 언니도 연애결혼했으니까 그런 소리 할 수 있지 중매로 했으면 어림도 없을걸. 맞선시장에서 여자의 위치가 얼마나 보잘것없다는 건 아마 당해보지 않으면 모를 거야.」

「누가 너더러 그렇게 기죽을 못 펴라고 가르치든? 넌 우리집에서 공주처럼 기른 애야. 너 위엔 사람이 없는 줄 알아서 언니인 나도 아니꼬워서 상대하기도 싫던 애야. 그렇지만 밖에 나가서, 더구나 결혼이 성립될 가망도 없는 남자 앞에서 저자세로 굴었단 소리는 기분 나쁘다.」

「내 딴엔 최선을 다하느라고 했어. 나도 처음부터 윤선생이 갖다 댄 신랑감이 나한테 그림의 떡이라고 생각한 건 아니니까 얼마나 열심히 잘 보이려고 노력했다구. 아는 방법은 다 썼어.」

「잘 보이는 방법이 뭔데? 네가 그걸 알고 있었을 리가 없어.」

「왜 몰라. 요새 여성지엔 맨 그 방법뿐인데. 맞선 보는 자리에서 눈 뜨는 법, 차 마시는 법, 웃는 법, 앉는 법, 서는 법, 눈치보는 법 …… 그걸 마스터하고 나면 여자의 위치가 얼마나 형편없다는 걸 저절로 깨닫게 되지. 불평등 관계는 옛날얘기야. 불평등하다는 건 그래도 같은 인간관계에서 비롯된 얘긴데 요새 신부감은 인간도 아냐. 순 상품이지. 맞선 볼 때 여자들이 지켜야 할 법은 매너이기보다는 상품을 포장하는 상술과 하나도 다를 게 없으니까.」

「그런 신부수업은 언니인 내가 시켜야 하는 건데 그만 무심했더니 네가 어디서 과장된 것만 주워들었나 보구나. 미안하게 됐다. 네가 좋은 데로 시집가기 위해 그렇게까지 노력을 했다니 측은하기도 하고. 이왕 내친김에 끝까지 해보는 게 어떻겠니?」

「나만 노력한다고 되는 일이 아니잖아, 상대방이 노력은커녕 최소한의 성의도 안 보이는걸.」

「상대방이 장난삼아 나온다고 생각하는 것도 너의 지나친 자기 비하가 아닐까? 그건 분명히 오핼 거야.」

「여직껏 한번도 가족하고 같이 선보러 나온 남자를 본 적이 없어. 다 혼자서 달랑 나왔지.」

「혼자서 달랑 나가긴 너도 마찬가지였잖니? 나라도 따라나가려도 윤선생이 극구 말려서 한번도 못 가봤잖아.」

「그쪽에서 혼자 나오니까 우리도 못 나오게 한 거야. 그쪽은 아마 가족은 알지도 못할 거야.」

「당사자 마음에 우선 들고 나서 알려도 되는 거 아니니?」

「그건 우리 같은 사람의 상식이고 소위 명문 대가의 결혼풍습은 안 그래. 걸맞은 집안끼리 가망이 있는 맞선을 볼 때는 양가의 어른들이 다 참석을 해서 정작 당사자는 당분간 뒷전으로 밀려나 있게 돼. 그런 풍습을 알고부터 내가 윤선생의 계략에 의해 안될 게 뻔한 맞선에 말려들었단 심증을 굳히게 된 거야.」

「윤선생이 설마 그렇게까지 악질일까.」

「악질이 아냐. 유능한 장사꾼일 뿐이지. 두고 보구려. 앞으로 난 별수없이 윤선생 덕에 시집갈 테니.」

혜진은 당장은 혜숙이 말귀를 못 알아들었지만 곧 알게 됐다. 규칙적으로 새로운 신랑감을 물색해오던 윤선생의 발길이 뜸해져서 어머니가 은근히 애가 닳아할 무렵 윤선생이 다시 나타났다. 어머니의 대접이 더욱 융숭하고 은근해질 밖에 없었다. 윤선생 역시 그동안 독특한 기품으로 유지해오던 간격을 허물고 고모나 이모처럼 소탈하고 무관하게 굴었다. 윤선생의 이런 변모에 어머니는 단박 체면을 허물고 주책없이 굴기 시작했다.

「우리 혜숙이 콧대 높은 데 선생님도 손드셨죠? 그래서 아주 발길을 끊으시면 어쩌나 얼마나 조마조마했다구요. 하여튼 이렇게 다시 와주셔서 고맙습니다. 그동안 곰곰이 생각해본 건데요, 조금 정도를 낮추면 어떨까요.」

「정도를 낮추다니요? 농담이시겠죠.」

「아이구 아녜요. 제가 윤선생님께 농담을 하다니요. 이제 한 식구처럼 흉허물이 없으니까 말씀인데 걔가 그 좋은 자리를 다 마다하는 게 암만해도 명문 대가댁에 들어가 살기가 켕겨서 그러는 것 같아요. 걔 나무라 뭘 합니까. 그저 막내라고 워낙 버르장머리 없이 오냐 오냐 키운 저희 불찰이죠.」

「어머님이 먼저 그 말씀을 해주시니 저도 말씀드리기가 훨씬 편하군요. 저도 벌써부터 같은 걸 느껴왔으니까요.」

「어쩜 그게 정말이세요?」

「제가 눈치 하나로 그 드센 바닥에서 이만한 명성을 얻은 사람입니다.」

「암, 아무러면요.」

어머니는 괜히 신이 나서 고개를 주억거렸다.

「그래 말씀인데, 실은 저도 상대방의 질을 좀 낮춰볼까 해서 그 의논을 드리러 이렇게 찾아뵈었답니다.」

「그래 주시면 오죽이나 좋겠어요. 그렇지만 윤선생님 같은 분이 명문 대가말고도 아시는 데가 있을는지 그게 또 걱정이 되지 뭡니까?」

「그 점은 염려 마세요. 질을 좀 낮춘다고 해도 다만 명문 대가댁이 아니다뿐 신랑의 인격의 질을 낮춘다는 애기는 아니니까요. 어떻게 된 게 요즈음은 명문 대가댁에서도 딸 가진 입장에선 같은 명문 대가보다는 가문은 좀 낮더라도 신랑 하나만 똑똑한 자리를 구하는 경향이 있거든요. 뭐니뭐니 해도 딸은 좀 낮춰서 보내는 게 시집살이가 편하니까요. 딸 시집보내기가 아들 장가보내기보다 어려운 탓도 있구요. 그래 그런지 개천에서 용 난 신랑감이 오히려 명문 대가댁의 별볼일 없는 아들보다 더 구하기 힘든 게 요즈음 세태죠.」

「개천에서 용 나다니요?」

「왜 있잖습니까. 집안은 그저 그렇게 근근이 사는데 신랑이 머리 하나로 고등고시나 외무고시에 합격했다든지, 의과대학을 나오고 전문의를 땄다든지, 또는 일류대학을 장학금으로만 나와 외국의 일류대학에 입학허가를 받아놓고 출국날짜만 기다린다든지, 이런 신랑감을 흔히 그렇게 말하죠.」

「아유 그런 신랑감이 있다면 명문 대가집 아들보다 더 탐이 나는데요.」

「거 보세요. 다들 그러니까 그런 신랑감이 더 딸릴밖에요. 하긴 개천에서 용 나기가 어디 쉬운 일입니까. 그렇지만 염려 마세요.

제가 꼭 구해볼 테니까요.」

이렇게 해서 명문 대가댁과 사돈을 맺을 꿈이 개천에서 난 용 쪽으로 낙착을 보게 되었다. 혜숙이도 거기 별 이의가 없었다. 그러나 혜숙이는 처음부터 치밀하게 계산된 윤선생의 계략에 의해 부모의 마음과 자신의 마음이 그렇게 돌아섰다는 걸 알고 있었다.

아무런 저항감 없이 그렇게 소망하던 명문 대가댁 자제를 개천에서 용 난 신랑감으로 바꿀 수 있었을 뿐 아니라 윤선생은 윤선생대로 그동안에 오붓한 소득을 올렸으니, 그 지겨운 맞선과정이 피차에 조금도 헛되지 않았다는 얘기도 될 수 있었다. 그러나 혜숙은 거울을 볼 때나 안 볼 때나 자신이 닳고닳았다는 걸 의식했고, 그 닳은 부분을 만회한다는 게 불가능하다는 데 대해 가슴 아픈 상실감을 느끼곤 했다.

개천에서 용이 나기는 희귀한 일이건만 윤선생이 들어서니, 개천에서 용 난 신랑도 줄줄이 나타났다. 혜숙은 한동안 뜸하던 맞선을 다시 연달아 봐야만 했다. 전의 명문 대가댁 자제들 때와는 달리 양가의 가족까지 합석하는 경우도 있었고, 맞선 후 신랑감이 집으로 전화를 걸어오는 경우도 심심찮게 있었다. 그렇다고 제격제격 성사가 될 낌새가 보이는 것도 아니었다. 혜숙이는 자신이 닳고닳았다는 걸 느낄 수 있을 만치 철이 나 있었다. 자주 혜진이한테 마음을 터놓고 이런 말을 했다.

「언니 난 무서워.」

「뭐가?」

「개천에서 난 용이.」

「용이 사람 해친다는 소리는 못 들었다. 안심해.」

「개천에서 용이 흔하게 날 리는 없고, 보나마나 거의가 사이비 용일 테고. 사이비 용일수록 자기가 난 개천을 창피해할 거야.」

「그건 또 무슨 뚱딴지 같은 소리냐?」

「그러니까 난 그까짓 사이비 용보다 개천이 더 무섭단 말야. 사이비 용이 개천에 떳떳할 리가 없지. 곧 개천이 아닌 딴 걸로 승격시키려고 광분할 게 뻔해.」

「광분하라지.」

「우리 엄마·아빠가 불쌍하잖아. 지금까지 나한테 들인 돈도 적지 않은데 개천을 큰 개울 만들려면 돈이 또 얼마나 들겠어.」

「설사 그 일까지 우리한테 떠맡길까.」

「워낙 성질들이 급한 세상인걸. 급해맞은 김에 무슨 짓은 못하겠수. 세상풍조가 또 그렇게 요상하게 돌아가니까 그런다 해도 크게 흉될 것도 없구.」

「하긴 요새 들리느니 그거 비슷한 소리다만, 너처럼 속 빈 신부감 때문에 저런 해괴한 짓거리들이 통하나 보다 싶었는데 네가 그 정도나마 철난 소리 하니 반갑다.」

「맞선을 스무 번도 넘게 보는 동안 속은 속대로 빼주고 겉은 겉대로 닳아빠졌는데 그 정도라도 얻은 게 있어야 어쩌겠수. 우리 엄마·아빠 그만하면 노력해서 정당하게 돈 버신 거야. 그런 돈을 나 때문에 너무 헤프게 쓰시게 하고 싶지 않아.」

혜숙이 뒤늦게나마 그 정도의 확고한 줏대를 가지고 맞선에 임했던지라 성사는 더디었지만 그래도 보통 정도는 사는 집의, 보통 정도의 의과대학을 나와 인턴 과정에 있는, 보통 정도로 건강하고 보통으로 생긴 신랑감과 약혼단계에까지 이르렀다. 혜숙의 현명한 결정에 식구들은 만족해하고 윤선생의 공치사도 대단했다.

8
세 개의 열쇠

　혜숙이네선 약혼준비로 분망한 한편 신랑집에선 약혼선물로 뭘 해줄 것인가에 대해 차츰 궁금해하기 시작했다. 그런 궁금증을 자주 들르는 윤선생한테 은근히 비쳐 보일 때도 있었다.

　「신랑 반지를 3부로 할까 하다가 5부로 했습니다. 저쪽에서 색시 반지를 5부로 하면 몰라도 행여 캐럿으로 하면 3부가 약소할 것 같아서요, 호호호.」

　어머니가 이쯤까지 노골적으로 궁금증으로 내비쳤으면 그쪽 집에도 무시로 드나들 게 뻔한 윤선생이 뭐라고 한마디쯤 귀띔이 있었으면 좋으련만 한결같이 우아한 미소로 대신할 뿐이었다. 그렇다고 당사자인 혜숙이가 신랑한테 뭘 좀 알아오느냐 하면 그렇지도 않았다. 약혼식을 며칠 안 남긴 신랑이건만 만나는 것도 쉽지 않다고 했다. 한창 바쁜 인턴 과정에 있는데다가 이번 달엔 응급실 근무라 어쩌다 잠깐씩 하는 데이트도 부속병원 구내식당 아니면 병원

뒤뜰이 고작이었다.

「그래 신랑자리 사람됨이 어떻든?」

혜진이가 은근히 떠보면 혜숙이는 귀찮은 듯 이렇게 대답했다.

「사람 됨됨이 알아볼 새가 어딨수? 대화가 있어야 말이지. 내가 그 사람한테 들은 얘기라곤 어유 피곤해 죽겠다. 아니면 왜 사는지 모르겠단 소리가 다라우.」

「왜 사는지 모르겠다고? 그 사람 철학을 할걸 그랬나 보다. 도대체 의사인 건 확실하다던?」

「여직껏 데이트 장소를 대학 부속병원 구내에서 한걸음도 벗어나본 적이 없으니까, 그 사람의 성별을 의심하면 했지 직업은 의심할 여지가 없을 거유.」

「성별을 의심하다니? 오오라 너한테 남자답게 굴지 않던가 보구나? 그치?」

「워낙 피곤하니까. 어제도 내 쪽에서 전화해서 만났는데 한 시간이나 넘게 기다리게 해놓고, 여기저기 핏자국이 낭자한 가운을 입은 채로 어슬렁어슬렁 나타나더니 잠깐이라도 눈을 붙이고 들어가야겠다나. 그러더니 글쎄 내 어깨에 기대서 콜콜 자지 뭐유. 밉살스럽기도 하고, 불쌍하기도 하고…… 속셈은 아무리 바쁘더라도 약혼반지는 같이 맞추러 가야 되지 않겠느냐고 따지려는 거였는데, 그 사람이 부스스 깨어나서 시간 다됐다며 한다는 소리가 겨우, 요새처럼 피곤해서야 왜 사는지 모르겠다는 맨날 하는 그 한탄이었어.」

「그것도 모르냐고, 죽을 틈이 없어서 살고 있지 않으냐고 쏘아주지 그걸 그냥 놔뒀냐? 너두 이제 보니 성미가 다 죽었구나.」

「성미가 죽은 게 아니라 피곤해서 그래. 피곤도 옮는지 그 사람한테로 혼처가 정해지고 나서 나도 하는 일 없이 왜 그렇게 피곤한

352

지 몰라. 따지기도 귀찮고 성깔 부릴 기분도 안 나고.」

「그래도 약혼반지는 맞춰야 게 아냐?」

「우리도 보통남자 손가락 치수로 대강 짐작해서 마련했는데 그쪽에서도 그러겠지 뭐.」

「그래도 그렇지, 여자하고 남자하고 같니? 여자 반지는 치수도 치수지만 첫째 세팅이 마음에 들어야 하는데. 그 댁 어머니는 뭐하신대? 아들이 시간이 없으면 당신이라도 나설 것이지.」

「그런 거 따지기도 귀찮아. 그 사람은 툭하면 약혼식 안했으면 좋겠단 소리나 하는걸.」

「약혼식을 안한다니 왜?」

「시간이 있을 것 같지가 않다나?」

「시간 때문에 그러는 거면 괜찮다. 난 또 신랑이 너를 그리 탐탐히 여기지 않아 그러는 줄 알고 가슴이 다 덜컥 내려앉았다.」

「약혼식할 시간도 없는 건 괜찮구?」

「말이 그렇지 설마 약혼식할 시간도 없지는 않을 테니 염려 마. 수련의(修鍊醫) 때는 다 그런가 보더라. 내 친구 중에 채숙이라고 있지? 걔도 남편이 수련의 때 결혼했는데 신혼재미라는 게 뭔지 모르고 사니 이런 억울한 데가 어딨냐고 우는 소리 해쌓더니 지금은 걔네가 동창 중에서 제일 잘산단다. 박사부인에다 원장부인에다 남편 차 따로 제 차 따로 거들먹거리고 사니까 나 같은 서민층하고 어울릴 새도 없나 보더라. 너도 당장은 좀 고생되고 잔재미 모르고 살아도 장차 떵떵거리고 살라고 어머니가 고르고 고른 혼처야. 좀 속상하는 일이 있어도 부덕(婦德)을 익히는 셈치고 참아야 하느니라.」

「꼭 증조할머니 같은 소리 하고 있네. 부덕이 별건 줄 알우. 체념이야 체념.」

당사자인 닥터 현(玄)의 무관심과는 달리 현씨 댁에선 약혼식에 자그만치 70여 명이나 참석하리란 것을 윤선생을 통해 통고해 왔다. 수적인 우세에 압도당한 어머니는 당장 이쪽의 참석 인원도 늘리는 것과 동시에 아직 마련하지 않은 소품에 속하는 예물, 이를테면 라이터·만년필·커프스버튼·넥타이핀 등도 예산하고 있던 것보다 그 질을 한 단계 높이기로 했다. 어머니는 약혼식에 드는 비용은 신부측 부담이라는 것도 별로 개의치 않은 채 보는 눈이 늘어났다는 것에 괜히 신명을 내면서 돈을 왕창왕창 썼다. 그러다가도 최소한도로 해보낸 혜진이한테 눈치가 보이면 이렇게 변명을 하기도 했다.

「너 때하고 지금하곤 시대가 다른 걸 어떡하니? 시대가.」

꽃보다 훨씬 더 아름다운 단풍이 절정기에 달한 숲이 한눈에 내려다보이는 S호텔에서 거행된 혜숙의 약혼식은 성대하고 화려했다. 수를 채우기 위해 불러 모은 시골친척들은 자신의 모습이 거울처럼 투영된 대리석 바닥을 엉금엉금 기기도 하고 부드럽고 현란한 카펫을 밟을 때는 신을 벗을까말까 남의 눈치를 살피기도 하면서 혜숙이네가 시골에 소문난 것보다 훨씬 더 큰 부자가 돼 있나 보다고 무조건 압도당하고 있었다.

식순 중 예물교환 순서에서 신랑은 혜숙에게 순금 쌍가락지를 끼워주었지만 헐렁해서 주먹을 쥐고 있지 않으면 빠질 것 같았다.

「우리 집안에 대대로 맏며느리한테 물려내려오는 게니 값어치는 따지지 말고 귀하게 여겨라. 요샌 금가락지 끼는 세상도 아니니 손가락에 맞고 안 맞고는 과히 신경 쓸 거 없느니라.」

장차 시할머님 될 노인이 노인네답지 않게 꼬장꼬장한 목소리로 이렇게 말했다. 금가락지에 실망한 혜숙이도 대대로 맏며느리한테 물려내려오는 유서 깊은 가락지란 소리에 적이 흐뭇해졌다. 신랑한테 끼워준 5부 다이어반지가 되레 약소하고 품위 없이 느껴져 혜숙은 꾸미지 않고도 자연스럽게 부끄럼을 다 탔다. 한껏 치장을 한 혜숙은 눈부시게 아름다웠다. 신랑은 소탈하고 피곤해보였지만 그것이 되레 의사라는 직업의 관록처럼 보여서 다들 어울리는 한 쌍이란 칭송이 자자했다. 약혼반지 이외의 예물교환 순서는 생략한다는 사회자의 말도 성대한 약혼식의 품위를 더했다.

그러나 교환한 예물상자를 가지고 와 끌러본 혜숙이네 식구는 안색이 변해 서로 쳐다볼밖에 없었다. 상자 속엔 사주단자밖에 들은 게 없었기 때문이다.

「세상에 이럴 수가…… 우릴 무시해도 분수가 있지.」

어머니는 입술을 떨면서 기함이라도 할 듯이 눈빛이 다 아득해졌다. 말이 없고 처음부터 이 혼사에 돈줄의 역할 이상을 안하던 아버지도 허어, 허어, 연방 기침도 아니고 한숨도 아닌 불쾌한 신음을 토해냈다.

이때, 약혼식에 왔다가 혜숙이네까지 따라온 집안 내의 가장 어른이신 종조모(從祖母)가 점잖게 한마디하시는 것이었다.

「그 집이 그래도 양반인가 보다.」

혜숙이네 식구들의 제각기 상하고 토라지고 짓밟힌 자존심은 본능적으로 치유받기를 원하고 있었기 때문에 종조모의 이 말씀은 귀가 번쩍 뜨이는 소리였다. 종조모는 친정이 서울 본토박이 양반 중에서도 뼈대 있는 소론(少論) 집안이었는데 가세가 곤궁하여 밥술이나 먹는 중인 집안으로 시집왔다는 것을 기회 있을 때마다 강조했지만 아무도 귀담아듣지 않았다. 지금이 어느 세상이라고 양반타령도 우스운데 노론, 소론까지 따지니 망령 취급밖에 당할 게 없었다. 정정했지만 80을 바라보니 망령노인 취급당하는 것도 무리가 아니었다. 그러나 지금은 달랐다. 종조모의 다음 말을 모두 허겁지

겁 기다렸다.

「그 집이 그래도 뼈대 있는 양반집안이더구나. 사주 보낸 거 보니 단박 알겠더라. 사주 보낼 때 패물이니 옷감이니 보내는 것은, 거 다 상풍이니라. 내가 이 김씨 집으로 시집을 때만 해도 김씨 집이 우리 친정어른들한테 흉 많이 잡혔느니라. 사는 것만 좀 낫게 살면 뭘 해. 뭔 법도를 알아야지. 사주가 왔는데 글쎄 상자에다 사주저고리를 넣어왔지 뭐겠니? 신랑이 손수 제 글씨로 제 사주를 써 넣은 간지봉투에다 싸릿가지를 끼우고 다홍실로 감은 걸 백지로 싸고 다시 다홍 겹보자기에 싸서 사람 시켜 보내면 양반의 법도에 한 치도 어긋남이 없는 것을, 왜 그놈의 저고리감은 넣어 보내 망신을 당했는지. 우리 어르신네께선 행여 친척들이라도 알까 쉬쉬하시고, 나는 그때 겨우 열다섯이건만도 중인 집으로 시집간다는 게 비로소 실감이 나면서 어찌나 만정이 떨어지던지 밤새도록 눈이 붓도록 울었느니라. 그런데 세상에 어떻게 된 게 법도 있는 양반 풍습은 맥을 못 추고 사라지고 중인이나 상사람들 사이에서나 하던 짓거리가 차츰 득세를 해서 저고리 한 감 넣던 상자가 함이 되고 그 속에다 온갖 패물을 다 집어넣어 돈자랑들을 하는 꼴이라니, 차마 눈뜨고 못 보겠더니만 그 댁은 그래도 어른이 계셔 뼈대를 지켜오는 양반댁인 게야. 원 법도대로라면 금가락지도 사주에 끼워넣는 게 아니다만, 상투 자르고 하이칼라 머리한 지도 오래됐으니 그 정도로 시속을 따르는 거야 어쩌겠니. 약혼식이라는 것부터도 내 마음에 안 들었어. 느이들 괜히 돈 쳐들이고 흉이나 안 잽혔나 모르겠다. 그 댁이 그만치 양반 노릇 할 줄 알았으면 내가 미리미리 좀 가르쳐주는 건데.」

그날부터 종조할머니는 며칠 안 남은 혜숙이 결혼준비를 위한 자문역으로 머물러 있게 되었다. 혜진이는 암만해도 그 집이 양반의 법도대로 하느라고 그랬을 것 같지가 않았지만 구태여 아니라고 나설 것도 없었다. 양반 노릇을 보조 맞추려면 자연히 물량공세는 주춤할 수밖에 없을 테니 우선 다행스러울밖에 없었다. 종조할머니는 이것저것 지시도 했고 예언도 했다.

「이제 두고 보렴. 함에도 그 댁에선 청치마·홍치마 두 끝만 격식 갖춰 넣어 보낼 테니. 요샌 함뚜껑이 들썩하게 온갖 것을 다 넣다 못해 여벌로 가방이 하나 더 있어야 한다지, 아마. 천하에 배우지 못한 상것들 같으니라구. 혜숙이가 제법 끌끌한 양반댁으로 시집가는 게 내 흐뭇하고 대견하다만 워낙 마구 키워놔서 가서 흉이나 안 잡힐라나 모르겠다. 며칠 안 남은 동안이라도 이 할미 말 들어둬. 하긴 양반의 법도라는 게 그렇게 며칠 사이에 익혀지는 게 아니다만. 옛날에 딸년을 아무렇게나 놓아 기른 상것이 있었더란다. 그 딸이 시집가기 며칠 전에야, 딸을 너무 본데없이 기른 게 걸려서 급해맞게 가르친다는 게 시집가면 시집식구한테 해당하는 것은 뭐든지 님자를 붙이는 거라고만 일렀단다. 시집살이 뭐 어려울 것도 없네, 라고 코방귀를 뀌면서 선선히 시집을 간 이 배워먹지 못한 딸년이 시아버지 머리에 파리가 붙은 걸 보고, 아버님 대갈님에 파리님이 앉으셨다고 했다는 우스갯소리가 있는데 혜숙이가 그 짝 안 날라나 모르겠다. 참 혜숙 에미야, 행여 요새 식으로 시댁에 보낼 예단을 요란하게 장만하지 마라. 크게 흉잡힌다. 효도버선이나 정성껏 넉넉히 장만하면 되느니라. 행여 돈 쳐들이고 집안망신시키는 짓일랑 할 생각 말거라.」

「정말 그래도 될까요?」

「아, 사주 받아보고도 몰라. 함 받아보면 더더욱 알게 될 테고. 그렇다고 웬만치 산다는 그 댁에서 청·홍 두 끝만 줄 거라는 소리가 아냐. 며느리한테 내리는 예물이란 시집살이시키면서 한 가지

두 가지 구미구미 내리는 거란다. 생각해봐라. 그게 옳은 일이지. 곧 즈이 집으로 다시 실어갈 것들을 여봐란듯이 잔뜩 실어보내는 짓이 도대체 언제 어디서 난데없이 들어온 천덕스러운 짓거리라던?」

　종조모는 이렇게 흥분하고 뽐내기도 하면서 비로소 자신이 숨겨 둔 양반의 법도를 마음껏 활용할 수 있는 사돈을 만나게 된 기쁨을 만끽했다. 그러나 종조모의 이런 기세도 오래가지 못했다. 정말 효도버선만 해도 되는지 윤선생한테 한번 눈치를 떠보려고 하는 차에 윤선생이 먼저 명단을 가지고 왔다.

　「이런 건 피차 분명히 해두는 게 좋을 것 같아서 내가 그 댁에 가서 아주 탁 터놓고 말씀하시라고 했어요. 요샌 신혼시절의 불화 의 원인이 거의 예단의 만족도에 달렸다고들 하지 않아요? 좀 우습 고 치사한 얘기 같지만 엄연한 현실인 걸 전들 어쩝니까? 또 저처 럼 주로 명문 대가댁 혼사에만 간여하다 보면 보고 들은 것도 많거 니와, 보통 중매쟁이처럼 양가를 맺어주는 것만 가지고 끝낼 수가 없거든요. 두 사람이 결혼하고도 어느 정도 궤도에 올라 마음이 놓 일 때까지는 돌봐주어야 한다는 책임감을 한시도 소홀히 할 수 없 답니다. 그래서 예단 때문에 생기는 신혼 초의 미묘한 마찰을 미연 에 방지하는 일까지 이렇게 자청하고 나선 거죠. 알아들으셨겠죠? 제 말씀 무슨 뜻인지.」

　이러면서 윤선생이 건네준 예단 명세서는 1급, 2급, 3급으로 나 누어져 50여 명의 가족과 친척관계의 서열이 나열돼 있었다. 1급은 물론 시부모님과 시동생·시누이들이었고, 2급은 삼촌, 사촌까지 의 가까운 친척, 3급은 그밖에 촌수 가까운 친척과 촌수는 멀어도 가깝게 지내는 친척들이었다. 1급, 2급에 따라 예단의 종류를 어떻 게 해야 된다는 자세한 주석은 윤선생이 붙였다. 시부모님은 한복과 양복을 다 갖추되 시아버님 한복엔 마고자와 조끼 단추를 금으로 하는 것이 상식이고, 시어머님한테도 패물과 밍크 목도리쯤은 생각해야 되고, 명주 솜이불과 보료 일습은 말 안해도 알고 있을 테고, 병풍은 수병풍보다는 암만해도 글씨 병풍이 품위가 있을 것 같고, 2급 예물은 옷 한 벌이면 족하겠지만 옷감만 보내는 것은 큰 실례이니 공전을 후하게 얹던가 티켓으로 보내도록 하고, 3급은 담요나 방석쯤이 어떻겠느냐는 명령조의 의논을 들으면서 어머니는 과히 놀라지 않았다. 중매를 대서 사윗감을 구할 때부터 그 정도는 각오하고 있던 터여서 차라리 마음이 놓였다. 그건 종조모가 설치는 동안 그만큼 불안했단 얘기도 되었다.

그때부터 종조모의 양반타령은 조금씩 구박을 받기 시작했다.

「아니 지금 세상에 양반이 어디 있어요. 돈 있으면 양반이고 자식 잘 두면 양반이죠. 양반 법도도 그런 사람들이 만들면 곧장 법도구요.」

몇 번 이렇게 핀잔을 맞자 며느리한테 나 좀 데려가라고 전화를 걸어서 모시러 오게 했다. 며느리와 함께 떠나는 종조모의 단정하게 쪽찐 뒷모습을 보면서 혜숙은 마지막 양반 법도가 사라져가는 걸 보는 것처럼 잠시 쓸쓸한 감회에 젖었다.

종조모가 떠나자 어머니는 마음놓고 신식양반의 방식에 따른 혼수장만에 나섰다. 신식양반의 방식을 만들어내는 사람은 의외로 신식양반 자신도, 윤선생 같은 고급 중매쟁이만도 아니었다. 그들은 바로 장사꾼들이었다. 그들은 거의 매일매일 새로운 법도를 만들어내고 퍼뜨렸다. 종로에 즐비한 주단가게들은 예단이라 하면 으레 안감까지도 본견을 고집했고 심지어 속치마·속바지·속적삼까지 갖추게 하면서 그런 것들이 다 본견 명주여야 한다고 우겼다. 물론 바깥사돈의 한복도 바지나 두루마기 안감까지 질이 좋은 명주여야 한다고 극구 주장했다. 왜 그렇게 해야 하는 까닭은 너무도 간단하고 확고했다.

「요샌 다들 그렇게 하신다니까요.」

다들 그렇게 한다는데 혼자서만 안 그럴 용기가 어머니 같은 보통여자에게 있을 리가 없었다. 주제넘게 사위 될 사람의 신분을 묻는 데도 있었다. 의사라고 대답하면 까무러치게 놀라면서 이미 꺼내놓은 안팎 본견을 주섬주섬 밀어놓고 한층 비싸고 질이 고급인 걸 꺼내놓으면서 깜짝 놀랄 만한 값을 불렀다. 같은 본견이라도 값은 천차만별이었다. 그런 고급옷감이 아무한테나 권하는 게 아니고 또 아무나 의사 사위 볼 수 있는 것은 아니라고 장사꾼이 능청을 떨면 아무리 터무니없는 값을 불러도, 애매하고 너그럽게 웃으면서 꼼짝없이 바가지를 쓰는 게 어머니의 어쩔 수 없는 허영이었다. 양복점에서도 마찬가지였다. 예단인 것만 알면 VIP라는 엄청나게 비싼 양복지를 권했고 그것 이하로 한다는 게 크게 예절에 어긋나는 양 엄포를 놓았다. 현대의 결혼법도는 이 도시의 요지를 차지하고 있는 장사꾼이 쥐고 있었고, 그 권한은 절대적이었다. 장사꾼의 무한정한 횡포에 한바탕 휘둘리고 들어오면 어머니도 흠뻑 얻어맞은 것처럼 삭신이 쑤시고, 마음은 허탈했다.

「흥, VIP 좋아하네. 자수성가해서 부자소리 듣는 내 남편도 비싸고 불편하다고 여직껏 VIP는커녕 순모 양복 한번 못 입어보고 합성만 입어왔거늘……」

이렇게 크게 근검절약해서 여러 자식 공부시키고 시집장가 보내는 데 부족함이 없을 만큼 뒤를 댄 남편에게 고마움과 측은한 연민을 느끼기까지 했다.

그러나 윤선생과 장사꾼 장단에 한번 놀아난 것이 잘못이었다. 예단을 그럭저럭 최고로 마련하고 보니, 딴 혼수를 그것보다 처지

게 하게 되지를 않았다. 눈도 높아지고 내친김에 조금만 더 쓴다는
게 눈덩이 불어나듯 했고, 가구점이고 그릇가게고 전기용품상이고
수예점이고, 예식장이고 하나같이 주단가게 못지않게 상술로 품질
을 다락같이 높이고 가짓수를 끝도 없이 늘렸다. 신접 살림에 뭐가
필요하나보다도, 당사자가 뭘 원하고 어떤 취미를 갖고 있나보다
도 장사꾼이 말하는, 요새는 다들 그렇게 한다더라는 뜬소문을 좇
기에 어깨가 휘고 가랑이가 찢어질 지경이었다.

　대충 혼수가 다 마련되어 한숨을 돌리는데 윤선생이 들렀다. 어
머니는 그간에 들인 물심양면의 노력을 은근히 자랑하고 싶어서 윤
선생에게 2층을 가득 메운 혼수를 일일이 보여주기 시작했다. 별로
경탄하는 기색 없이, 그러나 적절히 치하하는 예절쯤 잊지 않고 대
강 구경을 하던 윤선생이 불쑥 이렇게 말했다.

　「참 의사 사위 맞으려면 열쇠가 세 개 있어야 된다는 소리 들으
셨겠죠?」

　「열쇠 세 개라뇨? 무슨……」

　「왜 있잖아요. 시중에 떠도는 소문이지만 요샌 소문이 나기가
무섭잖습니까? 아들 가진 쪽에서야 바랄 만하죠. 아파트 열쇠, 승
용차 열쇠, 병원 열쇠, 이렇게 열쇠 세 개가 있어야 의사한테 시집
간다고들 안합니까? 왜 그렇게 놀라세요? 어머머, 처음 들으시나
봐. 벌써 파다하게 퍼진 소문인데. 그렇지만 그 댁에서야 점잖은
댁인데 설마 열쇠 셋을 다야 바라겠어요. 신랑이 아직 군복무도 안
치른 수련의니까 병원열쇠까진 안 바랄 테니 열쇠 둘 아니면 하나
만 있으면 되겠네요. 뭐.」

　「그 댁에서 아파트에 승용차까지 해가지고 시집을 오라고 그러
던가요? 윤선생한테……」

　어머니가 뒤숭숭한 꿈자리에서 깬 사람처럼 멍청하지만 정신차

려야겠다고 안간힘 쓰듯이 물었다.

「아니에요. 그 점잖은 댁에서 대놓고 그런 물질적인 요구를 할 리가 있나요. 다만 세상 소문이 그렇단 얘기죠. 그야말로 아니 땐 굴뚝에 연기 나겠습니까. 소문이 한번 쫙 돌면 내 자식은 어디가 못나서 남 다 받는 대접을 못 받나 싶은 게 인지상정 아니겠어요? 닥터 현이 또 워낙 착해서 부모님 시키는 대로 마음 씀씀이가 돌아갈 타입이거든요. 이 다음에 돈 많이 벌 사람인데 꼭 돈 욕심 때문에 그런 걸 바란달 순 없죠. 형식을 갖추자 이거죠. 형식이라는 게 그런 게 아니겠어요? 남 다 갖추는 걸 자기만 못 갖추면 두고두고 서운한 거. 아무리 남녀평등이라지만 결혼에 있어서 여자 쪽에서 남자 쪽을 서운하게 해서 이로울 게 하나도 없는 거 아니겠어요? 저야 그쯤 귀띔하는 걸로 중매로서의 소임은 끝냈으니 뒷일은 알아서 하세요.」

그후 며칠 동안 어머니와 아버지는 밤마다 이마를 맞대고 열쇠를 장만해야 옳으냐 안해야 옳으냐를 의논하고 또 의논했다. 혜숙이 보기에도 어머니와 아버지는 며칠새 살이 쭉 빠지고 자포자기해 보였다.

그 의논이 아직 미정인 채 받아놓은 날짜만 버럭버럭 다가올 무렵 동부인해서 친정나들이를 온 혜진이 내외를 보자 아버지도 반색을 했다.

「자네 나하고 술 한잔하세나.」

아버지가 사위를 그렇게 반가워하긴 처음이었다. 딸이 죽자사자 좋아하니까 마지못해 짝지워준 사위였다. 그후에도 딸을 고생만 시켜, 오면 오나 보다 가면 가나 보다 남보다 나을 게 없이 쓸쓸하게 대해오던 사위였던지라 혜진이도 어리둥절했지만 사위는 더구나 어쩔 줄을 몰랐다. 전에 없이 쉬 취해버린 아버지는 큰사위한테

홀쩍홀쩍 눈물을 다 짜면서 말하는 것이었다.

「자네가 제일이야. 고맙네 고마워. 내 이렇게 큰절이라도 할까?」

아버지가 정말 절을 하려고 비틀비틀 일어섰다.

혜숙은 뒤에서 이런 아버지의 몰라보게 여윈 뒷모습을 바라보면서 속으로 부르짖었다.

「난 뭐냐 말야. 난 도대체 뭐냐 말야?」

시집은 자기가 가는데 모든 일이 자기와는 상관없이 제멋대로 이루어지고 있음을 혜숙은 이제서야 깨달았지만 이미 때는 늦어 있었다. 처음에 주체성을 포기한 건 역시 혜숙이 자신이었다.

통곡과 말씀의 힘

황도경

> 행복하여라 슬퍼하는 사람들
> 그들은 위로를 받으리니
> ―『마태오』 5:4

『한 말씀만 하소서』를 다시 읽으며 나는 걷잡을 수 없는 슬픔에 잠긴다. 화장지로 연신 코를 풀어대면서 나는 이것이 아직 낫지 않은 감기 때문이라고 내심 변명을 하지만, 이 글이 내 상처와 고통의 기억 어느 한 부분을 건드리고 있는 것은 분명하다. 통곡 대신 썼다는 이 글은 거꾸로 내게서 통곡을 불러오고, 신을 향한 그녀의 저주 섞인 분노와 포악은 오히려 나를 신에게로 이끈다. 납득할 수도, 해결할 수도 없는 고통 앞에 서본 이라면, 그래서 다시는 눈을 뜨지 않게 되기를 꿈꾸며 잠들었던 밤과 실눈 뜬 사이로 낯익은 천장 벽지 무늬가 보였을 때 그 새벽 햇살의 참담함을 기억하는 이라면, 아마도 쉽게 동감할 수 있을 것이다. 우리가 얼마나 수도 없이 신을 죽이고 죽이고 또 죽였던가를. 얼마나 자주 죽음을 꿈꾸었었던가를. 절망 속에서도 어떻게 희망이 자라나며, 죽음에의 유혹 속에서도 어떻게 생명이 꿈틀거리고 있는지를.

박완서의 『한 말씀만 하소서』는 허구가 아니다. 작가의 말 그대로 이 글은 소설도, 수필도 아닌 일기이다. 자식을 잃은 어미로서의 슬픔과 이를 감내하는 과정의 내밀한 모습들이 가식 없이 그대로 담겨 있는 고백이며, 그 고백은 독자가 아니라 오로지 자기자신과 신을 향해 있다. 그 고백은 떠나간 아들에 대한 어미로서의 비통함과 절절한 그리움으로 시작하여, 아들의 빈자리에도 불구하고 여전히 멀쩡하게 움직이고 있는 세상에 대한 분노로, 그리고 다시 그토록 어처구니없이 생명을 주관하는 신을 향한 저주로 이어진다. 생명과 사랑을 노래하던 그녀의 목소리는 분노와 절망과 참담함이 들어찬 그것으로 바뀌어 있다. 생때같은 아들이 사라졌는데 왜 세상은 무너지지 않느냐고, 왜 하늘은 여전히 푸른 것이냐고, 이러고도 신이 있다고 할 수 있는 것이냐고, 그녀의 뒤틀린 심사는 자신을 부정하게 하고 세상을 부정하게 하며 급기야 신을 부정하게 만든다. 신은 오로지 자신의 살의를 위해서만 존재한다. 이 글은 이런 살의와 분노와 회의로 가득 찬 무엄한 포악에 가깝다.

그러나 살의와 분노와 포악 속에도 진실은 있는 법. 자신에게 지금 희망이 있다면 자신이 죽어가고 있다는 것뿐이라고 고백할 때, 독재자라면 1년 내내 아무도 웃지 못하게 할 것이라고 얘기할 때, 햇볕 아래 해변가에서 돌을 줍고 있는 누추한 노파를 보며 가장 못난 최악의 아들을 가정해도 역시 그 노파가 부러웠다고 고백할 때, 사후의 세계를 보았다는 사람들이 쓴 책을 읽으며 황금이든 양탄자든 사후에도 무언가 보이는 것만 있다면 바랄 것이 없겠다고 할 때, 집 베란다에서 마냥 아들을 기다리고 있으면 아파트 진입로로 운전대를 꺾는 아들을 볼 수 있을 것 같다고, 미쳐서라도 좋으니 그렇게 되고 싶다고 말할 때, 신을 향해 포악을 떨다가 그래도 만에 하나 신이 있어 남은 식구들 중 누군가를 또 탐내 하실까 봐 무서워서 기도를 바친다고 고백할 때, 그 고백은 절망과 분노와 욕망의 밑바닥을 투명하게 드러내면서 우리의 가슴을 순간 서늘하게 한다. 그것은 단지 개인적인 고통과 슬픔의 감상적 토로가 아니라, 허망하기 그지없는 존재의 한계와 모순적인 삶의 법칙 앞에서 몸부림치는 우리 모두의 고백이다. 삶과 존재의 벽 앞에서 발버둥치는 그녀의 비통하고 절망적인 언어들은 어느 순간 삶과 죽음, 신과 영혼, 고통과 광기의 문제에 대한 심오한 성찰로 이어지고, 죽음을 좇아가던 언어는 서서히 생명을 그리고 신을 좇아가게 된다.

박완서 개인의 내면적 기록인, 더구나 저주와 분노와 포악으로 일관하는 것처럼 보이는 이 글이 우리에게 감동을 주는 것은 그리고 이 글을 박완서 문학의 중요한 일부로서 이해하고 받아들이게 되는 것은, 이처럼 이 글이 단지 아들 잃은 어미로서의 비통함을 토로하고 기록한 것에 그치는 것이 아니라 그것을 계기로 하여 삶과 죽음, 신의 문제에 대한 성찰로 나아가고 있다는 점에서이다. 이 글은 자식 잃은 어미의 슬픔 그 자체로서가 아니라 그 슬픔이 이끌어가는 생명과 존재에 대한 인식의 깊이에 있어서 우리의 주목을 요한다. 한 순간에 사라져버리는 존재의 허망함에 대하여, 그 하찮은 존재 안에 불어넣어진 진한 사랑에 대하여, 뜻하지 않게 만나게 되는 삶의 길과 신의 부르심에 대하여, 절망의 심연 속에서도 꿈틀대는 본능적 생명의 움직임에 대하여, 신의 존재방식에 대하여, 그녀의 질문은 계속되고, 결국 이 과정에서 그녀는 죽음으로의 이끌림에서 다시 삶 속으로 돌아오게 된다. 아들을 잃은 후 세상을 피해 숨어들고 다시금 세상 속으로 돌아오기까지의 과정이 그대로 하나의 놀라운 서사적 구성을 지니고 있는 셈인데, 그 끝에서 생명에의 경외를 다시금 확인하게 만든다는 점에서 이 글은 박완서 문학의 가식 없는 원천이라 할 만하다.

실로 우리는 이 글에서 절망과 고통에 들어찬 그녀의 말이 서서히 그 안에서 스스로 사랑과 생명의 싹을 피워내는 것을 본다. 그리고 이때 그녀의 글은 우리의 척박한 가슴에 던져진 하나의 작은 씨앗이 된다. 절망과 대면하는 법, 죽음과 대면하는 법, 신과 대면하는 법, 그녀는 자신의 고통스런 기록을 통해 이를 증언하고 있다. 그것은 상상력에 의해 만들어지거나 다듬어진 것이 아닌 날것으로서의 고통이며 증언이라는 점에서 더욱 큰 울림을 갖는다. 고통은 우리를 작게도 만들고 크게도 만든다고 하였거니와, 중요한 건 고통이나 절망 그 자체가 아니라 그것을 통해 도달하게 되는 깨달음의 깊이일지 모른다. 이 글은 절망과 고통의 가장 밑바닥까지 내려간 작가가 조금씩 그 수렁으로부터 벗어나게 되는 과정을 기록하고 있는 고통스런 절규다. 그러나 바로 그 안에서 그녀는 새로이 생명을 만나고, 신을 만난다.

세상의 허위와 우리 안에 자리잡고 있는 속물적 욕망을 조금치의 머뭇거림도 없이 정면으로 까발리던 박완서 특유의 당돌함과 솔직함은 자신의 고통을 드러내는 데 있어서도 조금도 달라지지 않는다. 그녀는 극한의 절망과 고통이 몰아가는 광기어린 사념들과 그 속에서도 여전히 꿈틀거리고 있는 자기 안의 욕망의 움직임을 냉정하게 응시한다. 예컨대 자기 식구가 아니라 친정어머니가 사고를 당한 것이라는 것을 알았을 때의 안도감과 부끄러움, 그리고 죄책감보다도 더 절실하게 밀려오는 졸음을 고백하던(「엄마의 말뚝 2」) 그 냉혹하리만치 날카로운 자기응시의 시선은 세상과 신을 향한 절망과 광기, 포악의 몸짓 속에서도 자기 안을 향한 성찰과 반성의 끈을 놓지 않게 한다. 그리하여 죽음을 향해 나아가는 그녀의 언어는 서서히 생명의 그것으로, 신을 향한 저주의 언어는 신을 향한 경배의 언어로, 포악과 교만의 몸짓은 순응과 겸손의 무릎꿇음으로 바뀌어간다. 이 과정에서 우리는 기왕의 박완서 문학에서 중요한 테마로 부각되었던 몸과 말의 문제를 다시 만난다.

생명에의 갈구로 요약될 수 있는 그녀의 문학세계에서 몸은 생명의 움직임을 담아내는 가장 구체적인 현장이다. 죽음의 기운이 만연한 상황 속에서도 그녀의 인물들은 언제나 생명을 희구하고, 그녀들의 몸은 언제나 생명을 좇아 꿈틀댄다. 그러나 지금 그녀는 죽음을 갈망한다. 그녀에겐 죽음이, 아니 죽음만이 희망이자 구원이 된다. 죽음은 그녀를 고통으로부터 벗어나게 해주는 동시에 아들과의 만남을 기약하게 한다. 이 마지막 바람을 알아챈 것일까? 〈다행히도〉 그녀의 몸은 삶을 거부한다. 먹는 것과 싸는 것이 제대로 되지 않는 것이다. 식욕과 배설은 우리로 하여금 살아 있음을 확인시키는 가장 본능적이고 일차적인 생명의 움직임이다. 『나목』에서 주인공이 그토록 만두를 먹고 싶어하는 것이 그리고 아들 잃은 어머니의 시름을 피해 몰래 밥을 챙겨먹는 것이 단순히 식욕의 문제가 아닌 것처럼, 박완서 문학에서 음식에의 욕구란 항시 생명에의 갈구와 연관된다. 그런데 바로 그 생명의 움직임이 멈추려 하는 것이다. 그런가 하면 배설도 자연스럽게 되지 않는다. 배설이라는 가장 원초적인 생리작용을 위해서도 그녀는 치열하게 몸부림쳐야 한다. 이는 그녀의 몸이 생명을 거부하고 있음을 보여주는 단적인 예이거니와, 그녀가 세상에 복귀하게 되었을 때 변비 역시 사라지게 된다.

이 글에는 배설과 연관된 또하나의 일화가 등장한다. 고통스런 절망 속에서 다소 숨통이 트일까 궁여지책으로 아들의 못된 구석을 생각해내려던 끝에, 아침 배설 후 물을 안 내리고 나가던 아들의 버릇을 기억해낸 것이 그것이다. 그러나 그것은 곧 아들의 싱싱하게 살아 있던 생명력을 확인하게 하는 일화가 되고 만다. 근본적으로 뒷간은 박완서에게 있어 본능적인 생명의 힘이 살아 꿈틀대는 현장으로 인식된다. 어린시절을 회고하면서 그녀는 뒷간이 가장 〈환상적인 놀이터〉였음을 고백한 바 있거니와, 그 고백에 의하면 뒷간은 친구들과 함께 우

르르 따라들어가 똥을 누며 얘기를 나눌 때 아무것도 아닌 얘기를 그
토록 신나고 재미있게 만들었던 곳이며, 오래 있다 밖으로 나왔을 때
세상의 아름다움을 새삼스레 느끼게 만들었던 곳이다. 요컨대 뒷간은
구수한 옛날이야기들이 전해져오는 이야기의 보고였고, 아이들의 상
상력이 나래를 펴는 꿈의 공간이었으며, 신비로운 생명의 움직임에
눈뜨게 했던 공간이었던 것이니, 배설과 연관되어 떠오르는 아들의
모습은 다음과 같은 생명의 움직임을 상기시키면서 더 큰 슬픔과 상
실감을 불러온다.

  그러나 무엇보다도 뒷간에서는 잘생긴 똥을 많이 누는 게 수였다. 똥은
더러운 것이 아니라 땅으로 돌아가 오이 호박이 주렁주렁 열게 하고, 수
박과 참외의 단물을 오르게 한다는 것을 우리는 알고 있었다. 그래서 본
능적인 배설의 기쁨뿐 아니라 유익한 것을 생산하고 있다는 긍지까지 맛
볼 수가 있었다.
  ─『그 많던 싱아는 누가 다 먹었을까』, 웅진출판, 1995(재판), 25쪽

이처럼 배설은 우리 몸이 살아 있음을 확인시키는 본능적 생명의
움직임일 뿐 아니라, 다른 생명체의 생산에 기여하는 신성한 행위로
인식된다. 그러니 그녀가 자신의 교만을 깨우치고 자신에게 닥친 운
명에 순응함으로써 다시 세상 속으로 돌아오는 것이 화장실 변기
앞에서 비롯되었다고 하는 것은 삶의 오묘한 진리를 확인시키는 일
화라 할 만하다. 그녀는 이 화장실 사건 이후 식욕을 회복하게 되고,
수도원을 떠나게 된다.
  이 글에서 주목되는 또하나의 문제는 말이다. 박완서 스스로 이 글
이 〈통곡 대신〉 쓰여진 것이라고 말하고 있듯이, 여기에서 말/글은
일종의 통곡과도 같다. 그녀의 소설 속 주인공들처럼 그녀는 수시로

〈짐승처럼 치받치는 통곡〉을 삼켜야만 했고, 그 삼켜진 통곡은 대신 글이 되어 분출된다. 아들의 이름을 목청껏 부르면서 통곡하다 환장하기를 꿈꾸는 그녀의 고백을 들으며, 나는 그녀의 소설 속 여자들, 예컨대 오빠의 죽음을 통곡 한마디도 없이 〈꼴깍 삼켜버렸〉던 여자, 속물스런 남편의 손에 붙들려서도 비명을 지르지 못하고 있는 여자, 무거운 틀니 때문에 말이 새나가는 여자, 유언으로 남겨졌을 아파트를 얻기 위해 욕을 삼키고 있는 여자를 떠올렸다. 생명을 저당잡힌 채 소리를 〈죽이고〉 있는 그녀들은 바로 작가 자신의 모습이 아닌가. 그리고 다음과 같은 작중인물의 절규는 곧 그녀 자신의 그것이 아닌가.

　　나는 그들로부터 자유로워지고 싶었다. 삼킨 죽음을 토해내고 싶었다. 그 무렵 나는 낯선 길모퉁이 초상집에서 들리는 곡성에도 황홀해져 그곳을 떠나지 못하고 오래 서성대기가 일쑤였다. 저들은 목이 쉬도록 곡을 함으로써, 엄살을 뗌으로써, 그들이 겪은 죽음으로부터 놓여나리라 나에겐 곡성이 마치 자유의 노래였다.
　　—「부처님 근처」, 『나목 · 도둑맞은 가난』, 민음사, 1997, 339~340쪽

　통곡은 그녀의 인물들을 죽음 같은 고통 속에서 헤어나오게 만들었던 중요한 원동력이다. 그들은 울음을 통해 고통을 풀어냄으로써 다시 삶을 이어가지 않았는가. 그렇다면 통곡 대신 써내려간 이 글 역시 그녀에게 하나의 구원이었을 것이 분명하다. 그녀 역시 글을 통해 통곡하고, 고통을 풀어내고, 죽음을 토해내었을 것이기 때문이다. 뿐만 아니라 그녀는 이해인 수녀와의 이야기에서, 마리로사 수녀의 이야기에서, 그리고 수도원에 온 아가씨들과의 이야기를 통해서 위안받고 또 깨달음을 얻는다. 이야기는 닫혀 있던 그녀의 마음을 조금씩 열어 그녀를 세상으로 이끄는 힘이다. 그러기에 그녀의 말은 단순히

고통을 토로하고 절규하는 말에 그치지 않고 아들의 부재 속에서 그 존재를 증명하기 위한 말로, 생명과 사랑을 확인하는 말로, 영혼을 치유하는 말로 변모해간다. 그녀가 신에게 갈구하는 것 역시 바로 이런 말씀이었다. 그녀가 고통받아야 하는 이유에 대하여, 아들이 죽어야 했던 이유에 대하여, 영혼과 내세의 존재에 대하여, 한 말씀만 하라고, 그것이 자신의 영혼을 낫게 할 것이라고.

그러나 신은 침묵할 뿐 아무 응답이 없고, 영혼의 치유 대신 몸이 먼저 회복되기 시작한다. 구토증을 일으키던 음식 냄새가 구수하게 다가오고 갑자기 짐승 같은 식욕을 느끼게 된 것인데, 이 몸의 반란 앞에서 그녀는 더욱 비참해진다. 죽고 싶다는 갈구에도 불구하고 자기 안에 그토록 질기고 파렴치한 생명력이 잠재되어 있었다니…… 그러나 절망의 끝이라고 생각한 바로 그 지점에서 그녀의 구원은 준비되어 있었다. 그녀가 그토록 갈구하던, 그러나 끝내 들을 수 없었다고 생각한, 영혼을 치유하는 신의 말씀은 바로 밥이 되어 왔던 것이라고, 밥은 죽음으로 치닫던 그녀의 몸과 마음을 붙잡아 생명의 기운을 불어넣은 신의 말씀이었던 것이라고, 그녀는 뒤늦게 깨닫게 되기 때문이다. 이때 그토록 끔찍했던 식욕은 신의 축복으로 의미가 바뀐다. 하느님은 말씀하시지 않았는가. 〈너희는 모두 이것을 받아 먹으라. 이는 내 피요 살이니, 너희는 이것을 받아 먹음으로써 영생을 얻으리라〉. 몸을 살리는 밥과 영혼을 치유하는 말은 이렇게 신비롭게 만난다.

그러므로 다시 한번, 말은 생명을 살리는 밥이며, 그 밥/말씀으로 그녀는 되살아난다. 그리고 자신 안에서 말에 대한 갈증을 느꼈을 때, 그녀는 비로소 자신의 글을 쓸 수 있게 된다. 미국에 가 있는 동안 그녀는 말이 주는 고통과 즐거움을 새삼 경험하게 되고, 급기야 서둘러 서울로 돌아오게 된다. 이는 그녀가 비로소 세상과 다시 사랑하기 시작했음을, 그리고 소설가로서의 자기 회복이 이루어지기 시작했음을 의미한다. 말씀이 그녀를 되살려냈듯, 이제 그녀의 말은 다시 사람들의 상처를 치유하는 밥이 되어야 하리라. 그녀의 말은 다시금 사람들에게 사랑을, 생명을 실어나르게 될 것이고, 이때 그녀의 말/글은 단지 견디기 위한, 살아남기 위한 말이 아니라, 상처를 치유하는 생명의 말, 고통을 함께하는 나눔의 말이 될 것이다. 백자 필통에 새겨져 있던 〈밥이 되어라〉는 글귀, 그것은 그녀에게 밥이 되어 찾아오셨던 신의 존재를 확인하게 하는 전언이자 동시에 삶과 존재의 진정한 의미에 대해 숙고하게 하는 전언이다. 그녀가 다시 세상으로 나와 글을 쓸 수 있었던 것은 밥에 담긴 이 생명의 전언 때문이었을 것이다.

죽음에서 삶으로, 세상 밖에서 세상 속으로 돌아오는 이 같은 과정은 사실 수도원의 산책길에서 이미 암시되고 있다. 숲과 계곡과 다리를 지나면 묘지가 자리잡고 있고, 그곳을 지나면 유치원 마당에 마지막 쉼터가 마련되어 있으며, 돌아내려오면 수녀님들의 빨래터가 보이는 그 길을 따라 그녀는 새벽 산책을 다닌다. 그 과정에서 그녀는 이미 죽음을 지나 아이들의 세상을 만나고 다시 일상의 세계로 귀환하고 있었던 것이니, 그것이 그녀에게 죽음에서 삶으로, 죽은 아들에게서 살아 있는 손자들의 세계로 귀환해야 함을 상기시키고 있었던 것은 아닐까? 뿐만 아니라 삶의 바깥으로 도망가기 위해 선택한 수도원이 딸네 집에서 10여 분 정도밖에 안 떨어진 곳에 위치해 있고, 그 안에는 세상과 담쌓은 근엄하고 우울한 수녀들이 아니라 생기발랄한 수녀들이 바쁘게 움직이고 있었다는 것에서도 드러나듯, 수도원은 그 자체로 신이 이미 우리 가운데에 와 계심을, 우리에게 진정 필요한 것은 고뇌와 불행으로부터의 초월이 아니라 얼싸안음이며, 자기 혼자만의 평화가 아니라 지상의 평화임을 증거하고 있다.

그러므로 신은 침묵하는 분이 아니다. 신은 사랑과 나눔의 행위 속에, 생명의 모든 움직임 안에 살아계시면서 말씀하신다. 사랑은 똥을 한 송이 꽃으로 바꾸어놓을 수도 있는 것이며, 생명은 그 자체로 축복된 것이라고. 작가 박완서가 통곡 속에서 얻어낸 이 깨달음은 우리를 숙연케 한다. 그것은 우리 안에 생명과 사랑의 작은 씨앗이 되어 자리잡는다. 그리고는 상처를 보듬고 일어나라고, 고통과 상처가 너를 맑게 할 것이라고 속삭인다. 어느새 그녀는 영혼을 치유하는 말을 꿈꾸는 작가로 다시 우리 곁에 돌아와 있는 것이다.

(필자 | 문학평론가)

1931년 10월 20일 경기도 개풍군 청교면 묵송리 박적골에서 태어남.
아버지 박영노(朴泳魯), 어머니 홍기숙(洪己宿). 열 살 위인
오빠가 있음.

1934년 아버지 별세. 어머니는 오빠만 데리고 서울로 떠남. 조부모
와 숙부모 밑에서 어린시절을 보냄.

1938년 서울로 와서 살게 됨. 매동국민학교 입학.

1944년 숙명여고 입학.

1945년 소개령(疏開令)이 내려져 개성으로 이사. 호수돈여고로 전
학. 고향에서 해방을 맞음. 서울로 와 학교를 계속 다님. 여
중 5학년 때 담임을 맡은 소설가 박노갑(朴魯甲) 선생에게서
많은 영향을 받음.

1950년 서울대학교 문리대 국문과에 입학. 6월 중순경에 입학식이
있어서 학교를 다닌 기간은 며칠 되지 않음. 전쟁중 한강 넘
어 피난 가지 못하고, 현저동에서 지냄. 전쟁으로 오빠와 숙
부가 죽고 대가족의 생계를 책임지게 되어 미군부대에 취직.
미8군 PX의 파자마부에서 일하다 초상화부로 옮겨감. 초상
화부에서 화가 박수근을 알게 됨.

1953년 4월 21일 호영진(扈榮鎭)과 결혼. 이후 1남 4녀를 둠(1954년
원숙, 1955년 원순, 1958년 원경, 1960년 원균, 1963년 원태
출생).

1961년 종로구 충신동 집에서 신설동(이후 행정구역상 보문동으로
       바뀜)으로 이사.

1970년 『裸木』으로 『여성동아』 장편소설 공모에 응모하여 당선,
       『여성동아』 11월호 부록으로 출판됨.

1971년 「歲暮」를 『여성동아』 4월호에, 「어떤 나들이」를 『월간문학』
       9월호에 발표. 작가의 자전적 소설에 해당하는 『한발기(旱魃
       記)』를 『여성동아』 7월호부터 연재하여 다음해인 1972년 11
       월호까지 연재하고 중단됨. 단행본에 실린 〈5월〉 부분이 빠
       져 있음.

1972년 「세상에서 제일 무거운 틀니」를 『현대문학』 8월호에 발표.

1973년 「부처님 근처」를 『현대문학』 7월호에, 「지렁이 울음소리」를
       『신동아』 7월호에, 「週末農場」을 『문학사상』 10월호에 발
       표.

1974년 「맏사위」를 『서울評論』 1월호에, 「戀人들」을 『월간문학』 3
       월호에, 「離別의 金浦空港」을 『문학사상』 4월호에, 「어느 시
       시한 사내 이야기」를 『世代』 5월호에, 「닮은 房들」을 『월간
       중앙』 6월호에, 「부끄러움을 가르칩니다」를 『신동아』 8월호
       에, 「재수굿」을 『문학사상』 12월호에 발표.

1975년 「카메라와 워커」를 『한국문학』 2월호에, 「도둑맞은 가난」을
       『세대』 4월호에, 「서글픈 巡訪」을 『주간조선』 6월호에, 「겨
       울 나들이」를 『문학사상』 9월호에, 「저렇게 많이!」를 『소설
       문예』 9월호에 발표. 『都市의 흉년』을 『문학사상』 12월호부
       터 연재 시작. 1979년 7월까지 거의 4년 동안 연재. 남편이
       사기 사건에 연루되어 옥바라지를 함.

1976년 2월에 첫 창작집 『부끄러움을 가르칩니다』를 一志社에서 출
       판. 그동안 발표한 소설 18편과 콩트 1편을 모아 엮음. 「어떤

야만」을 『뿌리깊은 나무』 5월호에, 「泡沫의 집」을 『한국문학』 10월호에, 「背叛의 여름」을 『세계의 문학』 가을호에, 「조그만 體驗記」를 『창작과비평』 가을호에 발표. 『휘청거리는 午後』를 『동아일보』에 1월 1일부터 12월 30일까지 연재.

1977년　「黑寡婦」를 『신동아』 2월호에, 「돌아온 땅」을 『세대』 4월호에, 「賞」을 『현대문학』 4월호에, 「꼭두각시의 꿈」을 『수정』에, 「꿈을 찍는 사진사」를 『한국문학』 6월호에, 「女人들」을 『세계의 문학』 여름호에, 「그 살벌했던 날의 할미꽃」을 『문예중앙』 겨울호에 발표. 「돌아온 땅」은 소설집 『배반의 여름』에 실리면서 「더위먹은 버스」로 제목만 바꿈. 〈신예작가 신작소설집〉이라는 기획의 하나로 신작 「창 밖은 봄」과 「꼭두각시의 꿈」 「꿈을 찍는 사진사」를 묶어 『창 밖은 봄』으로 열화당에서 출판. 『동아일보』에 연재했던 『휘청거리는 오후』를 창작과비평사에서 두 권의 단행본으로 출판. 4월에 첫번째 수필집(작가는 스스로 〈토막글〉이라 부르는 수필들은 에세이 또는 산문이라 불리고 있어 장르 규정이 일정치 않다) 『꼴찌에게 보내는 갈채』를 평민사에서, 5월에 두번째 수필집 『혼자 부르는 合唱』을 眞文出版社에서 출판. 거의 동시에 출판한 이 수필집들에 대해 작가는 『꼴찌에게 보내는 갈채』의 서문을 통해, 〈나를 많이 드러낸〉 것은 『혼자 부르는 합창』에 실려 있으며, 비교적 작가의 모습이 덜 담긴 글들을 『꼴찌에게 보내는 갈채』에 싣는다고 밝히고 있다.

1978년　「樂土의 아이들」을 『한국문학』 1월호에, 「집보기는 그렇게 끝났다」를 『세계의 문학』 가을호에, 「꿈과 같이」를 『창작과비평』 여름호에, 「空港에서 만난 사람」을 『문학과지성』 가을호에 발표. 『욕망의 응달』을 『여성동아』 8월호에 연재 시작. 1979년 11월까지 1년 반 동안 연재. 단편집『배반의 여름』을 창작과비평사에서 출판. 전쟁기 소설인『한발기』를 연재한 지 6년 만에 修文書館에서『목마른 季節』로 제목을 바꿔서 출판. 연재시에는 〈5월〉 부분이 없었으나, 단행본에는 〈4월〉 부분이 수정되고, 〈5월〉 부분이 첨가됨. 수필집『女子와 男子가 있는 風景』을 한길사에서 출판.

1979년 「내가 놓친 화합」을『문예중앙』봄호에, 「황혼」을『뿌리깊은 나무』3월호에, 「우리들의 富者」를『신동아』8월호에, 「추적자」를『문학사상』10월호에 발표.『살아있는 날의 시작』을『동아일보』에 10월 2일부터 1980년 5월 30일까지 연재. 1977년 펴냈던『창 밖은 봄』과 동일한 작품들을 묶어『꿈을 찍는 사진사』로 열화당에서 다시 출판. 4년에 걸쳐『문학사상』에 연재한『도시의 흉년』을 문학사상사에서 단행본 두 권으로 출판.『욕망의 응달』이 수문서관에서 단행본으로 출판. 1984년 수문서관에서『인간의 꽃』으로 제목을 바꾸어 다시 출판한 뒤 절판, 1989년 우리문학사에서『욕망의 응달』로 다시 출판. 창작동화만으로 엮은『달걀은 달걀로 갚으렴』을 샘터사에서 출판.

1980년 「그 가을의 사흘 동안」을『한국문학』6월호에, 「엄마의 말뚝 1」을『문학사상』9월호에, 「六福」을『소설문학』11월호에, 「침묵과 失語」를『세계의 문학』겨울호에 발표.『오만과 몽상』을『한국문학』에 12월부터 1982년 3월까지 연재.『동아일보』에 5월까지 연재한『살아있는 날의 시작』을 전예원에서 단행본으로 출판. 「그 가을의 사흘 동안」으로 한국문학작가상 수상.

1981년 「泉邊風景」을『문예중앙』봄호에, 「엄마의 말뚝 2」를『문학사상』8월호에,「쥬디 할머니」를『소설문학』10월호에,「꽃 지고 잎 피고」를 피어리스 사보인『Ami』에,「로열 박스」를 『현대문학』12월호에 발표. 짧은소설 모음집인『이민가는 맷돌』을 尋雪堂에서 출판. 등단작인 장편『나목』을 포함한 6 편의 단편소설들을 모은 소설집이 민음사에서『도둑맞은 가난』으로 출판됨. 20년간 살던 보문동 한옥을 떠나 잠실의 아파트로 이사.「엄마의 말뚝 2」로 제5회 이상문학상 수상.

1982년 「霧中」을『세계의 문학』여름호에,「遺失」을『문학사상』5 월호에 발표.『그해 겨울은 따뜻했네』를『한국일보』에 1982 년 1월 5일부터 1983년 1월 15일까지 연재. 첫 창작집 이후 발표된 소설들을 묶은『엄마의 말뚝』을 일월서각에서 출판. 『한국문학』에 연재됐던『오만과 몽상』을 한국문학사에서 출판. 1985년 같은 제목으로 고려원에서 다시 출판. 수필집 『살아있는 날의 소망』을 학원사에서 출판.『떠도는 결혼』을 『주부생활』에 4월호부터 연재 시작. 1983년 11월호까지 연재. 10월과 11월 문공부에서 주최한 문인 해외연수에 참가하여 유럽과 인도를 다녀옴(김치수, 염재만, 이호철, 홍윤숙, 김영옥, 유재용, 김승옥, 박연희, 김홍신 등이 참가).

1983년 「그의 외롭고 쓸쓸한 밤」을『문학사상』3월호에,「아저씨의 勳章」을『현대문학』5월호에,「무서운 아이들」을『한국문학』7월호에,「素描」를『소설문학』8월호에 발표. 1982년 『한국일보』에 연재한『그해 겨울은 따뜻했네』를 민음사에서 단행본으로 출판.

1984년 「再離散」을『여성문학』1집에,「울음소리」를『문학사상』2 월호에,「저녁의 邂逅」를『현대문학』3월호에,「어느 이야기 꾼의 수렁」을『문예중앙』여름호에,「지 알고 내 알고 하늘

이 알건만』을 〈창비 84 신작소설집〉으로 기획된 『지 알고
내 알고 하늘이 알건만』에, 「움딸」을 『학원』 9월호에 발표.
『서울 사람들』이라는 제목으로 8편의 짧은 소설을 1984년
창간된 잡지 『2000년』에 5월부터 12월까지 총 8회에 걸쳐 연
재. 글수레에서 『서울 사람들』로 단행본 출판. 7월 1일 영세
받음.

1985년 「解産바가지」를 『세계의 문학』 여름호에, 「초대」를 『문학사
상』 10월호에, 「애보기가 쉽다고?」를 『동서문학』 12월호에,
「사람의 日記」를 〈창비 85 신작소설집〉 『슬픈 해후』에, 「저
물 녘의 恍惚」을 〈문학과지성사 신작소설집〉 『숨은 손가락』
에 발표. 대하장편소설 『未忘』을 『문학사상』 3월호에 연재
시작. 1988년에, 연이은 남편의 죽음과 아들의 죽음으로 작
품활동을 중단한 탓에 1988년 9월까지 연재하고 10월부터
연재가 중단됨. 1989년 5월부터 다시 연재를 시작하여 1990
년 5월에 연재를 마침. 자선 에세이 『지금은 행복한 시간인
가』를 자유문학사에서 출판. 『주부생활』에 연재했던 『떠도
는 결혼』을 『서있는 여자』로 제목을 바꾸어 학원사에서 단
행본으로 출판. 단편선집 『그 가을의 사흘 동안』을 나남에서
출판. 11월에 〈일본 국제기금 재단〉의 초청으로 일본을 혼
자 여행.

1986년 「비애의 章」을 『현대문학』 2월호에, 「꽃을 찾아서」를 『한국
문학』 8월호에 발표. 『엄마의 말뚝』 이후에 발표한 소설을
모아 소설집 『꽃을 찾아서』를 창작사(창작과비평사)에서 출
판. 수필집 『서있는 女子의 갈등』을 나남에서 출판.

1987년 「저문 날의 揷話 1」을 여성동아문집 『분노의 메아리』(전예
원 刊)에, 「저문 날의 삽화 2」를 『또하나의 문화』 4호인 『여

성해방의 문학』에, 「저문 날의 삽화 3」을 『현대문학』 6월호
에, 「저문 날의 삽화 4」를 무크지 『創批, 1987』에 발표. 단편
선집 『그 살벌했던 날의 할미꽃』을 심지출판사에서 출판. 이
단편선집에는 『엄마의 말뚝』과 『꽃을 찾아서』에 실리지 않
은 단편들인 「유실」 「쥬디 할머니」 「움딸」 「사람의 일기」와
이미 단편집에 실렸던 6편이 함께 실림.

1988년 「저문 날의 삽화 5」를 『소설문학』 1월호에 발표. 5월에 남편
을, 8월에 아들을 연이어 잃음. 서울을 떠나 부산의 분도수녀
원에서 지냄. 미국 여행을 다녀옴.

1989년 『그대 아직도 꿈꾸고 있는가』를 『여성신문』에 2월 17일(제
11호)부터 같은 해 7월 28일(제34호)까지 연재. 남편과 아들
의 죽음으로 인한 슬픔을 딛고 활동을 재개하는 계기였다고
작가 스스로 말한 작품임. 이후로 1988년 10월부터 연재를
중단했던 『미망』을 다시 연재하기 시작함. 「복원되지 못한
것들을 위하여」를 『창작과비평』 여름호에, 「家」를 『현대문
학』 11월호에 발표. 『여성신문』에 연재했던 『그대 아직도 꿈
꾸고 있는가』를 삼진기획에서 단행본으로 출판.

1990년 어렵게 연재해오던 『미망』이 『문학사상』 5월호에서 완결됨.
『미망』을 문학사상사에서 단행본 세 권으로 출판. 수필집
『나는 왜 작은 일에만 분개하는가』를 햇빛출판사에서 출판.
아들의 죽음을 겪으면서 기록한 일기를 카톨릭 잡지 『생활
성서』에 9월호부터 1991년 9월호까지 『한 말씀만 하소서』로
연재. 『미망』으로 대한민국문학상 우수상 수상. 『그대 아직
도 꿈꾸고 있는가』의 성공으로 출판사 주최 성지순례 해외
여행을 다녀옴.

1991년 「여덟 개의 모자로 남은 당신」을 여성동아문집인 『여덟 개

의 모자로 남은 당신』(정민 刊)에,「엄마의 말뚝 3」을 〈박완서 특집〉으로 기획된『작가세계』봄호에,「우황청심환」을 『창작과비평』여름호에 발표.『나의 아름다운 이웃』을 〈짧은 이야기〉라는 이름을 붙여 작가정신에서 출판(1981년에 심설당에서 냈던『이민가는 맷돌』에 실린 작품들을 다시 출판한 것임). 단편소설집『저문 날의 삽화』를 문학과지성사에서 출판(회갑 기념으로 여성동아 문우들이 출판에 나선 책). 『미망』으로 제3회 이산문학상 수상. 유영란에 의해「엄마의 말뚝 1」이 영역, 출판됨(『번역이란 무엇인가』, 태학사).

1992년　「梧桐의 숨은 소리여」를『현대소설』봄호에 발표. 〈소설로 그린 자화상〉이라는 표제를 달고『그 많던 싱아는 누가 다 먹었을까』를 웅진출판에서 출판.『박완서 문학앨범』을 웅진 출판에서 출판. 1979년 샘터사에서 냈던 동화들을 모아서 『산과 나무를 위한 사랑법』으로 다시 출판.

1993년　「꿈꾸는 인큐베이터」를『현대문학』1월호에,「티 타임의 모녀」를『창작과비평』여름호에,「나의 가장 나종 지니인 것」을『상상』가을호(창간호)에 발표. 세계사에서 《박완서 소설전집》 발행 시작.『휘청거리는 오후』(소설전집 1),『도시의 흉년』(소설전집 2·3),『살아있는 날의 시작』(소설전집 4) 『욕망의 응달』(소설전집 5) 출판. Kang Gobae, Helene Lebrun이「엄마의 말뚝 1」을 불어로 번역한『Le piquet de ma mere : recit』이 Le Mejang, Arles : Actes Sud에서 출판됨.「꿈꾸는 인큐베이터」로 제38회 현대문학상 수상. 제19회 중앙문화대상(예술 부문) 수상.

1994년　「가는 비, 이슬비」를『한국문학』3·4월 합본호에 발표. 세계사에서『목마른 계절』(소설전집 6),『엄마의 말뚝』(소설전집 7), 『오만과 몽상』(소설전집 8) 『그해 겨울은 따뜻했네』(소설전집 9)를 출판. 일기와 『저문 날의 삽화』 이후의 소설들을 묶어서 소설집 『한 말씀만 하소서』를 솔에서 출판. 장편동화 『부숭이의 땅힘』을 한양출판에서 출판. 도시적인 것이 갖고 있는 해악과 허위성에 대한 주제의식은 어린이들의 삶이나 정서를 통해서도 일관되게 발견할 수 있는 작품. 첫 창작집 『부끄러움을 가르칩니다』를 출간 20주년 기념으로 한양출판에서 다시 출판함. 첫 수필집인 『꼴찌에게 보내는 갈채』 역시 출간 20주년 기념으로 한양출판에서 다시 출판함. Helga Picht가 『그대 아직도 꿈꾸고 있는가』를 독일어로 번역한 『Das Familienregister : Roman』이 Berlin : Volk & Welt에서 출판됨. 「나의 가장 나종 지니인 것」으로 제25회 동인문학상 수상.

1995년 「마른 꽃」을 『문학사상』 1월호에, 「환각의 나비」를 『문학동네』 봄호에 발표. 세계사에서 『나목』(소설전집 10), 『서있는 여자』(소설전집 11)를 출판. 자전소설 『그 많던 싱아는 누가 다 먹었을까』의 다음 이야기에 해당하는 『그 산이 정말 거기 있었을까』를 웅진출판에서 출판. 수필집 『한 길 사람 속』을 작가정신에서 출판. 유영란(Yu Young-nan)이 『나목』을 영어로 번역한 『The naked tree』가 Cornel University에서 출판됨. 「환각의 나비」로 제1회 한무숙문학상 수상.

1996년 단편선집 『울음소리』를 솔에서 출판. 세계사에서 『미망』(소설전집12 · 13)을 출판. 「참을 수 없는 비밀」을 『창작과비평』 겨울호에 발표.

1997년 「길고 재미없는 영화가 끝나갈 때」를 『라쁠륨』 봄호에, 「그 여자네 집」을 여성동아문집인 『13월의 사랑』(예감 刊)에,

「너무도 쓸쓸한 당신」을 『문학동네』 겨울호에 발표. 민병일 시인과 소설가 이경자, 김영현과 함께한 티베트·네팔 기행기 『모독(冒瀆)』을 학고재에서 출판. 『그 산이 정말 거기 있었을까』로 제5회 대산문학상 수상.

1998년　「꽃잎 속의 가시」를 『작가세계』 봄호에, 「공놀이하는 여자」를 『당대비평』 여름호에, 「J-1비자」를 『창작과비평』 겨울호에 발표. 수필집 『어른노릇 사람노릇』을 작가정신에서 출판. 그림동화 『이게 뭔지 알아맞춰 볼래?』를 미세기에서 출판. 『한 말씀만 하소서』 이후의 단편소설들을 모아 창작과비평사에서 『너무도 쓸쓸한 당신』을 출판. 『저문 날의 삽화』 이후 노년의 삶에 대한 관심은 지속적인 것이나, 이 소설집을 계기로 주목을 받기 시작함. 보관문화훈장(문화관광부) 받음.

1999년　세계사에서 『그대 아직도 꿈꾸고 있는가』(소설전집 14, 일기 『한 말씀만 하소서』와 중편 「서울 사람들」 함께 수록) 출판. 1996년부터 1998년 말까지 천주교 『서울주보』에 썼던 묵상의 글들을 모은 『님이여, 그 숲을 떠나지 마오』를 여백에서 출판. 《박완서 단편소설 전집》(전5권) 『어떤 나들이』(단편소설 전집 1), 『조그만 체험기』(단편소설 전집 2), 『아저씨의 훈장』(단편소설 전집 3), 『해산바가지』(단편소설 전집 4), 『가는 비, 이슬비』(단편소설 전집 5)를 문학동네에서 출판. 『아주 오래된 농담』을 『실천문학』 겨울호부터 연재 시작. 에세이 선집 『작은 마음이 아름다운 세상을 만든다』를 미래사에서 출판. Chun Kyung-ja가 「나의 가장 나종 지니인 것」 「지 알고 내 알고 하늘이 알건만」 「환각의 나비」 「이별의 김포공항」 「집보기는 그렇게 끝났다」 「어떤 야만」 「공항에서

만난 사람」「그 살벌했던 날의 할미꽃」「그 가을의 사흘 동
안」 등 9편을 영어로 번역한 소설집 『My very last posses-
sion and other stories』가 Armonk, N. Y. : M. E. Sharpe에서
출판됨. 전문번역가 이현재가 「저문 날의 삽화」「그 가을의
사흘 동안」「도둑맞은 가난」「엄마의 말뚝 1 · 2 · 3」 등 6편
을 영어로 번역한 소설집 『A Sketch of the Fading Sun』이 뉴
욕의 화이트 파인(White Pine) 출판사에서 출판됨. 『너무도
쓸쓸한 당신』으로 제14회 만해문학상 수상.

2000년   이미 발표한 단편동화를 모아 다시 엮은 『자전거 도둑』이 다
림에서 출판됨. 등단 30주년 기념 에세이 선집 『아름다운 것
은 무엇을 남길까』를 세계사에서 출판. 『실천문학』 가을호
로 『아주 오래된 농담』 연재를 마침. 실천문학사에서 『아주
오래된 농담』으로 단행본 출판. 제14회 인촌상(문학 부문)
수상. 등단 30주년과 고희를 맞아 『작가세계』 겨울호(통권
제47호)에서 〈박완서 문학 30년〉 특집호를 발행. 박완서 문
학 30년을 총체적으로 정리한 기념비평집 『박완서 문학 길
찾기』가 세계사에서 출판됨.

2001년   「그리움을 위하여」를 『현대문학』 2월호에 발표. 「그리움을
위하여」로 제1회 황순원문학상 수상.

2002년   첫 수필집 『꼴찌에게 보내는 갈채』 출간 25주년을 맞아 세계
사에서 증보판을 출판함. 《박완서 소설전집》(전14권)의 개
정판을 장정을 새로 하여 세계사에서 출판함.

◆ 작품목록

1 장편소설

『나목』 / 여성동아(부록), 1970

　나목 / 열화당, 1976

　도둑맞은 가난 (『나목』 재수록) / 민음사, 1981

　나목 / 작가정신, 1990

　나목(박완서 소설전집 10) / 세계사, 1995

　나목 · 도둑맞은 가난(1981년 출간한 『도둑맞은 가난』의 개정판) /
　　민음사, 1997

＊『한발기』 / 여성동아 1971. 7~1972. 11 연재

＊『휘청거리는 오후』 / 동아일보 1976. 1. 1~1976. 12. 30 연재

＊『도시의 흉년』 / 문학사상 1975. 12~1979. 7 연재

『휘청거리는 오후』 / 창작과비평사, 1977

　휘청거리는 오후(박완서 소설전집 1) / 세계사, 1993

＊『욕망의 응달』 / 여성동아 1978. 8~1979. 11 연재

『목마른 계절』(원제는 『한발기』) / 수문서관, 1978

　목마른 계절 / 열린책들, 1987

　목마른 계절(박완서 소설전집 6) / 세계사, 1994

＊『살아있는 날의 시작』 / 동아일보 1979. 10. 2~1980. 5. 30 연재

『도시의 흉년』 / 문학사상사, 1979

　도시의 흉년(박완서 소설전집 2 · 3) / 세계사, 1993

『욕망의 응달』 / 수문서관, 1979

　　인간의 꽃(원제는『욕망의 응달』) / 수문서관, 1984

　　욕망의 응달 / 우리문학사, 1989

　　욕망의 응달(박완서 소설전집 5) / 세계사, 1993

＊『오만과 몽상』 / 한국문학 1980. 12~1982. 3 연재

『살아있는 날의 시작』 / 전예원, 1980

　　살아있는 날의 시작(박완서 소설전집 4) / 세계사, 1993

＊『그해 겨울은 따뜻했네』 / 한국일보 1982. 1. 5~1983. 1. 15 연재

『오만과 몽상』 / 한국문학사, 1982

　　오만과 몽상 / 고려원, 1985

　　오만과 몽상(박완서 소설전집 8) / 세계사, 1994

『그해 겨울은 따뜻했네』 / 민음사, 1983

　　그해 겨울은 따뜻했네(박완서 소설전집 9) / 세계사, 1994

＊『떠도는 결혼』 / 주부생활 1982. 4~1983. 11 연재

『서있는 여자』(원제는『떠도는 결혼』) / 학원사, 1985

　　서있는 여자(박완서 소설전집 11) / 세계사, 1995

＊『미망』 / 문학사상 1985. 3~1990. 5 연재(1988. 10~1989. 6 연재 중
　　단)

＊『그대 아직도 꿈꾸고 있는가』/여성신문 1989. 2. 17(제11호)~1989.
　　7. 28(제34호) 연재

『그대 아직도 꿈꾸고 있는가』 / 삼진기획, 1989

　　그대 아직도 꿈꾸고 있는가(박완서 소설전집 14, 일기『한 말씀만
　　하소서』와 중편「서울 사람들」함께 수록) / 세계사, 1999

『미망』 / 문학사상사, 1990

　　미망(박완서 소설전집 12 · 13) / 세계사, 1996

『그 많던 싱아는 누가 다 먹었을까』 / 웅진출판, 1992

『그 산이 정말 거기 있었을까』 / 웅진출판, 1995

*『아주 오래된 농담』 / 실천문학 1999년 겨울호~2000년 가을호 연재

『아주 오래된 농담』 / 실천문학사, 2000

2 소설집

『부끄러움을 가르칩니다』 / 일지사, 1976

『창 밖은 봄』 / 열화당, 1977

『배반의 여름』 / 창작과비평사, 1978

『꿈을 찍는 사진사』(『창 밖은 봄』과 수록작품 동일) / 열화당, 1979

『도둑맞은 가난』(소설선집) / 민음사, 1981

『엄마의 말뚝』 / 일월서각, 1982

　　엄마의 말뚝(박완서 소설전집 7) / 세계사, 1994

『그 가을의 사흘 동안』(단편선집) / 나남, 1985

『꽃을 찾아서』 / 창작사(창작과비평사), 1986

『그 살벌했던 날의 할미꽃』(단편선집) / 심지, 1987

『저문 날의 삽화』 / 문학과지성사, 1991

『한 말씀만 하소서』 / 솔, 1994

『부끄러움을 가르칩니다』(출간 20주년 기념) / 한양출판, 1994

『여덟 개의 모자로 남은 당신』(단편선집, 문고판) / 삼성, 1995

『울음소리』(단편선집) / 솔, 1996

『너무도 쓸쓸한 당신』 / 창작과비평사, 1998

『어떤 나들이』(박완서 단편소설 전집 1) / 문학동네, 1999

『조그만 체험기』(박완서 단편소설 전집 2) / 문학동네, 1999

『아저씨의 훈장』(박완서 단편소설 전집 3) / 문학동네, 1999

『해산바가지』(박완서 단편소설 전집 4) / 문학동네, 1999

『가는 비, 이슬비』(박완서 단편소설 전집 5) / 문학동네, 1999

3 콩 트

『이민가는 맷돌』/ 심설당, 1981

『서울사람들』(풍자소설집) / 글수레, 1984

『나의 아름다운 이웃』(『이민가는 맷돌』과 일부 작품 중복) / 작가정
　신, 1991

4 에 세 이

『꼴찌에게 보내는 갈채』/ 평민사, 1977

『혼자 부르는 합창』/ 진문출판사, 1977

『여자와 남자가 있는 풍경』/ 한길사, 1978

『살아있는 날의 소망』/ 학원사, 1982

『지금은 행복한 시간인가』(자선 에세이) / 자유문학사, 1985

『서있는 여자의 갈등』/ 나남, 1986

『나는 왜 작은 일에만 분개하는가』/ 햇빛출판사, 1990

『한 길 사람 속』/ 작가정신, 1995

『꼴찌에게 보내는 갈채』(출간 20주년 기념), 한양출판, 1994

『모독』(티베트 · 네팔 기행기) / 학고재, 1997

『어른노릇 사람노릇』/ 작가정신, 1998

『님이여, 그 숲을 떠나지 마오』(묵상집) / 여백, 1999

『아름다운 것은 무엇을 남길까』(등단 30주년 기념 에세이 선집) / 세
　계사, 2000

『꼴찌에게 보내는 갈채』(출간 25주년 기념 증보판) / 세계사, 2002

5 동 화

『달걀은 달걀로 갚으렴』(동화집) / 샘터사, 1979

『산과 나무를 위한 사랑법』(동화집) / 샘터사, 1992

『부숭이의 땅힘』(장편동화) / 한양출판, 1994

『속삭임』(동화집) / 샘터사, 1997

『이게 뭔지 알아맞춰 볼래?』(그림동화) / 미세기, 1998

『자전거 도둑』(동화집) / 다림, 2000

6 번 역

「엄마의 말뚝 1」 / 『번역문학이란 무엇인가』(영역), 유영란 옮김, 태
　　학사, 1991

「엄마의 말뚝 1」 / *Le piquet de ma mere* : recit(불역), by Kang
　　Gobae, Helene Lebrun, Le Mejang, Arles : Actes Sud, 1993

『그대 아직도 꿈꾸고 있는가』 / *Das Familienregister* : Roman(독역),
　　by Helga Picht, Berlin : Volk & Welt, 1994

『나목』 / *The naked tree*(영역), by Yu Young-nan, East Asia Pro-
　　gram, Cornel University, 1995

「나의 가장 나종 지니인 것」 外 8편 / *My very last possession and
　　other stories*(영역), by Chun Kyung-ja, Armonk, N. Y. : M. E.
　　Sharpe, 1999

「저문 날의 삽화」 外 5편 / *A Sketch of the Fading Sun*(영역), 이현재
　　옮김, New York : White Pine, 1999

7 기 타

『박완서 문학앨범』 / 웅진출판, 1992

『박완서 문학 길찾기』(박완서 문학 30년 기념비평집) / 세계사, 2000

박완서 소설전집 14

그대 아직도 꿈꾸고 있는가
한 말씀만 하소서 外

지은이 · 박완서
초판1쇄 발행 · 1999년 6월 10일
2판1쇄 발행 · 2002년 7월 10일
2판7쇄 발행 · 2003년 8월 18일
펴낸이 · 최선호
펴낸곳 · (주)도서출판 세계사
주소 · 121-841 서울시 마포구 서교동 458-2 서교빌딩 2층
전화 · 335-6622(영업), 336-2931(편집) 팩스 · 336-6534
이메일 · segyesa@kornet.net / segye1@hitel.net
홈페이지 · http://www.segyesa.com
출판등록 · 1988년 12월 7일(제1-847호)
인쇄 · 백왕인쇄
제본 · 정민제본
ⓒ 박완서, 1999. Printed in Seoul, Korea

ISBN 89-338-0109-X   03810